suhrkamp taschenbuch 2750

Hannah Gonen, 30 Jahre alt, trennt sich nach zehn Jahren Ehe von ihrem Mann, dem Geologen Michael Gonen. Als Studentin hat sie ihn kennengelernt, sich in ihn verliebt. Sie hat ihr Studium aufgegeben, Mann und Kind ernährt; den Widerstand von Michaels Verwandtschaft ertragen – und seine Lieblosigkeit. Jetzt resümiert sie, vergegenwärtigt sich noch einmal die Stationen dieser Ehe. Aber Amos Oz' Roman ist nicht nur die Geschichte von Hannah und einer Ehe, die nicht gutgehen konnte; sein Buch ist auch ein Stück israelischer Geschichte. Eine spannende Beschreibung der sozialen und politischen Veränderungen in den zehn Jahren zwischen 1950 und 1960.
Amos Oz, geboren 1939 in Jerusalem, ist einer der wichtigsten israelischen Schriftsteller unserer Tage. Als suhrkamp taschenbuch liegen vor *Im Lande Israel* (st 1066), *Black Box*. Roman (st 1898), *Der perfekte Frieden*. Roman (st 1747), *Bericht zur Lage des Staates Israel* (st 2192), *Eine Frau erkennen*. Roman (st 2206), *Der dritte Zustand*. Roman (st 2621) und *Sehnsucht*. Drei Erzählungen (st 2627). 1992 wurde Amos Oz mit dem Friedenspreis des Deutschen Buchhandels ausgezeichnet.

Amos Oz

Mein Michael

Roman

Aus dem Englischen von
Gisela Podlech-Reisse

Suhrkamp

Umschlagfoto: Elliott Erwitt / Magnum / Focus

suhrkamp taschenbuch 2750
Erste Auflage dieser Ausgabe 1997

Druck: Nomos Verlagsgesellschaft, Baden-Baden
Printed in Germany
Umschlag nach Entwürfen von
Willy Fleckhaus und Rolf Staudt

1 2 3 4 5 6 – 02 01 00 99 98 97

Mein Michael

I

Ich schreibe dies nieder, weil Menschen, die ich geliebt habe, gestorben sind. Ich schreibe dies nieder, weil ich als junges Mädchen erfüllt war von der Kraft der Liebe und diese Kraft der Liebe nun stirbt. Ich will nicht sterben.
Ich bin 30 Jahre alt und eine verheiratete Frau. Mein Mann, der Geologe Dr. Michael Gonen, ist ein gutmütiger Mensch. Ich liebte ihn. Wir lernten uns vor zehn Jahren im Terra-Sancta-College kennen. Ich studierte damals im ersten Studienjahr an der Hebräischen Universität, als die Vorlesungen noch im Terra-Sancta-College stattfanden.
Und so lernten wir uns kennen:
An einem Wintertag um neun Uhr morgens rutschte ich beim Hinuntergehen auf der Treppe aus. Ein junger Unbekannter packte meinen Ellenbogen und fing mich auf. Seine Hand war kraftvoll und beherrscht. Ich sah kurze Finger mit flachen Nägeln. Blasse Finger mit weichem schwarzem Flaum auf den Knöcheln. Er machte einen Satz, um meinen Sturz zu verhindern; ich stützte mich auf seinen Arm, bis der Schmerz verging. Ich war hilflos, denn es ist irritierend, Fremden plötzlich vor die Füße zu fallen: forschende, neugierige Blicke und boshaftes Lächeln. Und ich war verlegen, weil die Hand des jungen Fremden breit und warm war. Während er mich hielt, konnte ich die Wärme seiner Finger durch den Ärmel des blauen Wollkleides spüren, das meine Mutter mir gestrickt hatte. Es war Winter in Jerusalem.
Er fragte, ob ich mich verletzt hätte.
Ich sagte, ich hätte mir wahrscheinlich den Knöchel verstaucht.
Er sagte, das Wort »Knöchel« habe ihm schon immer gefallen. Er lächelte. Ein verlegenes Lächeln, das verlegen machte. Ich wurde rot. Ich lehnte auch nicht ab, als er mich bat, ihn in die Cafeteria im Parterre zu begleiten. Mein Bein schmerzte. Das Terra-Sancta-College ist ein christliches Kloster, das man nach dem 1948er Krieg leihweise der Hebräischen Universität überlassen

hatte, nachdem die Gebäude auf dem Skopusberg nicht mehr zugänglich waren. Es ist ein kaltes Gebäude mit hohen, breiten Korridoren. Verwirrt folgte ich diesem jungen Fremden, der mich immer noch festhielt. Glücklich ging ich auf seine Worte ein. Ich brachte es nicht fertig, ihn direkt anzusehen und mir sein Gesicht näher anzuschauen. Ich ahnte mehr als ich sah, daß sein Gesicht länglich war und mager und dunkel.
»Setzen wir uns doch«, sagte er.
Wir setzten uns, wir sahen einander nicht an. Ohne zu fragen, was ich haben wolle, bestellte er zwei Tassen Kaffee. Ich liebte meinen verstorbenen Vater mehr als jeden anderen Mann auf der Welt. Als mein neuer Bekannter sich umsah, fiel mir auf, daß er kurzgeschorene Haare hatte und schlecht rasiert war. Er hatte dunkle Stoppeln, besonders unterm Kinn. Ich weiß nicht, warum mir dieses Detail wichtig schien, mich sogar für ihn einnahm. Ich mochte sein Lächeln und seine Finger, die mit einem Teelöffel spielten, als hätten sie ein Eigenleben. Und dem Löffel gefiel es, von ihnen gehalten zu werden. Ich spürte in meinen eigenen Fingern den leisen Wunsch, sein Kinn zu berühren, da, wo er schlecht rasiert war und wo die Stoppeln sprossen.
Er hieß Michael Gonen.
Er studierte Geologie im dritten Studienjahr. Er war in Holon geboren und aufgewachsen. »Es ist kalt in deinem Jerusalem.«
»Meinem Jerusalem? Woher weißt du, daß ich aus Jerusalem bin?« Es tue ihm leid, sagte er, wenn er sich dieses eine Mal geirrt haben sollte, er glaube allerdings nicht, daß er sich irre. Er habe mittlerweile gelernt, die Einwohner Jerusalems auf den ersten Blick zu erkennen. Während er redete, sah er mir zum ersten Mal in die Augen. Seine Augen waren grau. Ich bemerkte ein amüsiertes Funkeln in ihnen, aber kein fröhliches Funkeln. Ich sagte ihm, er habe richtig geraten. Ich sei tatsächlich aus Jerusalem.
»Geraten? Keine Spur.«
Er bemühte sich, beleidigt auszusehen, doch seine Mundwinkel lächelten: nein, er habe nicht geraten. Er könne mir ansehen, daß ich aus Jerusalem sei. »Ansehen?« Lerne er das etwa in seinem

Geologiekurs? Nein, natürlich nicht. Eigentlich habe er das von den Katzen gelernt. Von den Katzen? Ja, es mache ihm Spaß, Katzen zu beobachten. Eine Katze würde niemals mit jemandem Freundschaft schließen, der nichts für sie übrig habe. Katzen irrten sich nie in einem Menschen.
»Du scheinst ein glücklicher Mensch zu sein«, sagte ich übermütig. Ich lachte, und mein Lachen verriet mich.

Anschließend lud Michael Gonen mich ein, ihn in den dritten Stock des Terra-Sancta-College zu begleiten, wo ein paar Lehrfilme über das Tote Meer und die Arava-Senke gezeigt werden sollten.
Als wir auf dem Weg nach oben an der Stelle vorbeikamen, wo ich ausgerutscht war, griff Michael erneut nach meinem Ärmel. Als drohe Gefahr, daß ich noch einmal auf dieser Stufe ausrutschte. Durch die blaue Wolle hindurch konnte ich jeden einzelnen seiner fünf Finger spüren. Er hustete trocken, und ich schaute ihn an. Als er merkte, daß ich ihn ansah, wurde sein Gesicht purpurrot. Sogar seine Ohren liefen rot an. Der Regen klatschte gegen die Fensterscheiben.
»Was für ein Wolkenbruch!«, sagte Michael.
»Ja, ein Wolkenbruch«, stimmte ich begeistert zu, als hätte ich plötzlich entdeckt, daß wir verwandt seien.
Michael zögerte. Dann fügte er hinzu:
»Ich habe heute früh den Nebel gesehen, und es war sehr windig.«
»Winter ist Winter in meinem Jerusalem«, erwiderte ich fröhlich, wobei ich »meinem Jerusalem« besonders betonte, um ihn an seine ersten Worte zu erinnern. Ich wollte, daß er weitersprach, doch ihm fiel keine Antwort darauf ein. Er ist nicht witzig. Also lächelte er wieder. An einem Regentag in Jerusalem im Terra-Sancta-College auf der Treppe zwischen dem ersten und dem zweiten Stockwerk. Ich habe es nicht vergessen.

In dem Film sahen wir, wie man Wasser zum Verdunsten bringt, bis das reine Salz erscheint: weiße Kristalle leuchten auf grauem

Schlamm. Und die Minerale in den Kristallen wie feine Adern, sehr zart und spröde. Der graue Schlamm teilte sich langsam vor unseren Augen, denn dieser Lehrfilm zeigte die natürlichen Abläufe im Zeitraffer. Es war ein Stummfilm. Die Rouleaus waren heruntergezogen, um das Tageslicht abzuschirmen. Das Licht draußen war ohnehin nur schwach und trübe. Ein alter Dozent gab gelegentlich mit schleppender, klingender Stimme Kommentare und Erklärungen ab, die ich nicht verstand. Mir fiel die angenehme Stimme Dr. Rosenthals ein, der mich mit neun Jahren von einer Diphterie geheilt hatte. Hin und wieder hob der Dozent mit Hilfe eines Zeigestocks die wichtigeren Details der Bilder hervor, um zu verhindern, daß die Gedanken seiner Studenten abirrten. Nur ich konnte es mir leisten, Einzelheiten ohne jeden pädagogischen Wert zu entdecken, wie die kläglichen, aber entschlossenen Wüstenpflanzen, die immer wieder rund um die Pottasche erzeugenden Maschinen auf der Leinwand auftauchten. Beim matten Glanz der Laterna magica hatte ich außerdem Zeit, mir Gesicht, Arm und Zeigestock des altehrwürdigen Dozenten genau anzusehen. Er hatte Ähnlichkeit mit einem Bild aus einem der alten Bücher, die ich so liebte. Ich dachte dabei an die dunklen Holzschnitte in *Moby Dick*. Draußen donnerte es einige Male schwer und dröhnend. Der Regen schlug wütend gegen die verdunkelten Fenster, als fordere er uns auf, aufmerksam einer wichtigen Botschaft zu lauschen, deren Überbringer er war.

II

Mein verstorbener Vater pflegte oft zu sagen: Starke Menschen können fast alles tun, was sie wollen, aber selbst die stärksten können sich nicht aussuchen, was sie tun wollen. Ich bin nicht besonders stark.

Michael und ich verabredeten uns noch am selben Abend im Café Atara in der Ben-Yehuda-Straße. Draußen tobte ein wahrer Sturm, der wild gegen die steinernen Mauern Jerusalems schlug.
Die Notstandsgesetze waren noch in Kraft. Man brachte uns Ersatzkaffee und winzige Papiertütchen mit Zucker. Michael machte einen Scherz darüber, aber sein Scherz war nicht komisch. Er ist kein witziger Mann – und vielleicht konnte er ihn auch nicht richtig erzählen. Ich freute mich, daß er sich so anstrengte. Ich war froh, daß er sich mir zuliebe ein bißchen Mühe gab. Meinetwegen schlüpfte er aus seinem Kokon und versuchte, heiter und amüsant zu sein. Noch mit neun Jahren hatte ich den Wunsch, ein Mann zu werden statt einer Frau. Als Kind spielte ich lieber mit Jungen und las nur Jungenbücher. Ich balgte mich herum, teilte Fußtritte aus und machte Klettertouren. Wir lebten in Qiryat Shemuel, am Rande eines Vororts, der Katamon heißt. Dort gab es ein herrenloses Stück Land an einer Böschung, das von Felsbrocken, Disteln und Schrott bedeckt war, und am Fuße der Böschung stand das Haus der Zwillinge. Die Zwillinge waren Araber, Halil und Aziz, Rashid Shahadas Söhne. Ich war eine Prinzessin und sie meine Leibwächter, ich war ein Eroberer und sie meine Gefolgsleute, ich war ein Entdecker und sie meine Eingeborenenträger, ein Kapitän und sie meine Mannschaft, ein Meisterspion und sie meine Zuträger. Gemeinsam erforschten wir abgelegene Straßen, durchstreiften hungrig und atemlos die Wälder, hänselten orthodoxe Kinder, drangen heimlich in den Wald um das St.-Symeon-Kloster ein, beschimpften die britischen Polizisten. Jagten und flüchteten, versteckten uns und tauchten wieder auf. Ich herrschte über die Zwillinge. Es war ein kaltes Vergnügen, schon so fern.
Michael sagte:
»Du bist ein verschlossenes Mädchen, nicht?«
Nachdem wir unseren Kaffee ausgetrunken hatten, holte Michael eine Pfeife aus seiner Manteltasche und legte sie zwischen uns auf den Tisch. Ich trug braune Kordhosen und einen dicken, roten Pullover, wie ihn Studentinnen damals zu tragen pflegten,

um lässig auszusehen. Michael bemerkte schüchtern, ich hätte morgens in dem blauen Wollkleid viel weiblicher gewirkt. Auf ihn zumindest.
»Du hast heute morgen auch anders ausgesehen«, sagte ich.
Michael trug einen grauen Mantel. Er behielt ihn die ganze Zeit über an, die wir im Café Atara saßen. Seine Wangen glühten von der bitteren Kälte draußen. Sein Körper war mager und eckig. Er griff nach seiner kalten Pfeife und zeichnete mit ihr Figuren auf das Tischtuch. Seine Finger, die mit der Pfeife spielten, stimmten mich friedlich. Vielleicht bereute er plötzlich seine Bemerkung über meine Kleidung. Als wolle er einen Fehler wiedergutmachen, sagte Michael, er fände, ich sei ein hübsches Mädchen. Während er das sagte, blickte er starr auf seine Pfeife. Ich bin nicht besonders stark, aber stärker als dieser junge Mann.
»Erzähl etwas von dir«, sagte ich.
Michael sagte:
»Ich habe nicht in der *Palmach** gekämpft. Ich war bei der Nachrichtentruppe. Ich war Funker bei der Carmeli-Brigade.«
Dann begann er, von seinem Vater zu sprechen. Michaels Vater war Witwer. Er arbeitete bei den Wasserwerken der Stadtverwaltung Holon.
Rashid Shahada, der Vater der Zwillinge, war unter den Briten in der technischen Abteilung der Stadtverwaltung Jerusalems beschäftigt. Er war ein gebildeter Araber, der sich Fremden gegenüber wie ein Kellner benahm.
Michael erzählte mir, daß sein Vater den größten Teil seines Gehalts in seine Ausbildung stecke. Michael war ein Einzelkind, und sein Vater setzte große Hoffnungen in ihn. Er wollte nicht einsehen, daß sein Sohn ein gewöhnlicher junger Mann war. Er pflegte zum Beispiel voller Ehrfurcht die Aufsätze zu lesen, die Michael für sein Geologiestudium anfertigte, um sie dann in wohlgesetzter Rede mit Sätzen wie »Das ist sehr wissenschaftlich. Sehr gründlich.« zu kommentieren. Seines Vaters größter

* Palmach: Kampftruppe der jüdischen Verteidigungsorganisation Hagana, gegründet während der britischen Mandatszeit und später aufgelöst.

Wunsch war es, daß Michael einmal Professor in Jerusalem würde, denn sein Großvater väterlicherseits hatte Naturwissenschaften am hebräischen Lehrerseminar in Grodno gelehrt. Er war sehr angesehen gewesen. Es wäre schön, dachte Michaels Vater, wenn sich diese Tradition von einer Generation zur anderen fortsetzen ließe.

»Eine Familie ist kein Staffellauf, in dem ein Beruf wie ein Staffelholz weitergegeben wird«, sagte ich.

»Meinem Vater kann ich das aber nicht sagen«, erwiderte Michael. »Er ist ein sentimentaler Mensch, der hebräische Ausdrücke benutzt wie zerbrechliche Teile eines kostbaren Porzellanservices. Erzähl' mir jetzt was über deine Familie.«

Ich erzählte ihm, daß mein Vater 1943 gestorben sei. Er war ein schweigsamer Mensch. Er pflegte mit Leuten zu reden, als gelte es, sie zu beruhigen und eine Zuneigung zu verdienen, die er eigentlich nicht verdiente. Er hatte einen Laden, in dem er Rundfunkgeräte und elektrische Artikel verkaufte und reparierte. Seit seinem Tod lebte meine Mutter mit meinem älteren Bruder Emanuel in Kibbuz Nof Harim. »Abends sitzt sie mit Emanuel und seiner Frau Rina zusammen beim Tee und versucht, deren kleinem Sohn Manieren beizubringen, denn seine Eltern gehören einer Generation an, die gute Manieren verabscheut. Tagsüber schließt sie sich in einem kleinen Zimmer am Rande des Kibbuz ein und liest Turgenjew und Gorki auf russisch, schreibt mir Briefe in gebrochenem Hebräisch, strickt und hört Radio. Das blaue Kleid, das dir heute morgen so gut gefiel – meine Mutter hat es gestrickt.«

Michael lächelte.

»Deine Mutter und mein Vater würden sich vielleicht gern kennenlernen. Sie hätten sich bestimmt viel zu erzählen. Nicht so wie wir, Hannah – wir sitzen hier und reden über unsere Eltern. Langweilst du dich?«, fragte er besorgt, und während er fragte, zuckte er zusammen, als hätte er sich mit dieser Frage verletzt.

»Nein«, sagte ich. »Nein, ich langweile mich nicht. Mir gefällt es hier.«

Michael fragte, ob ich das nicht nur aus Höflichkeit gesagt habe. Ich bestand darauf. Ich bat ihn, mehr über seinen Vater zu erzählen. Ich sagte, mir gefiele die Art, wie er redete.
Michaels Vater war ein einfacher, bescheidener Mann. Seine Abende verbrachte er aus freien Stücken damit, den Holoner Arbeiterklub zu leiten. Zu leiten? Er stelle nur Bänke auf, lege Schriftstücke ab, vervielfältige Informationen, sammle nach den Sitzungen die Zigarettenkippen auf. Unsere Eltern würden sich vielleicht gern kennenlernen... Oh, das hatte er bereits gesagt. Er bat um Verzeihung, daß er sich wiederhole und mich langweile. Welches Fach hatte ich an der Universität belegt? Archäologie?
Ich erzählte ihm, daß ich in einem Zimmer bei einer orthodoxen Familie in Achvah wohnte. Vormittags arbeite ich als Erzieherin in Sarah Zeldins Kindergarten in Kerem Avraham. Nachmittags besuche ich Vorlesungen über hebräische Literatur. Aber ich sei erst im ersten Studienjahr.
»Studentenmädchen, kluges Mädchen.« Bemüht, witzig zu sein, und ängstlich darauf bedacht, Gesprächspausen zu vermeiden, suchte Michael bei einem Wortspiel Zuflucht. Doch die Pointe blieb unklar, und er suchte nach einem besseren Ausdruck. Unvermittelt hörte er auf zu reden und machte einen neuen wütenden Versuch, seine störrische Pfeife in Brand zu setzen. Seine Verlegenheit machte mir Spaß. Damals fühlte ich mich noch abgestoßen vom Anblick jener rauhen Männer, die meine Freundinnen damals anzubeten pflegten: bärenstarke *Palmach*-Männer, die sich mit einem Sturzbach trügerischer Freundlichkeiten auf einen stürzten; grobschlächtige Traktorfahrer, die staubbedeckt aus dem Negev kamen wie Mordbrenner, die die Frauen einer gefallenen Stadt mit sich schleppten. Ich liebte die Verlegenheit des Studenten Michael Gonen an dem Winterabend im Café Atara.
Ein berühmter Wissenschaftler betrat das Café in Begleitung zweier Frauen. Michael beugte sich vor und flüsterte mir seinen Namen ins Ohr. Fast hätten seine Lippen mein Haar gestreift. Ich sagte:

»Ich durchschaue dich. Ich kann deine Gedanken lesen. Du fragst dich: ›Was wird als nächstes passieren? Wie wird es weitergehen?‹ Hab ich recht?«
Michael errötete plötzlich wie ein Kind, das man beim Stehlen von Süßigkeiten erwischt.
»Ich habe noch nie eine feste Freundin gehabt.«
»Noch nie?«
Gedankenverloren schob Michael seine leere Tasse weg. Er sah mich an. Tief verborgen unter seiner Schüchternheit lauerte versteckter Spott in seinen Augen.
»Bis jetzt!«

Eine Viertelstunde später verließ der berühmte Wissenschaftler mit einer der beiden Frauen das Café. Ihre Freundin setzte sich an einen Tisch in einer Ecke und zündete sich eine Zigarette an. Ihr Gesichtsausdruck war bitter.
Michael meinte:
»Die Frau ist eifersüchtig.«
»Auf uns?«
»Auf dich vielleicht.« Das war ein Rückzugsversuch. Er fühlte sich unbehaglich, weil er sich zu sehr anstrengte. Wenn ich ihm nur sagen könnte, daß ich ihm seine Anstrengungen hoch anrechnete. Daß ich seine Finger faszinierend fand. Ich konnte nicht sprechen, hatte aber Angst davor, zu schweigen. Ich sagte Michael, daß es mir Spaß mache, die Berühmtheiten Jerusalems, die Schriftsteller und Gelehrten kennenzulernen. Das Interesse an ihnen hatte ich von meinem Vater. Als ich klein war, pflegte er sie mir auf der Straße zu zeigen. Mein Vater war vernarrt in den Ausdruck »weltberühmt«. Aufgeregt flüsterte er mir zu, daß irgendein Professor, der gerade in einem Blumengeschäft verschwand, weltberühmt sei oder daß ein mit Einkäufen beschäftigter Mann internationales Ansehen genösse. Und ich sah dann einen winzigkleinen, alten Mann, der sich wie ein Wanderer in einer fremden Stadt vorsichtig seinen Weg ertastete. Als wir in der Schule das Buch der Propheten lasen, stellte ich mir die Propheten wie die Schriftsteller und Gelehrten vor, die mir mein Va-

ter gezeigt hatte: Männer mit feingeschnittenen Gesichtern, Brillen auf den Nasen, mit sorgfältig gestutzten, weißen Bärten, der Gang ängstlich und zögernd, als hätten sie den steilen Hang eines Gletschers zu bewältigen. Und wenn ich mir auszumalen versuchte, wie diese gebrechlichen alten Männer über die Sünden der Menschheit zu Gericht saßen, mußte ich lächeln. Ich stellte mir vor, daß ihre Stimmen auf dem Höhepunkt ihrer Empörung versagen müßten und sie nur noch einen schrillen Schrei ausstoßen würden. Wenn ein Schriftsteller oder Universitätsprofessor seinen Laden in der Yafo-Straße betrat, kam mein Vater nach Hause, als hätte er eine Vision gehabt. Er wiederholte feierlich beiläufige Bemerkungen, die sie hatten fallenlassen, und nahm jede ihrer Äußerungen unter die Lupe, als seien es seltene Münzen. Er vermutete stets eine versteckte Bedeutung hinter ihren Worten, denn er betrachtete das Leben als eine Lektion, aus der man seine Lehren ziehen mußte. Er war ein aufmerksamer Mann. Einmal nahm mein Vater mich und meinen Bruder Emanuel an einem Samstagvormittag mit ins Tel-Or-Kino, wo Martin Buber und Hugo Bergmann auf einer pazifistischen Veranstaltung sprechen sollten. Ich erinnere mich noch gut an einen eigenartigen Zwischenfall. Als wir den Saal verließen, blieb Professor Bergmann vor meinem Vater stehen und sagte: »Ich habe wirklich nicht damit gerechnet, Sie heute in unserer Mitte anzutreffen, verehrter Dr. Liebermann. Ich bitte um Entschuldigung – Sie sind nicht Professor Liebermann? Aber ich bin sicher, daß wir uns kennen. Ihr Gesicht, mein Herr, ist mir sehr vertraut.« Vater stotterte. Er erbleichte, als sei er einer schweren Tat verdächtigt worden. Auch der Professor war verwirrt und entschuldigte sich für seinen Irrtum. Vielleicht war es seiner Verlegenheit zuzuschreiben, daß der Wissenschaftler meine Schulter berührte und sagte: »Wie dem auch sei, verehrter Herr, Ihre Tochter – Ihre Tochter? – ist ein sehr hübsches Mädchen.« Und unter seinem Schnurrbärtchen breitete sich ein sanftes Lächeln aus. Mein Vater vergaß diesen Zwischenfall bis zu seinem Tode nicht. Er pflegte ihn immer voller Aufregung und Freude zu erzählen. Selbst wenn er, in einen Morgenmantel gehüllt, die Brille hoch in die Stirn geschoben und mit müde herabhängenden Mundwinkeln in seinem Sessel saß, erweckte mein Vater den Eindruck, als lausche er stumm der Stimme einer geheimen Macht. »Und weißt du, Michael, auch heute noch denke ich manchmal, daß ich einmal einen jungen Gelehrten heiraten werde, dem es bestimmt ist, weltberühmt zu werden. Beim Licht seiner Leselampe wird das Gesicht meines Mannes über Stapeln von alten deutschen Folianten schweben. Ich schleiche auf Zehenspitzen herein, stelle eine Tasse Tee auf den Schreibtisch, leere den Aschenbecher und schließe leise die Fensterläden, dann gehe ich wieder, ohne daß er mich bemerkt hätte. Jetzt lachst du mich sicher aus.«

III

Zehn Uhr.
Wie es unter Studenten üblich ist, zahlten Michael und ich getrennt und gingen hinaus in die Nacht. Der scharfe Frost schnitt in unsere Gesichter. Ich atmete aus und beobachtete, wie mein Atem sich mit seinem mischte. Der Stoff seines Mantels war grob, schwer und angenehm anzufühlen. Ich hatte keine Handschuhe, und Michael bestand darauf, daß ich seine anzog. Es waren rauhe, abgetragene Lederhandschuhe. Ströme von Wasser flossen im Rinnstein zum Zionsplatz hinunter, als gäbe es im Stadtzentrum etwas Sensationelles zu sehen. Ein warm verpacktes Pärchen ging, die Arme umeinander geschlungen, an uns vorüber. Das Mädchen sagte:
»Das ist nicht möglich. Ich kann's nicht glauben.«
Und ihr Partner lachte:
»Du bist sehr naiv.«
Wir standen einen Augenblick, ohne zu wissen, was wir tun sollten. Wir wußten nur, daß wir uns nicht trennen wollten. Der Regen hörte auf, und die Luft wurde kälter. Ich fand die Kälte

unerträglich. Ich zitterte. Wir beobachteten das Wasser, das den Rinnstein hinunterlief. Die Straße glänzte. Der Asphalt reflektierte das gebrochene gelbe Licht der Autoscheinwerfer. Wirre Gedanken schossen mir durch den Kopf – wie konnte ich Michael noch eine Weile festhalten.
Michael sagte:
»Ich habe Böses im Sinn, Hannah.«
Ich sagte:
»Vorsicht. Du könntest dich in deiner eigenen Falle wiederfinden.«
»Ich hecke finstere Pläne aus, Hannah.«
Seine zitternden Lippen verrieten ihn. Einen Augenblick lang ähnelte er einem großen traurigen Kind, einem Kind, das man fast kahlgeschoren hatte. Ich hätte ihm gern einen Hut gekauft. Ich hätte ihn gern berührt.
Plötzlich hob Michael den Arm. Ein Taxi hielt mit quietschenden Bremsen in der Nässe. Dann saßen wir zusammen in seinem warmen Inneren. Michael sagte dem Fahrer, er solle fahren, wohin er wolle, es sei ihm egal. Der Fahrer warf mir einen verstohlenen, schmutzig-vergnügten Blick zu. Die Armaturenbeleuchtung warf einen düsteren roten Glanz auf sein Gesicht, als hätte man ihn gehäutet und das rote Fleisch bloßgelegt. Dieser Taxifahrer hatte das Gesicht eines spöttischen Satyrs. Ich habe es nicht vergessen. Wir fuhren ungefähr 20 Minuten, ohne zu wissen, wo wir uns befanden. Unser warmer Atem beschlug die Fensterscheiben. Michael sprach über Geologie. In Texas grabe man nach Wasser, und plötzlich sprudle statt dessen eine Ölquelle hervor. Vielleicht gebe es auch in Israel noch unentdeckte Ölvorräte. Michael sagte »Lithosphäre«. Er sagte »Sandstein«, »Kreidebett«. Er sagte »präkambrisches«, »kambrisches«, »metamorphes Gestein«, »Eruptivgestein«, »Tektonik«. Damals empfand ich zum erstenmal jene innere Anspannung, die ich immer spüre, wenn ich meinen Mann seine seltsame Sprache sprechen höre. Diese Worte beziehen sich auf Tatsachen, die eine Bedeutung für mich haben, für mich allein, wie eine verschlüsselte Botschaft. Unter der Erdoberfläche sind ständig sich

bekämpfende endogene und exogene Kräfte am Werk. Unter dem gewaltigen Druck ist das dünne Sedimentgestein einem kontinuierlichen Zerfallsprozeß ausgesetzt. Die Lithosphäre ist eine Kruste aus hartem Gestein. Unter der harten Gesteinskruste wütet der lodernde Kern, die Siderosphäre. Ich bin mir nicht ganz sicher, ob Michael während unserer Taxifahrt nachts in Jerusalem im Winter 1950 genau diese Wörter benutzte. Aber einige davon hörte ich in jener Nacht zum ersten Mal aus seinem Mund, und sie ergriffen Besitz von mir. Wie eine fremdartige, unheilvolle Botschaft, die ich nicht entziffern konnte. Wie ein erfolgloser Versuch, einen Alptraum zu rekonstruieren, den das Gedächtnis verloren hat. Unfaßbar wie ein Traum. Michael sprach diese Wörter mit tiefer, beherrschter Stimme aus. Die Lichter am Armaturenbrett glühten rot in der Dunkelheit. Michael sprach wie ein Mann, auf dem eine schwere Verantwortung lastet, als sei Genauigkeit in diesem Augenblick von größter Bedeutung. Hätte er meine Hand genommen und sie gedrückt, ich hätte sie nicht zurückgezogen. Doch der Mann, den ich liebte, überließ sich ganz einer Welle kontrollierter Begeisterung. Ich hatte mich getäuscht. Er konnte sehr stark sein, wenn er wollte. Viel stärker als ich. Ich akzeptierte ihn. Seine Worte versetzten mich in jene Stimmung ruhiger Gelassenheit, wie sie mich nach einer Siesta überkommt. Die Gelassenheit, mit der man die Abenddämmerung erwartet, wenn einem die Zeit weich erscheint, und ich sanft bin und alles um mich sanft ist.

Das Taxi fuhr durch überschwemmte Straßen, die wir nicht identifizieren konnten, weil die Fenster beschlagen waren. Die Scheibenwischer liebkosten die Windschutzscheibe. Sie bewegten sich paarweise in stetigem Rhythmus, als gehorchten sie einem unverletzlichen Gesetz. Nachdem wir 20 Minuten gefahren waren, bat Michael den Fahrer anzuhalten, denn er war nicht reich, und unser Ausflug hatte ihn bereits soviel gekostet wie fünf Mittagessen im Studentenlokal am Ende der Mamillah-Straße.

Wir stiegen in einer Gegend aus, die uns unbekannt war: eine

steile, enge, mit behauenen Steinen gepflasterte Gasse. Der Regen prasselte auf die Pflastersteine, denn unterdessen hatte es wieder angefangen zu regnen. Ein heftiger Wind schlug uns entgegen. Wir gingen langsam. Wir waren bis auf die Haut durchnäßt. Aus Michaels Haaren tropfte das Wasser. Sein Gesicht war lustig anzusehen: Er sah aus wie ein weinendes Kind. Einmal streckte er einen Finger aus und wischte einen Regentropfen weg, der an der Spitze seines Kinns hing. Plötzlich waren wir auf dem Platz vor dem Generali-Gebäude. Ein geflügelter Löwe, ein triefender, kältestarrer Löwe blickte von oben auf uns herab. Michael wollte schwören, daß der Löwe leise lachte.
»Hörst du ihn nicht, Hannah? Er lacht! Er schaut uns an und lacht. Und ich für meinen Teil möchte ihm fast recht geben.«
Ich sagte:
»Vielleicht ist es schade, daß Jerusalem so eine kleine Stadt ist; man kann sich nicht einmal in ihr verlaufen.«
Michael begleitete mich die Melisander-Straße, die Straße der Propheten und die Strauß-Straße hinunter, wo sich das Ärztezentrum befindet. Wir begegneten keinem Menschen. Als hätten alle Bewohner die Stadt geräumt und sie uns beiden überlassen. Wir waren die Herren der Stadt. Als Kind pflegte ich ein Spiel zu spielen, das ich »Die Prinzessin der Stadt« nannte. Die Zwillinge stellten darin unterwürfige Untertanen dar. Gelegentlich ließ ich sie rebellische Untertanen spielen, dann demütigte ich sie unbarmherzig. Es war ein köstliches, aufregendes Gefühl. In Winternächten sehen die Gebäude Jerusalems wie graue, vor einer schwarzen Leinwand erstarrte Formen aus. Eine Landschaft, gesättigt mit unterdrückter Gewalt. Jerusalem kann zuweilen eine abstrakte Stadt sein: Steine, Kiefern und rostendes Eisen.
Steifschwänzige Katzen überquerten die verlassenen Straßen. Die Häuserwände warfen ein verzerrtes Echo unserer Schritte zurück, machten sie schwerfällig und langsam. Wir standen ungefähr fünf Minuten vor meiner Haustür. Ich sagte:
»Michael, ich kann dich nicht auf eine Tasse heißen Tee mit nach oben in mein Zimmer bitten, mein Hauswirt und seine Frau sind

religiöse Leute. Als ich das Zimmer nahm, versprach ich ihnen, keinen Männerbesuch zu empfangen. Und es ist schon halb zwölf.«

Als ich »Männerbesuch« sagte, lächelten wir beide.

»Ich habe nicht damit gerechnet, daß du mich jetzt mit auf dein Zimmer nimmst«, sagte Michael.

Ich sagte:

»Michael Gonen, du bist ein vollkommener Gentleman, und ich danke dir für diesen Abend. Von Anfang bis Ende. Falls du mich noch einmal zu einem solchen Abend einladen solltest, glaube ich kaum, daß ich ablehnen würde.«

Er beugte sich über mich. Ungestüm packte er meine linke Hand mit seiner rechten. Dann küßte er meine Hand. Die Bewegung war abrupt und heftig, als habe er sie den ganzen Weg über geprobt, als habe er im Geiste bis drei gezählt, ehe er sich herabbeugte, um mich zu küssen. Durch das Leder des Handschuhs, den er mir beim Verlassen des Cafés geliehen hatte, spürte ich Kraft und Wärme. Eine feuchte Brise bewegte leicht die Baumkronen und legte sich wieder. Wie ein Herzog in einem englischen Film küßte Michael meine Hand durch seinen Handschuh hindurch, nur war Michael klatschnaß und vergaß zu lächeln, und der Handschuh war nicht weiß.

Ich zog beide Handschuhe aus und gab sie ihm. Er zog sie hastig über, solange sie noch warm waren von der Hitze meines Körpers. Ein Kranker hustete erbärmlich hinter den geschlossenen Läden im ersten Stock.

»Wie seltsam du heute bist«, lächelte ich.

Als hätte ich ihn auch an anderen Tagen gekannt.

IV

Mit neun Jahren hatte ich eine Diphterie, an die ich mich gern erinnere. Es war Winter. Ich lag einige Wochen in meinem Bett gegenüber dem Südfenster. Durch das Fenster konnte ich ein düsteres Stück Stadt in Nebel und Regen sehen: Süd-Jerusalem, die Schatten der Hügel von Bethlehem, Emek Refaim, die reichen arabischen Vororte im Tal. Es war eine Winterwelt ohne Details, eine Welt der Umrisse auf einer Fläche, deren Farbskala von hell- bis dunkelgrau reichte. Ich konnte auch die Züge sehen und die Schienen entlang Emek Refaim vom rußgeschwärzten Bahnhof bis hin zu den Kurven am Fuß des arabischen Dorfes Bet Safafa mit den Augen verfolgen. Ich war ein General im Zug. Mir treu ergebene Truppen beherrschten die Bergkuppen. Ich war ein Kaiser, der sich verborgen hielt. Ein Kaiser, dessen Autorität weder Entfernung noch Isolation geschmälert hatten. In meinen Träumen verwandelten sich die südlichen Vororte in die St.-Pierre- und Miquelon-Inseln, auf die ich in meines Bruders Briefmarkenalbum gestoßen war. Ihre Namen waren mir aufgefallen. Ich pflegte meine Träume in die Welt des Wachseins hinüberzutragen. Tag und Nacht gingen nahtlos ineinander über. Mein hohes Fieber trug dazu bei. Es waren schwindelerregende, farbige Wochen. Ich war eine Königin. Man forderte meine besonnene Herrschaft durch offene Rebellion heraus. Ich wurde vom Pöbel festgenommen, eingekerkert, erniedrigt, gepeinigt. Doch eine Handvoll treuer Anhänger schmiedete heimlich Rettungspläne. Ich vertraute ihnen. Ich genoß meine grausamen Leiden, weil aus ihnen Stolz erwuchs. Meine wiederkehrende Autorität. Ich wollte nicht gesund werden. Laut meinem Arzt, Dr. Rosenthal, gibt es Kinder, die lieber krank sind, die sich weigern, gesund zu werden, weil die Krankheit ihnen eine Art Freiheit bietet. Als ich gegen Ende des Winters genas, empfand ich ein Gefühl des Ausgestoßenseins. Ich hatte meine alchimistischen Kräfte verloren, die Fähigkeit, mich von meinen Träumen über die Grenze tragen zu lassen, die den Schlaf vom Wachen trennt. Noch heute spüre ich Enttäuschung, wenn ich aufwache. Ich mache mich über meine vage Sehnsucht, schwer krank zu werden, lustig.

Nachdem ich Michael gute Nacht gesagt hatte, ging ich hinauf in mein Zimmer. Ich machte mir Tee. Eine Viertelstunde lang stand

ich vor meinem Petroleumofen, wärmte mich auf und dachte an nichts Besonderes. Ich schälte einen Apfel, den mir mein Bruder Emanuel aus seinem Kibbuz Nof Harim geschickt hatte. Ich mußte daran denken, wie Michael drei- oder viermal vergeblich versucht hatte, seine Pfeife anzuzünden. Texas ist ein faszinierendes Land: Ein Mann gräbt ein Loch in seinen Garten, um einen Obstbaum zu pflanzen, und plötzlich schießt ein Ölstrahl aus dem Boden. Das war eine Dimension, die ich noch nie bedacht hatte, jene verborgenen Welten, die unter jedem Stück Erde liegen, auf das ich meinen Fuß setze. Minerale und Quarze und Dolomiten und alles.
Dann schrieb ich einen kurzen Brief an meine Mutter, meinen Bruder und dessen Familie. Ich berichtete ihnen, daß es mir gut ginge. Morgen früh mußte ich daran denken, eine Briefmarke zu kaufen. In der Literatur der hebräischen Aufklärung finden sich zahlreiche Hinweise auf den Konflikt zwischen Licht und Dunkel. Der Autor ist dem endgültigen Triumph des Lichts verpflichtet. Ich muß sagen, daß ich die Dunkelheit vorziehe. Besonders im Sommer. Das weiße Licht terrorisiert Jerusalem. Es beschämt die Stadt. Aber in meinem Herzen gibt es keinen Konflikt zwischen Dunkelheit und Licht. Ich mußte daran denken, wie ich diesen Morgen im Terra-Sancta-College auf der Treppe ausgerutscht war. Es war ein demütigender Augenblick. Einer der Gründe, weshalb ich so gern schlafe, ist meine Abneigung, Entscheidungen zu treffen. Mitunter geschehen peinliche Dinge in Träumen, aber irgendeine Macht ist immer am Werk, die einem die Entscheidung abnimmt, und man ist frei wie in dem Lied das Schiff, dessen Mannschaft schläft, und man läßt sich treiben, wohin der Traum einen trägt. Die weiche Hängematte, die Möwen und die Weite des Wassers, das eine sanft wogende Fläche ist, aber auch ein Malstrom von unergründlicher Tiefe. Ich weiß, daß man die Tiefe für einen kalten Ort hält. Aber das ist nicht immer so und ganz so. Ich habe einmal in einem Buch über warme Meeresströme und unterseeische Vulkane gelesen. Irgendwo weit unter den eisigen Ozeantiefen versteckt sich mitunter eine warme Höhle. Als ich klein war, las ich immer wieder

meines Bruders Ausgabe von Jules Vernes *20 000 Meilen unter dem Meer.* Manchmal erlebte ich köstliche Nächte, in denen ich zwischen grünen, feuchtkalten Meerestieren einen geheimen Weg durch die Wassertiefen und die Dunkelheit entdecke und schließlich an die Tür einer warmen Höhle poche. Das ist mein Zuhause. Dort wartet, umgeben von Büchern und Pfeifen und Seekarten, ein schattenhafter Kapitän auf mich. Sein Bart ist schwarz, seine Augen glänzen hungrig. Wie ein Wilder reißt er mich an sich, und ich besänftige seinen tobenden Haß. Winzige Fische schwimmen durch uns hindurch, als wären wir beide aus Wasser. Während sie uns durchqueren, durchzucken uns kleine Wellen brennender Lust. Ich las zwei Kapitel aus Mapus *Liebe zu Zion* für das Seminar am nächsten Tag. Wenn ich Tamar wäre, würde ich Amnon sieben Nächte lang auf den Knien zu mir kriechen lassen. Gestände er schließlich die Qualen seiner Liebe in biblischer Sprache, würde ich ihm befehlen, mich in einem Segelschiff zu den Inseln des Archipels zu bringen, jenem fernen Ort, wo Indianer sich in köstliche Meeresgeschöpfe mit silbernen Flecken und elektrischen Funken verwandeln und Seemöwen in der blauen Luft schweben.

Nachts sehe ich mitunter eine öde russische Steppe. Gefrorene Ebenen, bedeckt von bläulich schimmerndem Frost, der das flackernde Licht eines wilden Mondes spiegelt. Da ist ein Schlitten und eine Decke aus Bärenfell und der schwarze Rücken eines vermummten Fahrers und wild galoppierende Pferde, und in der Dunkelheit ringsum glühende Wolfsaugen, und ein einsamer toter Baum steht an einem weißen Hügel, und es ist Nacht in der Nacht der Steppe, und die Sterne halten unheimlich Wacht. Plötzlich wendet mir der Fahrer sein grobes, wie von einem betrunkenen Bildhauer gemeißeltes Gesicht zu. Eiszapfen hängen an den Enden seines wirren Schnurrbarts. Sein Mund ist leicht geöffnet, als erzeuge er das Heulen des schneidenden Windes. Der tote Baum, der einsam am Hügel in der Steppe steht, ist nicht zufällig dort, er hat einen Sinn, den ich beim Erwachen nicht benennen kann. Aber selbst, als ich erwacht bin, erinnere ich mich, daß er einen Sinn hat. Und so kehre ich nicht mit ganz leeren Händen zurück.

Morgens ging ich eine Briefmarke kaufen. Ich steckte den Brief nach Nof Harim in den Kasten. Ich aß ein Brötchen und Yoghurt und trank ein Glas Tee. Frau Tarnopoler, meine Wirtin, kam in mein Zimmer und bat mich, auf dem Heimweg eine Kanne Petroleum mitzubringen. Während ich meinen Tee trank, gelang es mir, ein weiteres Kapitel von Mapu zu lesen. In Sarah Zeldins Kindergarten sagte eines der Mädchen:
»Hannah, du bist heute glücklich wie ein kleines Mädchen!«
Ich zog das blaue Wollkleid an und band mir ein rotes Seidentuch um den Hals. Als ich in den Spiegel schaute, stellte ich voller Freude fest, daß ich mit dem Halstuch aussah wie ein verwegenes Ding, das drauf und dran ist, den Kopf zu verlieren.
Michael erwartete mich gegen Mittag am Eingang von Terra Sancta, bei den schweren Eisentoren mit den dunklen Metallornamenten. Er hielt einen Kasten voll geologischer Gesteinsproben in den Armen. Selbst wenn ich auf die Idee gekommen wäre, ihm die Hand zu schütteln, es wäre nicht möglich gewesen.
»Ach, du bist's!« sagte ich. »Auf wen wartest du eigentlich? Hat dir jemand gesagt, daß du hier warten sollst?«
»Es regnet gerade nicht, und du bist nicht naß«, sagte Michael. »Wenn du naß bist, bist du lange nicht so unverschämt.«
Dann lenkte Michael meine Aufmerksamkeit auf das hinterhältige, lüsterne Lächeln der bronzenen Jungfrau hoch oben auf dem Gebäude. Sie streckte ihre Arme aus, als versuche sie, die ganze Stadt zu umarmen.
Ich ging hinunter in die Bibliothek im Souterrain. In einem engen, finsteren Gang, an dessen Wänden dunkle, verschlossene Kästen aufgereiht waren, traf ich den freundlichen Bibliothekar, ein kleiner Mann, der ein Samtkäppchen trug. Wir grüßten uns gewöhnlich und scherzten miteinander. Auch er fragte, als hätte er etwas entdeckt:
»Was ist heute los mit Ihnen, junge Frau? Gute Nachrichten? Wenn ich es so ausdrücken darf, ›helle Freude erleuchtet Hannah in höchst erstaunlicher Weise‹.«
Im Mapu-Seminar erzählte der Dozent eine typische Anekdote, eine Geschichte über eine fanatisch orthodoxe jüdische Sekte,

die behauptete, die Zahl der Bordellbesucher habe seit der Veröffentlichung von Abraham Mapus *Liebe zu Zion* beträchtlich zugenommen, dem Himmel sei's geklagt.
Was ist heute nur los mit den Leuten? Haben sie sich abgesprochen.
Frau Tarnopoler, meine Wirtin, hatte einen neuen Ofen gekauft. Sie strahlte mich liebevoll an.

V

An jenem Abend hellte sich der Himmel etwas auf. Blaue Inseln trieben ostwärts. Die Luft war feucht.
Michael und ich wollten uns vor dem Edison-Kino treffen. Wer von uns zuerst eintraf, sollte zwei Karten für den Film kaufen, in dem Greta Garbo die Hauptrolle spielte. Die Heldin des Films stirbt an unerwiderter Liebe, nachdem sie Körper und Seele einem nichtswürdigen Mann geopfert hat. Den ganzen Film hindurch unterdrückte ich den übermächtigen Wunsch, loszulachen.
Ihre Leiden und seine Unwürdigkeit erschienen mir wie zwei Glieder einer einfachen mathematischen Gleichung. Ich hatte keine Lust, sie zu lösen. Ich glaubte, überfließen zu müssen, so erfüllt fühlte ich mich. Ich lehnte meinen Kopf an Michaels Schulter und beobachtete die Leinwand aus diesem Blickwinkel, bis sich die Bilder in eine hüpfende Folge verschiedener, zwischen schwarz und weiß abgestufter Schattierungen verwandelte, hauptsächlich unterschiedliche Grautöne.

Als wir hinausgingen, sagte Michael:
»Wenn die Leute zufrieden sind und nichs zu tun haben, wuchern Gefühle wie bösartige Tumore.«
»Was für eine banale Bemerkung«, sagte ich.
Michael sagte:

»Schau, Hannah, Kunst ist nicht meine Sache. Ich bin nur ein bescheidener Wissenschaftler, wie es so schön heißt.«
Ich gab nicht nach:
»Das ist genauso banal.«
Michael lächelte:
»Und?«
Wenn er keine Antwort weiß, lächelt er immer, wie ein Kind, das Erwachsene etwas Lächerliches tun sieht – ein verlegenes, verlegen machendes Lächeln.
Wir bummelten die Yeshayahn-Straße hinunter in Richtung Geula-Straße. Helle Sterne funkelten am Himmel von Jerusalem. Viele Straßenlaternen aus der britischen Mandatszeit waren während des Unabhängigkeitskrieges vom Granatfeuer zerstört worden, 1950 waren die meisten davon noch zerstört. Schattenhafte Hügel zeigten sich in der Ferne am Ende der Straßenleuchten.
»Das ist keine Stadt«, sagte ich, »das ist eine Illusion. Wir sind auf allen Seiten von Hügeln eingezwängt – Castel, Skopusberg, Augusta Victoria, Nabi Samwil, Miß Carey. Die Stadt kommt mir auf einmal sehr unwirklich vor.«

Michael sagte:
»Wenn es geregnet hat, macht einen Jerusalem traurig. Eigentlich macht Jerusalem immer traurig, aber es ist zu jeder Stunde des Tages und zu jeder Zeit des Jahres eine andere Traurigkeit.«
Ich fühlte Michaels Arm um meine Schulter. Einmal nahm ich eine Hand aus der Tasche und berührte ihn unter dem Kinn. Heute war er glattrasiert, nicht wie im Terra Sancta, als wir uns zum ersten Mal trafen. Ich sagte, er müsse sich eigens mir zuliebe rasiert haben.
Michael war verlegen. Zufällig habe er sich gerade heute, log er, einen neuen Rasierapparat gekauft. Ich lachte. Er zögerte einen Moment und entschied sich dann, mitzulachen.
In der Geula-Straße sahen wir, wie eine religiöse Frau mit einem weißen Tuch auf dem Kopf ein Fenster im zweiten Stock öffnete

und ihren halben Körper herausquetschte, als wollte sie sich im nächsten Moment auf die Straße stürzen. Doch sie schloß nur die schweren, eisernen Fensterläden. Die Scharniere ächzten wie verzweifelt.
Als wir am Spielplatz von Sarah Zeldins Kindergarten vorbeikamen, erzählte ich Michael, daß ich da arbeitete. Ob ich eine strenge Erzieherin sei? Er könne sich das gut vorstellen. Wie er darauf komme? Er wußte nicht, was er antworten sollte. Genau wie ein Kind, sagte ich, einen Satz anfangen und nicht wissen, wie man ihn zu Ende bringen soll. Eine Meinung äußern und nicht den Mut aufbringen, dafür einzustehen. Ein Kind. Michael lächelte.
In einem der Höfe an der Ecke der Malakhi-Straße schrien Katzen. Es war ein lauter, hysterischer Schrei, gefolgt von zwei erstickten Klagetönen, und schließlich ein leises Schluchzen, schwach und schicksalsergeben, als sei alles sinnlos, hoffnungslos.
Michael sagte:
»Sie schreien vor Liebe. Hast du gewußt, daß der Trieb der Katzen an den kältesten Wintertagen am stärksten ist? Wenn ich verheiratet bin, werde ich eine Katze halten. Ich wollte schon immer eine haben, aber mein Vater hat es nicht erlaubt. Ich bin ein Einzelkind. Katzen schreien vor Liebe, weil sie weder Zwängen noch Konventionen unterworfen sind. Ich glaube, eine brünstige Katze fühlt sich, als habe ein Fremder sie gepackt und drücke sie zu Tode. Der Schmerz ist physisch. Brennend. Nein, das habe ich nicht im Geologiekurs gelernt. Ich hatte schon vorher Angst, du würdest dich über mich lustig machen, wenn ich so rede. Laß uns gehen.«
Ich sagte:
»Du mußt ein sehr verwöhntes Kind gewesen sein.«
»Ich war die Hoffnung der Familie«, sagte Michael. »Und ich bin es immer noch. Mein Vater und seine vier Schwestern setzen auf mich, als sei ich ihr Rennpferd und meine Universitätsausbildung ein Hindernisrennen. Was machst du morgens in deinem Kindergarten, Hannah?«

»Komische Frage. Ich mache genau das, was alle anderen Kindergärtnerinnen auch machen. Letzten Monat zum Chanukafest* habe ich Papierkreisel zusammengeklebt und Makkabäusse aus Pappe ausgeschnitten. Manchmal kehre ich auf den Wegen im Hof die abgefallenen Blätter zusammen. Manchmal klimpere ich auf dem Klavier. Und häufig erzähle ich den Kindern Geschichten aus dem Gedächtnis, über Indianer, Inseln, Reisen, U-Boote. Als Kind liebte ich die Bücher von Jules Verne und Fenimore Cooper, die meinem Bruder gehörten, über alles. Ich glaubte, wenn ich mich herumbalgte, auf Bäume kletterte und Jungenbücher las, würde ich schon irgendwann ein Junge werden. Ich haßte es, ein Mädchen zu sein. Ich betrachtete erwachsene Frauen mit Abscheu und Ekel. Auch heute noch sehne ich mich mitunter danach, einen Mann wie Michael Strogoff kennenzulernen. Groß und stark, aber gleichzeitig ruhig und zurückhaltend. Er muß verschwiegen, loyal, beherrscht sein, aber die Flut der in ihm verborgenen Kräfte nur mit Mühe bändigen können. Was willst du damit sagen – natürlich vergleiche ich dich nicht mit Michael Strogoff. Warum um Himmels willen sollte ich das tun? Natürlich nicht.«
Michael sagte:
»Wenn wir uns als Kinder gekannt hätten, wäre ich von dir verprügelt worden. In den unteren Klassen bin ich immer von den kräftigeren Mädchen grün und blau geschlagen worden. Ich war das, was man einen lieben Jungen nennt: ein bißchen verschlafen, aber fleißig, verantwortungsbewußt, reinlich und sehr aufrichtig. Aber heute bin ich überhaupt nicht mehr verschlafen.«
Ich erzählte Michael von den Zwillingen. Ich pflegte mich mit ihnen zu raufen. Später, als ich zwölf war, verliebte ich mich in beide. Ich nannte sie Halziz – Halil und Aziz. Sie waren bild-

---

* Chanukafest: »Lichterfest«, fällt zeitlich etwa mit Weihnachten zusammen. Das Fest wird zum Andenken an den Sieg der Makkabäer über den hellenistischen Herrscher Antiochus IV. Epiphanias gefeiert.

schön. Zwei starke, gehorsame Seeleute aus Kapitän Nemos Besatzung. Sie redeten kaum etwas. Sie schwiegen oder gaben kehlige Laute von sich. Sie liebten die Wörter nicht. Zwei graubraune Wölfe. Wachsam mit weißen Reißzähnen. Wild und düster. Piraten. Was weißt du schon davon, kleiner Michael?
Dann erzählte mir Michael von seiner Mutter:

»Meine Mutter starb, als ich drei Jahre alt war. Ich erinnere mich an ihre weißen Hände, aber an ihr Gesicht erinnere ich mich nicht. Es gibt ein paar Fotos, aber es ist sehr mühsam, sie ausfindig zu machen. Ich wuchs bei meinem Vater auf. Mein Vater erzog mich zu einem kleinen jüdischen Sozialisten mit Geschichten über hasmonäische Kinder, Ghettokinder, Kinder illegaler Einwanderer, Kibbuzkinder, Geschichten über hungernde Kinder in Indien und im Rußland der Oktoberrevolution. D'Amicis' *Das Herz.* Verwundete Kinder, die ihre Städte retten. Kinder, die ihre letzte Brotkruste miteinander teilen. Ausgebeutete Kinder, kämpfende Kinder. Meine vier Tanten, Schwestern meines Vaters, waren ganz anders. Ein kleiner Junge mußte reinlich sein, hart arbeiten, fleißig studieren und weiterkommen in der Welt. Ein junger Arzt, der seinem Land hilft und sich einen Namen macht. Ein junger Rechtsanwalt, der seine Sache mutig vor britischen Richtern vertritt und dessen Namen in allen Zeitungen steht. Am Tage der Unabhängigkeitserklärung änderte mein Vater seinen Namen Ganz in Gonen um. Ich bin Michael Ganz. Meine Freunde in Holon nennen mich immer noch Ganz. Aber nenn' du mich nicht Ganz, Hannah. Du mußt mich weiterhin Michael nennen.«

Wir kamen an der Mauer der Schneller-Kaserne vorüber. Vor vielen Jahren war hier das Syrische Waisenhaus gewesen. Der Name rief eine uralte Traurigkeit in mir wach, an deren Ursache ich mich nicht erinnern kann. Im Osten hörte man eine ferne Glocke läuten. Ich wollte ihre Schläge nicht zählen. Michael und ich hatten die Arme umeinandergelegt. Meine Hand war eiskalt. Michaels war warm. Michael sagte scherzend:

»Kalte Hände, warmes Herz.«
Ich sagte:
»Mein Vater hatte warme Hände und ein warmes Herz. Er handelte mit Rundfunkgeräten und elektrischen Artikeln, aber er war ein schlechter Geschäftsmann. Ich sehe ihn vor mir, wie er in Mutters Schürze das Geschirr abwäscht. Abstaubt. Bettdecken ausschüttelt. Fachmännisch Omeletts zubereitet. Geistesabwesend die Chanukalichter segnet. Die Sprüche jedes hergelaufenen Taugenichts ernst nimmt. Immer gefallen will. Als müsse er sich dem Urteil der anderen stellen und als sei er in seiner Erschöpfung für immer gezwungen, sich in einer endlosen Prüfung zu bewähren, um einen längst vergessenen Fehler wiedergutzumachen.«
Michael sagte:
»Der Mann, den du einmal heiratest, wird sehr stark sein müssen.«

Es begann leicht zu nieseln, und ein dichter, grauer Nebel breitete sich aus. Die Gebäude wirkten gewichtslos. Im Meqor-Barukh-Viertel wirbelte ein vorbeifahrendes Motorrad Tropfenschauer auf. Michael war tief in Gedanken. Vor dem Eingang meines Hauses stellte ich mich auf die Zehenspitzen und küßte ihn auf die Wange. Er glättete und trocknete mir die Stirn. Zaghaft berührten seine Lippen meine Haut. Er nannte mich »kaltes, schönes Mädchen aus Jerusalem«. Ich sagte ihm, daß ich ihn gern hätte. Wenn ich seine Frau wäre, würde ich ihn nicht so dünn sein lassen. In der Dunkelheit wirkte er zerbrechlich. Michael lächelte. Wenn ich seine Frau wäre, sagte ich, würde ich ihm beibringen zu antworten, wenn man mit ihm spricht, statt nur zu lächeln, als gäbe es keine Worte. Michael schluckte seinen Ärger hinunter, starrte das Geländer der zerfallenen Treppe an und sagte:
»Ich will dich heiraten. Bitte antworte nicht sofort.«
Tropfen eiskalten Regens begannen wieder zu fallen. Ich zitterte. Einen Augenblick lang war ich froh, daß ich nicht wußte, wie alt Michael war. Dennoch, es war seine Schuld, daß ich jetzt zit-

terte. Natürlich konnte ich ihn nicht mit in mein Zimmer nehmen, aber warum machte er nicht den Vorschlag, zu ihm zu gehen? Seit wir das Kino verlassen hatten, hatte Michael zweimal versucht, etwas zu sagen, und ich hatte ihm mit meinem »das ist doch banal« das Wort abgeschnitten. Was Michael versucht hatte, zu sagen, wußte ich nicht mehr. Natürlich würde er eine Katze halten können. Was für ein Gefühl des Friedens er mir gibt. Warum wird der Mann, den ich einmal heirate, sehr stark sein müssen?

VI

Eine Woche später machten wir einen Besuch in dem in den Hügeln um Jerusalem gelegenen Kibbuz Tirat Yaar.
Michael hatte eine Schulfreundin in Tirat Yaar, eine Klassenkameradin, die einen Jungen aus dem Kibbuz geheiratet hatte. Er bat mich, ihn zu begleiten. Es bedeute ihm viel, sagte er, mich seiner alten Freundin vorzustellen.
Michaels Freundin war groß und mager und bitter. Mit ihren grauen Haaren und den zusammengezogenen Lippen sah sie aus wie ein weiser alter Mann. Zwei Kinder unbestimmbaren Alters kauerten in einer Ecke des Zimmers. Irgend etwas in meinem Gesicht oder an meinem Kleid ließ die beiden immer wieder in ersticktes Lachen ausbrechen. Ich war verwirrt. Zwei Stunden lang unterhielt sich Michael angeregt mit seiner Freundin und deren Mann. Ich war nach den ersten drei oder vier höflichen Sätzen vergessen. Man bewirtete mich mit lauwarmem Tee und trockenen Biskuits. Zwei Stunden lang saß ich da und starrte vor mich hin, öffnete und schloß den Schnapper an Michaels Aktentasche. Wozu hatte er mich hierher geschleppt? Wieso hatte ich mich dazu überreden lassen, mitzukommen? Mit was für einem Mann hatte ich mich da eingelassen? Fleißig, verantwortungsbewußt, aufrichtig, ordentlich – und total langweilig. Und seine pathetischen Witze. Ein so geistloser Mann sollte nicht auch

noch ständig versuchen, amüsant zu sein. Aber Michael tat alles, was er konnte, um witzig und heiter zu wirken. Sie erzählten sich langweilige Geschichten über langweilige Lehrer. Das Privatleben eines Sportlehrers namens Yehiam Peled entlockte Michael und seiner Freundin ein wahres Geheul von boshaftem Schülerlachen. Dann folgte eine hitzige Diskussion über eine Zusammenkunft zwischen König Abdullah von Transjordanien und Golda Meir am Vorabend des Unabhängigkeitskrieges. Der Mann von Michaels Freundin schlug mit der Faust auf den Tisch, und selbst Michael wurde laut. Wenn er schrie, hatte er eine gebrochene, bebende Stimme. Es war das erste Mal, daß ich ihn in Gesellschaft anderer Leute erlebte. Ich hatte mich in ihm getäuscht.

Später gingen wir im Dunkeln zur Hauptstraße. Ein mit Zypressen bestandener Weg verband Tirat Yaar mit der Hauptstraße nach Jerusalem. Ein grausamer Wind biß sich durch meine Kleidung. Im verblassenden Abendrot sahen die Hügel von Jerusalem bedrohlich aus. Michael ging stumm neben mir her. Ihm fiel buchstäblich nichts ein, was er hätte sagen können. Wir waren Fremde füreinander, er und ich. Ich erinnere mich, daß ich einen seltsamen Augenblick lang das deutliche Gefühl hatte, nicht wach zu sein oder mich nicht in der Gegenwart zu befinden. Ich hatte dies alles schon einmal erlebt. Oder jemand hatte mich vor Jahren davor gewarnt, im Dunkeln diesen schwarzen Weg mit einem bösen Mann zu gehen. Die Zeit floß nicht mehr glatt und gleichmäßig dahin. Sie hatte sich in eine Folge abrupter Ereignisse verwandelt. Es könnte in meiner Kindheit gewesen sein. Oder in einem Traum, in einer schrecklichen Geschichte. Auf einmal jagte mir die undeutliche Figur, die so stumm an meiner Seite ging, Angst ein. Sein Mantelkragen war hochgeschlagen und verbarg die untere Hälfte seines Gesichts. Sein Körper war schmal wie ein Schatten. Die andere Gesichtshälfte war unter einem schwarzen ledernen Studentenhut verborgen, den er tief in die Stirn gezogen hatte. Wer ist er? Was weißt du über ihn? Er ist nicht dein Bruder, kein Verwandter, nicht einmal ein alter

Freund, sondern ein seltsamer Schatten, weit weg von jeder menschlichen Siedlung, im Dunkeln, spät in der Nacht. Vielleicht will er dich vergewaltigen. Vielleicht ist er krank. Du weißt nichts über ihn aus zuverlässiger Quelle. Warum spricht er nicht mit mir? Warum ist er ganz in seine Gedanken vertieft? Warum hat er mich hierhergebracht? Was hat er vor? Es ist Nacht. Auf dem Land. Ich bin allein. Er ist allein. Und wenn alles, was er mir erzählt hat, wohlüberlegte Lüge war? Er ist kein Student. Er heißt nicht Michael Gonen. Er ist aus einer Anstalt geflohen. Er ist gefährlich. Wann ist mir das alles schon einmal passiert? Irgend jemand warnte mich vor langer Zeit, daß es geschehen würde. Was sind das für langgezogene Töne in den dunklen Feldern? Man kann nicht einmal das Licht der Sterne durch die Zypressen sehen. Da ist jemand in den Obstgärten. Wenn ich schreie und schreie, wer wird mich hören? Neben mir ein Fremder, der mit raschen, schweren Schritten vorwärtsgeht, ohne an meine langsameren Schritte zu denken. Ich bleibe absichtlich etwas zurück. Er bemerkt es nicht. Meine Zähne klappern vor Kälte und Angst. Der Winterwind heult und beißt. Diese Silhouette gehört nicht zu mir. Er ist weit weg, verschlossen, als wäre ich ein Produkt seiner Phantasie ohne eigene Realität. Ich bin wirklich, Michael. Mir ist kalt. Er hat mich nicht gehört. Vielleicht habe ich nicht laut gesprochen.
»Mir ist kalt und ich kann nicht so schnell laufen,« rief ich so laut ich konnte.
Wie aus tiefen Gedanken gerissen, gab er brüsk zurück:
»Es ist nicht mehr weit. Wir sind fast an der Bushaltestelle. Hab' Geduld.«
Dann versank er wieder in den Tiefen seines großen Mantels. Ich hatte einen Kloß im Hals, und meine Augen füllten sich mit Tränen. Ich fühlte mich beleidigt. Erniedrigt. Verängstigt. Ich wollte seine Hand halten. Ich kannte ja nur seine Hand. Ich kannte ihn nicht. Überhaupt nicht.

Der kalte Wind sprach zu den Zypressen in einer geheimen, feindseligen Sprache. Es gab kein Glück auf der Welt. Nicht un-

ter den Zypressen, nicht auf dem holprigen Weg, nicht in den dunklen Hügeln ringsum.
»Michael«, sagte ich verzweifelt. »Michael, letzte Woche sagtest du, dir gefalle das Wort ›Knöchel‹. Sag mir um Himmels willen: ist dir klar, daß meine Schuhe voller Wasser sind und meine Knöchel schmerzen, als liefe ich barfuß über ein Dornenfeld? Sag mir, wer ist schuld daran?«
Michael wandte sich so plötzlich um, daß ich erschrak. Er starrte mich verwirrt an. Dann legte er seine nasse Wange an mein Gesicht und preßte seine warmen Lippen an meinen Hals wie ein säugendes Kind. Auf der Haut meines Halses konnte ich jede einzelne Bartstoppel seiner Wange spüren. Der rauhe Stoff seines Mantels fühlte sich angenehm an. Der Stoff war ein warmer, stiller Seufzer. Er knöpfte seinen Mantel auf und zog mich hinein. Wir waren zusammen. Ich atmete seinen Geruch ein. Er fühlte sich sehr wirklich an. Genau wie ich. Ich war kein Produkt seiner Phantasie, er war nicht eine Angstvorstellung in mir. Wir waren wirklich. Ich spürte seine verhaltene Panik. Ich schwelgte in ihr. Du gehörst mir, flüsterte ich. Sei nie wieder so fern, flüsterte ich. Meine Lippen berührten seine Stirn und seine Finger fanden meinen Nacken. Seine Berührung war zart und empfindsam. Unvermittelt mußte ich an den Löffel in der Cafeteria von Terra Sancta denken und wie wohl der sich zwischen seinen Fingern gefühlt hatte. Wenn Michael böse wäre, hätten auch seine Finger böse sein müssen.

VII

Ungefähr vierzehn Tage vor der Hochzeit besuchten Michael und ich seinen Vater und seine Tanten in Holon und meine Mutter und meines Bruders Familie im Kibbuz Nof Harim.
Michaels Vater lebte in einer vollgestopften, düsteren Zweizimmerwohnung in einer »Arbeitersiedlung«. Unser Besuch fiel mit

einem Stromausfall zusammen. Yehezkel Gonen stellte sich mir beim Licht einer rußigen Petroleumlampe vor. Er war erkältet und weigerte sich, mich zu küssen, um mich nicht noch vor meiner Hochzeit anzustecken. Er trug einen warmen Morgenrock, und sein Gesicht war blaß. Er sagte, er vertraue mir eine kostbare Last an – seinen Michael. Dann wurde er verlegen und bereute, was er gesagt hatte. Er versuchte, es als Scherz abzutun. Besorgt und scheu zählte der alte Mann alle Krankheiten auf, die Michael als Kind gehabt hatte. Nur über ein sehr schlimmes Fieber, das den zehnjährigen Michael fast das Leben gekostet hätte, ließ er sich etwas länger aus. Abschließend betonte er, daß Michael seit seinem vierzehnten Lebensjahr nicht mehr krank gewesen sei. Trotz alledem sei unser Michael, wenn auch nicht der Stärksten einer, ein fraglos gesunder, junger Mann.
Ich mußte daran denken, daß mein Vater, wenn er ein gebrauchtes Rundfunkgerät verkaufte, in der gleichen Art mit dem Kunden zu reden pflegte: offen, fair, reserviert vertraulich, voll ruhigen Eifers, gefallen zu wollen.
Während Yehezkel Gonen in diesem Ton höflichen Beistands mit mir redete, wechselte er mit seinem Sohn kaum ein Wort. Er sagte lediglich, sein Brief mit den Neuigkeiten habe ihn erstaunt. Er bedauerte, uns keinen Tee oder Kaffee machen zu können, da der Strom ausgefallen sei und er keinen Petroleumofen, nicht einmal einen Gaskocher besitze. Als Tova, Gott hab sie selig, noch lebte – Tova war Michaels Mutter –, wenn sie nur bei uns sein könnte zu diesem Anlaß, alles wäre viel festlicher. Tova war eine bemerkenswerte Frau. Er wolle jetzt nicht über sie sprechen, weil er Kummer und Freude nicht gern vermengte. Eines Tages würde er mir eine sehr traurige Geschichte erzählen.
»Was kann ich euch statt dessen anbieten? Ah, ein Praliné.« Fieberhaft, als hätte man ihn der Pflichtverletzung beschuldigt, wühlte er in seiner Kommode und fand schließlich eine uralte, noch im ursprünglichen Geschenkpapier verpackte Pralinenschachtel. »Da haben wir sie, meine Lieben, greift zu.«
»Entschuldige, ich habe nicht ganz verstanden, was du an der Universität studierst. Ach ja, natürlich, hebräische Literatur. Ich

werde es mir für die Zukunft merken. Bei Professor Klausner? Ja, Klausner ist ein bedeutender Mann, auch wenn er gegen die Arbeiterbewegung ist. Irgendwo habe ich einen der Bände seiner *Geschichte des Zweiten Tempels.* Ich suche ihn, und zeige ihn dir. Eigentlich möchte ich dir das Buch schenken. Es wird dir mehr nützen als mir: du hast das Leben noch vor dir, meines liegt jetzt hinter mir. Es wird nicht leicht zu finden sein bei dem Stromausfall, aber für meine Schwiegertochter ist mir keine Mühe zu groß.«
Während Yehezkel Gonen sich keuchend bückte, um das Buch auf dem untersten Brett des Bücherregals zu suchen, trafen drei der vier Tanten ein. Man hatte auch sie eingeladen, um mich kennenzulernen. In dem Durcheinander, das der Stromausfall verursachte, hatten sie sich verspätet, und es war ihnen nicht mehr gelungen, Tante Gitta ausfindig zu machen und mitzubringen. Deshalb waren sie nur zu dritt gekommen. Mir zu Ehren und zur Ehre des Anlasses hatten sie für die ganze Strecke von Tel Aviv nach Holon ein Taxi genommen, um rechtzeitig da zu sein. Es war die ganze Fahrt über stockfinster gewesen.
Die Tanten begegneten mir mit leicht übertriebener Zuneigung, als durchschauten sie alle meine Ränke, hätten sich jedoch darauf geeinigt, Nachsicht zu üben. Sie waren entzückt, meine Bekanntschaft zu machen. Michael habe in seinem Brief so nette Dinge über mich geschrieben. Wie froh sie waren, jetzt selber feststellen zu können, daß er nicht übertrieben hatte. Tante Leah hatte einen Freund in Jerusalem, einen Herrn Kadischmann, ein gebildeter und einflußreicher Mann, und auf Tante Leahs Bitte hin hatte er bereits Erkundigungen über meine Familie eingeholt. So wußten alle vier Tanten, daß ich aus gutem Hause war.
Tante Jenia fragte, ob sie mich einmal kurz unter vier Augen sprechen könne. »Entschuldige. Ich weiß, es ist nicht sehr schön, in Gesellschaft zu flüstern, aber im Familienkreis ist es nicht nötig, auf peinliche Höflichkeit zu achten, und ich vermute, du gehörst fortan zur Familie.«
Wir gingen in das andere Zimmer hinüber und setzten uns im Dunkeln auf Yehezkel Gonens hartes Bett. Tante Jenia knipste

eine elektrische Taschenlampe an, als befänden wir uns nachts allein im Freien. Mit jeder Bewegung führten unsere Schatten einen wilden Tanz auf der Wand auf und die Taschenlampe zitterte in ihrer Hand. Mir kam der groteske Gedanke, Tante Jenia würde verlangen, daß ich mich auszöge. Vielleicht weil Michael mir erzählt hatte, sie sei Kinderärztin.
Sie begann in einem Tonfall resoluter Zuneigung: »Yehezkeles – ich meine, die finanzielle Lage von Michaels Vater ist nicht besonders gut. Eigentlich überhaupt nicht gut. Yehezkele ist ein kleiner Angestellter. Es ist nötig, einem klugen Mädchen wie dir zu erklären, was ein kleiner Angestellter ist. Der größte Teil seines Gehalts geht für Michaels Ausbildung drauf. Was das für eine Belastung ist, brauche ich dir nicht zu erklären. Und Michael wird sein Studium nicht aufgeben. Die Familie wird auf gar keinen Fall dulden, daß er sein Studium aufgibt, das muß ich dir ganz klar und deutlich sagen. Das kommt überhaupt nicht in Frage.
Wir haben die Angelegenheit unterwegs im Taxi besprochen, meine Schwestern und ich. Wir beabsichtigen uns sehr anzustrengen und jede von uns wird euch, sagen wir, fünfhundert Pfund geben. Vielleicht auch ein bißchen mehr oder ein bißchen weniger. Tante Gitta wird sicher mitmachen, auch wenn sie es nicht geschafft hat, heute abend herzukommen. Nein, du brauchst dich nicht zu bedanken. Wir sind eine sehr familienverbundene Familie, wenn man das so sagen kann. Sehr. Wenn Michael erst Professor ist, könnt ihr uns das Geld ja zurückzahlen, ha, ha.
Ist auch egal. Der springende Punkt ist, daß selbst diese Summe nicht ausreichen wird, euch jetzt schon eine Wohnung einzurichten. Ich finde die monströsen Preissteigerungen in letzter Zeit einfach haarsträubend. Das Geld verliert tagtäglich an Wert. Was ich damit sagen will ist, seid ihr fest entschlossen, im März zu heiraten? Könntet ihr nicht noch eine Weile warten damit? Laß es mich anders sagen, ganz offen, unter Familienangehörigen: ist irgend etwas passiert, was einer Verschiebung des Hochzeitstermins widerspräche? Nein? Wozu dann die Eile? Weißt

du eigentlich, daß ich sechs Jahre verlobt war, in Kovno, ehe ich meinen ersten Mann heiratete? Sechs Jahre! Mir ist natürlich klar, daß in diesen modernen Zeiten eine lange Verlobungszeit nicht mehr gefragt ist, von sechs Jahren ganz zu schweigen. Aber wie wär's mit, sagen wir, einem Jahr? Nein? Na gut. Ich glaube allerdings kaum, daß du dir mit deinem bißchen Kindergartenarbeit sehr viel zurücklegen kannst? Ihr werdet Auslagen haben für den Haushalt und für das Studium. Du mußt dir über eines klar sein, finanzielle Schwierigkeiten gleich zu Anfang können eine Ehe schnell zerstören. Da spreche ich aus Erfahrung. Eines Tages werde ich dir eine schreckliche Geschichte erzählen. Erlaube mir, ganz offen zu sprechen, als Ärztin. Ich gebe ja zu, daß das Sexualleben einen, zwei oder auch sechs Monate lang alle anderen Probleme in den Hintergrund drängt. Aber was wird dann? Du bist ein kluges Mädchen, und ich bitte dich, über diese Frage einmal in aller Ruhe nachzudenken. Ich habe gehört, daß deine Familie in einem Kibbuz lebt? Was sagst du da? Du erbst an deinem Hochzeitstag dreitausend Pfund von deinem Vater? Das sind gute Neuigkeiten. Sehr gute Neuigkeiten. Siehst du, Hannele, das hat Michael vergessen zu schreiben. Im großen und ganzen schwebt unser Michael noch immer in den Wolken. Er mag ja ein naturwissenschaftliches Genie sein, aber wenn es um das wirkliche Leben geht, ist er einfach noch ein Kind. Na gut, ihr habt euch also für März entschieden? Dann eben im März. Es ist falsch, wenn die ältere Generation der jüngeren ihre Vorstellungen aufzwingt. Ihr habt das Leben noch vor euch, wir haben es hinter uns. Jede Generation muß aus ihren eigenen Fehlern lernen. Viel Glück. Noch etwas. Wenn du Hilfe oder Rat brauchen solltest, komm zu mir. Ich habe mehr Erfahrung als zehn andere Frauen zusammen. Laß uns jetzt zu den anderen zurückgehen. Mazel Tov, Yehezkele, Mazel Tov, Micha. Ich wünsche euch Gesundheit und Glück.«

Im Kibbuz Nof Harim in Galiläa hieß mein Bruder Emanuel Michael mit einer bärenstarken Umarmung und herzlichem Schulterklopfen willkommen, als habe er einen lange verloren ge-

glaubten Bruder wiedergefunden. Auf einer zwanzigminütigen Gewalttour zeigte er ihm den ganzen Kibbuz.
»Warst du in der *Palmach*? Nein? Wozu auch. Mach dir nichts draus. Auch die anderen haben eine Menge wichtige Arbeit geleistet.«
Halb ernsthaft drängte uns Emanuel, nach Nof Harim zu kommen und dort zu leben. Was habt ihr dagegen? Ein intelligenter Bursche kann sich immer nützlich machen und hier genauso zufrieden leben wie in Jerusalem. »Das seh ich auf den ersten Blick, daß du kein wilder Löwe bist. Das heißt, vom körperlichen Standpunkt. Aber was soll's? Wir sind keine Fußballmannschaft, weißt du. Du könntest im Hühnerstall arbeiten oder sogar im Büro. Rinele, Rinele, hol doch mal rasch die Flasche Kognak, die wir beim Purimfest* in der Tombola gewonnen haben. Beeil dich, unser großartiger neuer Schwager wartet. Und was ist mit dir, Hannutschka – warum so still? Das Mädchen will heiraten und schaut in die Welt, als sei sie gerade Witwe geworden. Michael, alter Knabe, hast du gehört, warum man die *Palmach* aufgelöst hat? Nein, zerbrich dir nicht den Kopf – ich wollte nur wissen, ob du den Witz kennst. Nein? Ihr seid ja total hinterm Mond in Jerusalem. Dann paß auf, ich erzähl' ihn dir.«

Und schließlich Mutter.
Meine Mutter weinte, als sie mit Michael sprach. Sie erzählte ihm in gebrochenem Hebräisch vom Tod meines Vaters, und ihre Worte verloren sich in ihren Tränen. Sie fragte, ob sie Michael Maß nehmen könne. Maß nehmen? Ja, Maß nehmen. Sie wolle ihm einen weißen Pullover stricken. Sie wolle alles daransetzen, damit er noch rechtzeitig zur Hochzeit fertig würde. Hatte er einen dunklen Anzug? Möchte er den Anzug des armen lieben Yosef für den Festakt haben? Sie könne ihn leicht ändern, damit er paßte. Es wäre nicht viel Arbeit. Er sei nicht viel zu groß und

* Purimfest: Freudenfest zu Ehren der Jüdin Esther, das im März/April mit Geschenken und maskierten Umzügen gefeiert wird.

auch nicht viel zu klein. Sie bitte ihn darum. Aus Sentimentalität. Es sei das einzige Geschenk, das sie ihm machen könne. Und mit ihrem starken russischen Akzent wiederholte meine Mutter immer wieder, als ringe sie verzweifelt um seine Zustimmung: »Hannele ist ein feiner Kerl. Ein sehr feiner Kerl. Sie hat viel Schmerz. Das solltest du auch wissen. Und auch – wie sagt man noch, ach, ich weiß es nicht, ... sie ist ein sehr feiner Kerl. Das solltest du auch wissen.«

VIII

Mein verstorbener Vater pflegte gelegentlich zu sagen: Es ist normalen Menschen unmöglich, eine perfekte Lüge zu erzählen. Betrug verrät sich immer selbst. Es ist wie eine zu kurz geratene Decke: Versuchst du, deine Füße zuzudecken, bleibt dein Kopf frei, und deckst du deinen Kopf zu, gucken die Füße heraus. Ein Mensch denkt sich eine raffinierte Ausrede aus, um etwas zu verheimlichen und ist sich nicht im klaren darüber, daß die Ausrede selbst eine unangenehme Wahrheit enthüllt. Reine Wahrheit hingegen ist von Grund auf zerstörerisch und führt zu nichts. Was können normale Menschen also tun? Alles, was wir tun können, ist stumm dastehen und große Augen machen. Das ist alles, was wir tun können. Stumm dastehen und große Augen machen.

Zehn Tage vor unserer Hochzeit mieteten wir eine Zweizimmer-Altbauwohnung in dem Meqor Barukh genannten Viertel im Nordwesten Jerusalems. 1950 lebten in dieser Gegend neben den religiösen Familien vor allem kleine Angestellte im Dienst der Regierung oder der Jewish Agency, Textilhändler und Kassierer, die in Kinos oder bei der Anglo-Palestine Bank beschäftigt waren. Es war bereits ein sterbendes Viertel. Das moderne Jerusalem breitete sich nach Süden und Südwesten hin aus. Unsere Wohnung war recht düster, und die sanitären Anlagen waren veraltet, aber sie hatte hohe Räume, was mir gut gefiel. Wir machten Pläne, die Wände in leuchtenden Farben zu streichen und Topfpflanzen zu züchten. Damals wußten wir noch nicht, daß Topfpflanzen in Jerusalem nicht gedeihen, vielleicht wegen der hohen Mengen an Rost und chemischen Reinigungsmitteln im Leitungswasser.

Unsere Freizeit verbrachten wir damit, in Jerusalem herumzulaufen und das Nötigste einzukaufen: die wichtigsten Möbelstücke, ein paar Bürsten und Besen und Küchenutensilien, einige Kleidungsstücke. Überrascht stellte ich fest, daß Michael feilschen konnte, ohne an Würde zu verlieren. Er wurde kein einziges Mal heftig dabei. Ich war stolz auf ihn. Meine beste Freundin Hadassah, die kürzlich einen vielversprechenden jungen Wirtschaftswissenschaftler geheiratet hatte, drückte ihre Meinung über Michael so aus:

»Ein bescheidener und intelligenter Junge. Vielleicht nicht gerade brillant, aber zuverlässig.«

Alte Freunde der Familie, alteingesessene Bürger Jerusalems, meinten:

»Er macht einen guten Eindruck.«

Wir liefen Arm in Arm herum. Ich bemühte mich, in den Gesichtern meiner Bekannten, die uns begegneten, deren Urteil über Michael abzulesen. Michael sprach wenig. Seine Augen waren wachsam. In Gesellschaft war er angenehm und zurückhaltend. Die Leute sagten: »Geologe? Das ist erstaunlich. Man würde ihn eher bei den Geisteswissenschaftlern vermuten.«

Abends ging ich in Michaels Zimmer in Mousrara, wo wir fürs erste unsere Einkäufe lagerten. Den größten Teil des Abends verbrachte ich damit, Blumen auf Kissenbezüge zu sticken. Und auf die Wäsche stickte ich unseren Namen, Gonen. Ich konnte gut sticken.

Ich lehnte mich in den Sessel zurück, den wir für den Balkon unserer Wohnung gekauft hatten. Michael setzte sich an seinen Schreibtisch und arbeitete an einem Referat über Geomorphologie. Er wollte diese Arbeit unbedingt noch vor unserer Hochzeit zu Ende bringen und abgeben. Das hatte er sich selbst versprochen. Beim Licht seiner Leselampe sah ich sein längliches, mageres, dunkles Gesicht, sein kurzgeschorenes Haar. Mitunter kam mir der Gedanke, er sähe aus wie der Schüler eines religiösen Internats oder wie einer der Jungen vom Diskin-Waisenhaus, die ich als Kind zu beobachten pflegte, wenn sie auf dem Weg zum Bahnhof unsere Straße überquerten. Sie hatten geschorene Köpfe und gingen paarweise Hand in Hand. Sie waren traurig und schicksalsergeben. Doch hinter dieser Schicksalsergebenheit spürte ich unterdrückte Gewalt.

Michael fing wieder an, sich nur gelegentlich zu rasieren. Dunkle Stoppeln sprossen unter seinem Kinn. Hatte er seinen neuen Rasierapparat verloren? Nein, er gestand, daß er mich angelogen habe an unserem zweiten gemeinsamen Abend. Er habe keinen neuen Rasierapparat gekauft. Er habe sich besonders sorgfältig rasiert, um mir zu gefallen. Warum hatte er gelogen? Weil ich ihn in Verlegenheit gebracht hatte.
Warum rasierte er sich jetzt wieder nur jeden zweiten Tag? Weil er sich jetzt nicht mehr unbehaglich in meiner Gegenwart fühle.
»Ich hasse es, mich zu rasieren. Wenn ich nur Künstler wäre statt Geologe, dann könnte ich mir einen Bart wachsen lassen.«
Ich versuchte, mir das bildlich vorzustellen, und brach in Lachen aus.
Michael warf mir einen erstaunten Blick zu.
»Was ist so komisch?«
»Bist du gekränkt?«
»Nein, ich bin nicht gekränkt. Nicht die Spur.«
»Warum siehst du mich dann so an?«
»Weil ich es endlich geschafft habe, dich zum Lachen zu bringen. Immer wieder habe ich versucht, dich zum Lachen zu bringen und habe dich nie lachen sehen. Jetzt ist es mir gelungen, ohne daß ich es versucht habe. Das macht mich glücklich.«
Michaels Augen waren grau. Als er lächelte, zitterten seine Mundwinkel. Er war grau und sehr beherrscht, mein Michael.

Alle zwei Stunden machte ich ihm ein Glas Tee mit Zitrone, wie er es gern hatte. Wir sprachen kaum, weil ich ihn bei seiner Arbeit nicht stören wollte. Das Wort »Geomorphologie« gefiel mir. Einmal stand ich leise auf, schlich barfuß auf Zehenspitzen zu ihm hinüber und stellte mich, während er über seine Arbeit gebeugt dasaß, hinter ihn. Michael wußte nicht, daß ich dort stand. Ich konnte über seine Schulter hinweg ein paar Sätze lesen. Er hatte eine ordentliche, wohlgerundete Handschrift wie die eines braven Schulmädchens. Aber die Wörter ließen mich schaudern: Abbau der Minerallager. Vulkanische Kräfte preßten nach oben. Erstarrte Lava. Basalt. Konsequente und subsequente Ströme. Ein morphotektonischer Prozeß, der vor Jahrtausenden begann und noch immer anhält. Allmählicher Zerfall, plötzlicher Zerfall. Seismische Störungen so geringen Grades, daß nur Instrumente von höchster Empfindlichkeit sie registrieren können.
Wieder einmal erschreckten mich diese Wörter. Ich empfing eine verschlüsselte Botschaft. Mein Leben hing von ihr ab. Doch mir fehlte der Schlüssel.
Dann ging ich zurück zu meinem Sessel und nahm meine Strickarbeit wieder auf.
Michael hob den Kopf und sagte:
»Einer Frau wie dir bin ich noch nie begegnet.«
Und dann fügte er hastig, um mir zuvorzukommen, hinzu:
»Wie banal.«

Ich möchte hier feststellen, daß ich bis zu unserer Hochzeitsnacht nicht mit Michael schlief.
Wenige Monate vor seinem Tod rief mich mein Vater in sein Zimmer und schloß die Tür hinter uns ab. Die Krankheit hatte sein Gesicht bereits entstellt. Die Wangen waren eingesunken, und seine Haut war trocken und fahl. Er schaute nicht mich an, sondern den Teppich vor ihm auf dem Boden, als lese er die Worte, die er mir sagen wollte, von ihm. Vater erzählte mir von schlechten Männern, die Frauen mit süßen Worten verführen und sie dann ihrem Schicksal überlassen. Ich war damals unge-

fähr 13. Alles, was er mir erzählte, hatte ich bereits von kichernden Mädchen und pickligen Jungen gehört. Doch mein Vater sprach diese Worte nicht scherzhaft aus, sondern mit einem Unterton stiller Trauer. Er trug seine Ansichten vor, als sei schon die reine Existenz zweier verschiedener Geschlechter eine Unordnung, die das Leid in der Welt vermehre, ein Übel, dessen Folgen man mit aller Kraft mildern mußte. Er schloß mit den Worten, daß ich mir eine falsche Entscheidung ersparen könne, wenn ich in schwierigen Situationen an ihn denken würde.
Ich glaube nicht, daß dies der wahre Grund dafür war, warum ich bis zu unserer Hochzeitsnacht Michael meinen Körper vorenthielt. Den wahren Grund möchte ich hier nicht nennen. Man sollte mit dem Gebrauch des Wortes »Grund« sehr vorsichtig sein. Wer hatte das noch gesagt? Michael selbst natürlich. Wenn er seine Arme um meine Schultern legte, war Michael stark und beherrscht. Vielleicht war er schüchtern wie ich. Er bat nicht mit Worten. Seine Finger flehten, beharrten aber nie. Er ließ seine Finger langsam meinen Rücken hinuntergleiten. Dann zog er seine Hand zurück und betrachtete zuerst seine Finger, dann mich, mich und seine Finger, als vergliche er vorsichtig eine Sache mit der anderen. Mein Michael.

Eines Abends, ehe ich mich von Michael verabschiedete, um mein Zimmer aufzusuchen (es war nicht mehr ganz eine Woche, die ich noch bei der Familie Tarnopoler in Ahva bleiben würde), sagte ich:
»Michael, es wird dich überraschen zu hören, daß ich etwas über konsequente und subsequente Ströme weiß, das sogar dir vielleicht unbekannt ist. Wenn du ein braver Junge bist, werde ich dir eines Tages sagen, was ich weiß.«
Dann zerzauste ich ihm die Haare mit meiner Hand: ein richtiger Igel! Was ich mir eigentlich dabei dachte, weiß ich nicht.
In einer der letzten Nächte, zwei Tage vor unserer Hochzeit, hatte ich einen gräßlichen Traum. Michael und ich waren in Jericho. Wir kauften auf dem Markt zwischen Reihen niedriger Lehmhütten ein. (Mein Vater, mein Bruder und ich hatten 1938

zusammen einen Ausflug nach Jericho gemacht. Es war während des Laubhüttenfestes*. Wir fuhren mit einem arabischen Bus. Ich war acht. Ich habe es nicht vergessen. Mein Geburtstag fällt in die Zeit des Laubhüttenfestes.)
Michael und ich kauften einen Teppich, ein paar Sitzkissen, ein reich verziertes Sofa. Michael wollte diese Sachen nicht kaufen. Ich wählte sie aus, und er bezahlte schweigend. Der Souk in Jericho war laut und farbenfroh. Die Leute schrien wild durcheinander. Ich ging ruhig durch die Menge, mit einem bequemen Rock bekleidet. Am Himmel glühte eine schreckliche, wilde Sonne, wie ich sie auf Bildern von van Gogh gesehen habe. Dann hielt ein Armeejeep neben uns. Ein schneidiger, kleiner britischer Offizier sprang heraus und tippte Michael auf die Schulter. Michael machte eine plötzliche Kehrtwendung und rannte wie ein Besessener davon. Im Laufen warf er Verkaufsstände um, bis er von der Menge verschluckt wurde. Ich war allein. Frauen kreischten. Zwei Männer tauchten auf und trugen mich weg. Sie waren in ihren wehenden Gewändern nicht zu erkennen. Nur ihre funkelnden Augen konnte man sehen. Ihr Griff war rauh und schmerzhaft. Sie zerrten mich gewundene Straßen hinunter bis zu den Randgebieten der Stadt. Die Gegend ähnelte den steilen Gassen hinter der Straße der Abessinier im Osten Neu-Jerusalems. Ich wurde viele Treppen hinunter in einen von einer schmutzigen Petroleumlampe erleuchteten Keller gestoßen. Der Keller war schwarz. Man warf mich auf den Boden. Ich konnte die Feuchtigkeit spüren. Es stank. Von draußen hörte ich ein ersticktes, irres Bellen. Plötzlich warfen die Zwillinge ihre Gewänder ab. Wir waren alle drei gleich alt. Ihr Haus stand unserem gegenüber, jenseits eines unbenutzten Grundstücks, zwischen Katamon und Qiryat Shemuel. Sie hatten einen Hof, der von allen Seiten abgeschlossen war. Das Haus war um den Hof herum gebaut. Weinreben rankten sich um die Mauern der Villa.

---

* Laubhüttenfest: wird im September/Oktober gefeiert. Erinnert an die Wanderung der Juden durch die Wüste, als sie nur in provisorischen Hütten lebten.

Die Mauern bestanden aus jenen rötlichen Steinen, die unter den wohlhabenden Arabern in den südlichen Vororten Jerusalems so beliebt waren.
Ich fürchtete mich vor den Zwillingen. Sie machten sich über mich lustig. Ihre Zähne waren sehr weiß. Sie waren dunkel und geschmeidig. Ein Paar starker grauer Wölfe. »Michael, Michael,« schrie ich, aber die Stimme versagte mir. Ich war stumm. Dunkelheit überspülte mich. Es war, als wollte etwas in der Dunkelheit, daß Michael erst am Ende der Schmerzen und der Freuden zu meiner Rettung herbeieilte. Die Zwillinge gaben nicht zu erkennen, ob sie sich an unsere Kindheit erinnerten. Allenfalls mit ihrem Lachen. Sie hüpften auf dem Kellerboden auf und ab, als frören sie sich zu Tode. Aber es war nicht kalt. Sie hüpften und sprangen voll überschäumender Energie. Sie kochten. Ich konnte mein nervöses, häßliches Lachen nicht unterdrücken. Aziz war ein bißchen größer als sein Bruder und eine Spur dunkler. Er lief an mir vorbei und öffnete eine Tür, die ich nicht bemerkt hatte. Er zeigte auf die Tür und verbeugte sich wie ein Kellner. Ich war frei. Ich konnte gehen. Es war ein schrecklicher Augenblick. Ich hätte gehen können, tat es aber nicht. Dann stieß Halil einen tiefen, zitternden Seufzer aus und schloß und verriegelte die Tür. Aziz zog aus den Falten seines Gewands ein langes, glänzendes Messer hervor. Seine Augen leuchteten. Er ließ sich auf allen vieren nieder. Seine Augen glühten. Das Weiße seiner Augen war schmutzig und blutunterlaufen. Ich wich zurück und preßte meinen Rücken gegen die Kellerwand. Die Wand war schmutzig. Eine klebrige, faulige Feuchtigkeit drang durch meine Kleider und berührte meine Haut. Mit letzter Kraft schrie ich auf.

Morgens kam Frau Tarnopoler, meine Wirtin, in mein Zimmer und erzählte mir, daß ich im Schlaf geschrien hätte. Wenn Fräulein Grynbaum zwei Nächte vor ihrer Hochzeit im Schlaf aufschreit, dann ist das gewiß ein Zeichen für großen Kummer. In unseren Träumen erfahren wir, was wir tun und was wir lassen müssen. In unseren Träumen zahlen wir den Preis für all unsere

Missetaten, sagte Frau Tarnopoler. Wenn sie meine Mutter wäre, das mußte sie mir sagen, selbst wenn ich ihr deshalb böse sei, hätte sie mir nicht erlaubt, plötzlich einen Mann zu heiraten, den ich zufällig auf der Straße kennengelernt hatte. Genausogut hätte ich einen ganz anderen Mann kennenlernen können oder überhaupt keinen! Wo würde das hinführen? In eine Katastrophe. »Ihr jungen Leute dreht eine Flasche und heiratet den, auf den sie zeigt, wie im Purim-Spiel. Mich hat ein *shadchan* verheiratet, der wußte, wie man das, was im Himmel geschrieben steht, herbeiführt, denn er kannte beide Familien gut und hatte sorgfältig geprüft, wer der Bräutigam und wer die Braut war. Schließlich ist jeder Mensch das, was seine Familie ist. Eltern, Großeltern, Tanten und Onkel, Brüder und Schwestern. So wie der Brunnen das Wasser ist. Heute abend mache ich Ihnen vor dem Schlafengehen eine Tasse Pfefferminztee. Das ist ein gutes Heilmittel für eine bekümmerte Seele. Ihre schlimmsten Feinde sollten solche Träume vor der Hochzeitsnacht haben. Das ist Ihnen alles nur passiert, Fräulein Grynbaum, weil ihr jungen Leute heiratet wie die Götzendiener in der Bibel: Ein unberührtes Mädchen lernt einen fremden Mann kennen, ohne zu wissen, wer er ist, bespricht die Einzelheiten mit ihm und setzt den Termin für die Hochzeit fest, als wäre man allein auf der Welt.«
Als Frau Tarnopoler das Wort »unberührt« aussprach, lächelte sie ein abgetragenes Lächeln. Ich sagte nichts.

IX

Michael und ich heirateten Mitte März. Die Zeremonie fand auf der Dachterrasse des alten Rabbinatsgebäudes in der Yafo-Straße statt, gegenüber Steimatzkys internationaler Buchhandlung, unter einem Himmel voller Wolken, dunkelgrauen, Gebilde, aufgetürmt gegen einen hellen, grauen Hintergrund.

Michael und sein Vater trugen beide dunkelgraue Anzüge und hatten sich weiße Taschentücher in die Brusttaschen gesteckt. Sie sahen einander so ähnlich, daß ich sie zweimal miteinander verwechselte. Ich redete meinen Mann Michael mit Yehezkel an.
Michael zerbrach das traditionelle Glas mit einem harten Schlag. Das Glas zersprang mit einem trockenen Klirren. Ein leises Rascheln ging durch die Schar der Hochzeitsgäste. Tante Leah weinte. Auch meine Mutter weinte.
Mein Bruder Emanuel hatte vergessen, eine Kopfbedeckung mitzubringen. Er breitete ein kariertes Taschentuch über sein widerspenstiges Haar. Meine Schwägerin Rina hielt mich fest, als könne ich plötzlich in Ohnmacht fallen. Ich habe nichts vergessen.

Abends fand eine Party in einem der Unterrichtsräume im Ratisbone-Gebäude statt. Vor zehn Jahren, als wir heirateten, waren die meisten Fachbereiche in Seitenflügeln christlicher Klöster untergebracht. Die Universitätsgebäude auf dem Skopusberg waren infolge des Unabhängigkeitskriegs von der Stadt abgeschnitten. Alteingesessene Jerusalemer glaubten noch immer, dies sei eine vorübergehende Maßnahme. Politische Spekulationen grassierten. Die Unsicherheit war noch sehr groß.
Der Raum im Ratisbone-Kloster, in dem die Party stattfand, war hoch und alt, und die Decke war rußig. Sie war mit verblichenen Gemälden verziert, von denen die Farbe abblätterte. Mit großer Mühe erkannte ich verschiedene Szenen aus dem Leben Christi von der Geburt bis zur Kreuzigung. Ich wandte den Blick von der Decke ab.
Meine Mutter trug ein schwarzes Kleid. Es war das Kleid, das sie sich 1943 nach meines Vaters Tod genäht hatte. Zum heutigen Anlaß hatte sie eine Kupferbrosche auf das Kleid gesteckt, um den Unterschied zwischen Kummer und Freude deutlich zu machen. Die schwere Halskette, die sie trug, leuchtete im Licht der uralten Lampen.
Auf der Party waren ungefähr 30 oder 40 Studenten. In der

Mehrzahl waren es Geologen, aber es waren auch einige Literaturstudenten darunter. Meine beste Freundin Hadassah kam mit ihrem jungen Ehemann und schenkte mir die Reproduktion eines bekannten Gemäldes, auf dem eine alte jemenitische Frau abgebildet war. Ein paar alte Freunde meines Vaters überreichten uns gemeinsam einen Scheck. Mein Bruder Emanuel brachte sieben junge Freunde aus seinem Kibbuz mit. Sie schenkten uns eine vergoldete Vase. Emanuel und seine Freunde gaben sich große Mühe, Mittelpunkt der Party zu sein, doch die Anwesenheit der Studenten irritierte sie.

Zwei der jungen Geologen erhoben sich und lasen einen sehr langen und ermüdenden Dialog vor, dessen Wirkung auf den sexuellen Nebenbedeutungen geologischer Schichten beruhte. Das Stück strotzte von unzüchtigen Anspielungen und Zweideutigkeiten. Sie wollten zu unserer Erheiterung beitragen.

Sarah Zeldin vom Kindergarten, uralt und voller Falten, überreichte uns ein Teeservice. Jedes Stück hatte einen goldenen Rand und war mit der Abbildung eines blaugekleideten Liebespaares geschmückt. Sie umarmte meine Mutter, und die beiden Frauen küßten einander. Sie unterhielten sich auf jiddisch und nickten dabei unaufhörlich mit den Köpfen.

Michaels vier Tanten, die Schwestern seines Vaters, standen um einen mit belegten Broten beladenen Tisch herum und plauderten geschäftig über mich. Sie machten sich nicht die Mühe, ihre Stimmen zu senken. Sie mochten mich nicht. All diese Jahre war Michael ein verantwortungsbewußter, ordentlicher Junge gewesen, und nun heiratete er mit einer Hast, die den gemeinen Klatsch einfach herausfordern mußte. Sechs Jahre war Tante Jenia in Kovno verlobt gewesen, sechs Jahre, bis sie schließlich ihren ersten Mann heiratete. Einzelheiten des vulgären Klatsches, den unsere Hast hervorrufen mußte, besprachen die vier Tanten auf polnisch.

Mein Bruder und seine Kibbuzfreunde tranken zuviel. Sie lärmten herum. Sie sangen rohe Variationen eines bekannten Trinkliedes. Sie scherzten mit den Mädchen, bis deren Lachen in Geschrei und Gekicher überging. Ein Mädchen vom geologischen

Fachbereich, Yardena, das helle, blonde Haare hatte und ein mit Goldpailletten übersätes Kleid trug, schleuderte die Schuhe von sich und begann, allein einen wilden spanischen Tanz zu tanzen. Die übrigen Gäste begleiteten sie mit rhythmischem Händeklatschen. Mein Bruder Emanuel zertrümmerte ihr zu Ehren eine Flasche Orangensaft. Dann stieg Yardena auf einen Stuhl und sang mit einem vollen Likörglas in der Hand einen populären amerikanischen Schlager über enttäuschte Liebe.
Noch ein anderes Ereignis muß ich hier festhalten: Gegen Ende der Party versuchte mein Mann, mir einen Überraschungskuß auf den Nacken zu geben. Er schlich sich von hinten an mich heran. Vielleicht hatten ihn seine Kommilitonen auf diese Idee gebracht. Ich hielt zu diesem Zeitpunkt gerade ein Glas Wein in der Hand, das mir mein Bruder aufgedrängt hatte. Als Michaels Lippen meinen Nacken berührten, machte ich einen Satz, und der Wein ergoß sich auf mein weißes Hochzeitskleid. Ein paar Tropfen spritzten auch auf Tante Jenias braunes Kostüm. Was so wichtig ist an diesem Vorfall? Seit jenem Morgen, an dem meine Wirtin, Frau Tarnopoler, mit mir über meine nächtlichen Schreie gesprochen hatte, witterte ich überall Vorzeichen und Hinweise. Genau wie mein Vater. Mein Vater war ein aufmerksamer Mann. Er ging durchs Leben, als wäre es ein Vorbereitungskurs, in dem man seine Lektion lernt und Erfahrungen sammelt.

X

Am Ende der Woche trat mein Professor an mich heran, um mir zu gratulieren. Es war im Foyer des Terra-Sancta-College, während der Pause, die er immer in der Mitte seiner wöchtentlichen Mapu-Vorlesung einlegte. »Frau... ah ja, Frau Gonen, ich habe gerade die gute Nachricht gehört und möchte Ihnen rasch zu Ihrer, ja, Vermählung gratulieren. Ich hoffe von ganzem Herzen, daß Ihr Heim zugleich wahrhaft jüdisch und wahrhaft, na ja, aufgeklärt sein möge. Mit diesen Worten habe ich Ihnen, glaube ich, alles erdenkliche Glück gewünscht. Darf ich fragen, welcher Fachrichtung Ihr dreimal glücklicher Bräutigam angehört? Ah, Geologie! Welch höchst symbolische Verbindung von Studienfächern. Die Geologie einerseits wie auch das Studium der Literatur auf der anderen Seite tauchen sozusagen in die Tiefen auf der Suche nach begrabenen Schätzen. Darf ich fragen, Frau Gonen, ob Sie beabsichtigen, Ihre gegenwärtigen Studien fortzusetzen? Gut, ich bin entzückt. Wie Sie wissen, hege ich ein fast väterliches Interesse am Schicksal meiner Schüler.«

Mein Mann kaufte ein großes Bücherregal. Er besaß noch nicht viele Bücher, etwa 20 oder 30 Bände, aber mit der Zeit würden es mehr werden. Michael sah im Geiste eine ganze mit Büchern bedeckte Wand vor sich. In der Zwischenzeit war das Bücherregal fast leer. Ich brachte vom Kindergarten ein paar Figuren mit, die ich aus geflochtenem Draht und buntem Bast gemacht hatte, damit die leeren Borde weniger kahl wirkten. Fürs erste.
Die Warmwasserversorgung versagte. Michael versuchte, den Schaden selbst zu reparieren. Als Junge, sagte er, habe er häufig Wasserhähne für seinen Vater oder seine Tanten in Ordnung gebracht. Diesmal klappte es nicht. Wahrscheinlich hatte er die Sache sogar verschlimmert. Wir schickten nach dem Klempner. Er war ein gutaussehender Nordafrikaner, der den Schaden auf Anhieb behob. Michael schämte sich für sein Versagen. Er schmollte wie ein Kind. Sein Unbehagen machte mir Spaß.
»Was für ein reizendes junges Paar«, sagte der Klempner. »Ich mache Ihnen einen guten Preis.«

Die ersten Nächte konnte ich nur mit Hilfe von Schlaftabletten einschlafen. Als ich acht war, bekam mein Bruder ein eigenes Zimmer, und seit jener Zeit hatte ich immer allein geschlafen. Es kam mir seltsam vor, wie Michael die Augen schloß und einschlief. Bis zu unserer Heirat hatte ich ihn nie schlafend gesehen. Er zog sich die Decke über den Kopf und verschwand. Zuweilen

mußte ich mir ins Gedächtnis rufen, daß der rhythmische Zischlaut lediglich sein Atem war und daß es von nun an keinen Mann auf Erden geben würde, der mir näherstand als er. Ich wälzte mich bis zum Morgengrauen in dem gebrauchten Doppelbett herum, das wir für wenig Geld von den Vormietern der Wohnung gekauft hatten. Das Bett war reich verziert mit Arabesken, leuchtend braun gebeizten Schnitzereien. Wie die meisten alten Möbel war es viel zu breit. Es war so breit, daß ich einmal aufwachte und dachte, Michael sei bereits aufgestanden und weggegangen. Er war weit weg, eingesponnen in seinen Kokon. Fast greifbar kamen sie im Morgengrauen zu mir. Kamen sinnlich und gewalttätig. Sie erschienen dunkel und geschmeidig und stumm.
Ich hatte mir nie einen aufregenden Mann gewünscht. Womit hatte ich diese Enttäuschung verdient? Als kleines Mädchen malte ich mir immer aus, daß ich einmal einen jungen Gelehrten heiraten würde, dem es bestimmt war, weltberühmt zu werden. Auf Zehenspitzen würde ich in sein karg möbliertes Arbeitszimmer schleichen, ein Glas Tee auf einen der schweren deutschen, auf seinem Schreibtisch herumliegenden Wälzer stellen, den Aschenbecher leeren und lautlos die Fensterläden schließen, um mich auf Zehenspitzen wieder davonzuschleichen, ohne daß er mich bemerkt hätte. Wenn mein Mann über mich hergefallen wäre wie ein Verdurstender, hätte ich mich vor mir selbst geschämt. Warum war ich dann so aufgebracht, wenn Michael sich mir näherte, als sei ich ein empfindliches Instrument, oder wie ein Wissenschaftler, der mit einem Reagenzglas umgeht? Nachts dachte ich an den warmen, groben Mantel, den er in jener Nacht getragen hatte, als wir von Tirat Yaar zur Bushaltestelle an der Jerusalemer Landstraße liefen. Und an den Löffel, mit dem seine Finger in der Cafeteria von Terra Sancta gespielt hatten, erinnerte ich mich in jenen ersten Nächten.
Die Kaffeetasse zitterte in meiner Hand, als ich meinen Mann an einem jener Vormittage mit starr auf eine zerbrochene Bodenkachel gerichtetem Blick fragte, ob ich eine gute Frau sei. Er dachte einen Augenblick nach und antwortete dann auf recht gelehr-

same Weise, daß er das nicht beurteilen könne, da er nie eine andere Frau gekannt habe. Seine Antwort war aufrichtig. Warum zitterten meine Hände immer noch, so daß der Kaffee auf die neue Tischdecke spritzte?
Jeden Morgen briet ich ein doppeltes Omelett. Machte Kaffee für uns beide. Michael schnitt das Brot.

Es machte mir Spaß, eine blaue Schürze umzubinden und Gefäße und Utensilien an ihrem neuen Platz in meiner Küche unterzubringen. Die Tage waren ruhig. Um acht Uhr ging Michael mit einer neuen Aktentasche in der Hand, einer großen, schweren Aktentasche, die ihm sein Vater zur Hochzeit geschenkt hatte, zu seinen Vorlesungen. Ich verabschiedete mich von ihm an der Straßenecke und begab mich in Sarah Zeldins Kindergarten. Ich hatte mir ein neues Frühjahrskleid aus leichtem Baumwollstoff mit gelben Blumen gekauft. Doch der Frühling ließ auf sich warten, und der Winter wollte kein Ende nehmen. 1950 hatten wir einen langen und harten Winter in Jerusalem. Dank der Schlaftabletten träumte ich den ganzen Tag vor mich hin. Die alte Sarah Zeldin musterte mich wissend durch ihre goldgeränderte Brille. Vielleicht malte sie sich wilde Nächte aus. Ich wollte sie aufklären, doch mir fehlten die Worte. Unsere Nächte waren ruhig. Mitunter glaubte ich zu spüren, wie mir eine unbestimmte Erwartung den Rücken heraufkroch. Als hätte ein entscheidendes Ereignis noch nicht stattgefunden. Als wäre dies alles ein Vorspiel, eine Probe, eine Einleitung. Ich war dabei, eine schwierige Rolle einzustudieren, die ich bald würde spielen müssen. Ein wichtiges Ereignis würde bald stattfinden.
Ich möchte über eine seltsame Erfahrung mit Perez Smolenskin berichten.
Der Professor hatte seine Vorlesungsreihe über Abraham Mapu abgeschlossen und sich einer Besprechung von Smolenskins *Der Wanderer auf den Pfaden des Lebens* zugewandt. Er ging ausführlich auf die Reisen des Autors und seine emotionalen Schwierigkeiten ein. Damals glaubten die Gelehrten noch, der Autor selbst stehe in enger Beziehung zu seinem Buch.

Ich erinnere mich an Angenblicke, in denen ich das deutliche Gefühl hatte, Perez Smolenskin persönlich zu kennen. Wahrscheinlich hatte das in seinen Büchern abgebildete Porträt Ähnlichkeit mit jemandem, den ich kannte. Aber ich glaube nicht, daß dies der wahre Grund war. Ich meinte, schon als Kind Dinge über ihn gehört zu haben, die mein Leben berührten, und daß ich ihn bald wiedersehen würde. Ich mußte mir unbedingt die richtigen Fragen überlegen, damit ich wußte, was ich Perez Smolenskin fragen wollte. Eigentlich sollte ich nur Dickens' Einfluß auf Smolenskins Erzählungen untersuchen.
Jeden Nachmittag saß ich an meinem gewohnten Schreibtisch im Lesesaal von Terra Sancta und las David Copperfield in einer alten englischen Ausgabe. Dickens' Waisenkind David ähnelte Joseph, dem Waisenjungen aus der Stadt Madmena in Smolenskins Erzählung. Beide machten viel Schweres durch. Beide Autoren hatten, da sie Mitleid mit den Waisen hatten, kein Mitleid mit der Gesellschaft. Ich saß zwei oder drei Stunden lang friedlich da und las über Leid und Grausamkeit, als ginge es um längst ausgestorbene Dinosaurier. Oder als hätte ich es mit bedeutungslosen Fabeln zu tun, deren Moral unwichtig war. Es war eine sehr distanzierte Bekanntschaft.
Damals arbeitete im Souterrain von Terra Sancta ein ältlicher, kleiner Bibliothekar, der ein Käppchen trug und sowohl meinen Mädchennamen wie auch meinen Namen als verheiratete Frau kannte. Er ist sicher schon lange tot. Ich freute mich, als er mir sagte: »Fräulein Hannah Grynbaum-Gonen, Ihre Initialen ergeben das hebräische Wort für ›Fest‹; ich bete darum, daß alle Ihre Tage festlich sein mögen.«

Der März war zu Ende. Der halbe April ging vorbei. 1950 war der Winter lang und kalt in Jerusalem. Bei Einbruch der Dunkelheit stand ich am Fenster und wartete auf die Rückkehr meines Mannes. Ich hauchte das Glas an und zeichnete ein von einem Pfeil durchbohrtes Herz, ineinanderverschlungene Hände, die Buchstaben HG und MG und HM. Gelegentlich auch andere Figuren. Wenn Michaels Gestalt am Ende der Straße auftauchte, wischte ich sie hastig mit der Hand weg. Aus der Entfernung glaubte Michael, ich winke ihm zu, und winkte zurück. Wenn er heimkam, war meine Hand naß und eiskalt vom Abwischen der Fensterscheibe. Michael sagte dann gern: »Kalte Hände, warmes Herz.«

Vom Kibbuz Nof Harim traf ein Paket mit zwei Pullovern ein, die meine Mutter gestrickt hatte. Einen weißen für Michael und einen aus blaugrauer Wolle für mich, wie die Farbe seiner ruhigen Augen.

XI

Eines blauen Samstags brach ein plötzlicher Frühling über die Hügel herein, und wir machten eine Wanderung von Jerusalem nach Tirat Yaar. Wir brachen um sieben Uhr auf und wanderten die Straße nach Kfar Lifta entlang. Unsere Finger hatten wir ineinander verhakt. Es war in ein Blau getauchter Morgen. Die Umrisse der Hügel waren mit einem feinen Pinsel gegen den blauen Himmel gemalt. In den Felsspalten wuchsen wilde Alpenveilchen. Anemonen leuchteten auf den Hängen der Hügel. Die Erde war feucht. In den Felshöhlungen gab es noch Regenwasser, und die Kiefern waren sauber gewaschen. Eine einsame Zypresse stand verzückt atmend unterhalb der Ruinen des verlassenen arabischen Dorfes Colonia.

Michael blieb mehrfach stehen, um auf geologische Erscheinungsformen hinzuweisen und mir zu sagen, wie man sie nannte. Wußte ich eigentlich, daß einst, vor hundertausenden von Jahren, das Meer diese Hügel bedeckte?

»Am Ende aller Zeiten wird das Meer wieder Jerusalem bedekken«, sagte ich voll Überzeugung.

Michael lachte.

»Ist Hannah auch eine Prophetin?«

Er war lebhaft und fröhlich. Von Zeit zu Zeit hob er einen Stein auf und sprach ihn streng, mißbilligend an. Als wir den Castel-

berg hinaufkletterten, sahen wir einen riesigen Vogel, einen Adler oder Geier, hoch über unseren Köpfen kreisen.
»Noch sind wir nicht tot«, rief ich glücklich.
Die Felsen waren noch schlüpfrig. Ich rutschte absichtlich aus, in Erinnerung an die Treppen an Terra Sancta. Ich erzählte Michael auch, was Tarnopoler am Morgen vor unserer Hochzeit zu mir gesagt hatte, daß Leute wie wir heiraten wie die Götzendiener in der Bibel, wie in einem Purim-Spiel. Ein Mädchen werfe ein Auge auf einen Mann, den sie zufällig kennengelernt habe, wenn sie genausogut einen ganz anderen hätte kennenlernen können.
Dann pflückte ich ein Alpenveilchen und steckte es in Michaels Knopfloch. Er nahm meine Hand. Meine Hand war kalt zwischen seinen warmen Fingern.
»Mir fällt da eine banale Bemerkung ein«, sagte Michael lachend. Ich habe nichts vergessen. Vergessen heißt sterben. Ich will nicht sterben.

Liora, die Freundin meines Mannes, hatte Samstagsdienst und konnte sich nicht um uns kümmern. Sie fragte nur, ob es uns gut ginge, und verschwand wieder in der Küche. Wir aßen im Speisesaal zu Mittag. Anschließend streckten wir uns auf dem Rasen aus, der Kopf meines Mannes ruhte in meinem Schoß. Um ein Haar hätte ich Michael von meinem Schmerz erzählt, von den Zwillingen. Eine nagende Angst hielt mich zurück. Ich sagte nichts.
Später gingen wir zur Aqua-Bella-Quelle. In unserer Nähe, am Rande des kleinen Wäldchens, saß eine Gruppe Jugendlicher, die mit dem Fahrrad von Jerusalem gekommen war. Ein Junge reparierte einen platten Reifen. Gesprächsfetzen klangen zu uns herüber.
»Aufrichtigkeit ist die beste Politik«, sagte der Junge mit dem platten Reifen. »Gestern erzählte ich meinem Vater, ich ginge in den Klub und sah mir statt dessen *Samson und Delilah* im Zion-Kino an. Wer, glaubt ihr wohl, saß auf dem Sitz hinter mir? Mein Vater in Person!«

Kurze Zeit später hörten wir zufällig ein Gespräch zwischen zwei Mädchen.
»Meine Schwester Esther hat wegen Geld geheiratet. Ich werde nur aus Liebe heiraten. Das Leben ist kein Spiel.«
»Ich gebe ja gerne zu, daß ich ein bißchen freie Liebe nicht von vornherein ablehne. Wie willst du sonst mit 20 wissen, ob deine Liebe hält, bis du 30 bist? Ich habe einmal einen der Jugendleiter reden hören, und er sagte, daß Liebe zwischen modernen Menschen etwas ganz Einfaches und Natürliches sein sollte, wie wenn man ein Glas Wasser trinkt. Aber ich glaube, man sollte nicht übertreiben. Mäßigung in allen Dingen. Nicht wie Rivkele, die jede Woche die Jungs wechselt. Aber auch nicht wie Dalia. Wenn nur ein Mann auf sie zugeht, um nach der Zeit zu fragen, wird sie schon knallrot und läuft davon, als wollten alle sie vergewaltigen. Man sollte den Mittelweg wählen im Leben und beide Extreme vermeiden. Wer zügellos lebt, stirbt jung – das sagt Stefan Zweig in einem seiner Bücher.«

Am Ende des Sabbats fuhren wir mit dem ersten Bus nach Jerusalem zurück. Wir hatten starken Nordwestwind an diesem Abend. Der Himmel bewölkte sich. Der morgendliche Frühling war falscher Alarm gewesen. Es war noch immer Winter in Jerusalem. Wir ließen unseren Plan, in die Stadt zu gehen und uns im Zion-Kino *Samson und Delilah* anzusehen, fallen. Wir gingen statt dessen früh zu Bett. Michael las die Wochenendbeilage der Zeitung. Ich las Perez Smolenskins *Begräbnis eines Esels* für das Seminar am nächsten Tag. Unser Haus war sehr ruhig. Die Läden waren geschlossen. Die Nachttischlampe warf Schatten, die ich mir lieber nicht ansah. Ich konnte Wasser aus dem Hahn in die Spüle tropfen hören. Ich ließ den Rhythmus auf mich einwirken.

Später kam auf dem Heimweg von einem religiösen Jugendklub eine Gruppe junger Leute vorbei. Als sie an unserem Haus vorbeigingen, sangen die Jungen:

Mädchen sind alle Teufelsgezücht,
bis auf eine mag ich sie überhaupt nicht.

Und die Mädchen stießen schrille Schreie aus.

Michael legte seine Zeitung beiseite. Er fragte, ob er mich einen Augenblick unterbrechen dürfe. Er wolle mich etwas fragen. »Wenn wir Geld hätten, könnten wir ein Radio kaufen und zu Hause Konzerte hören. Aber unsere Schulden machen ein kleines Vermögen aus, so daß wir uns in diesem Jahr kein Radio leisten können. Vielleicht gibt dir die geizige, alte Sarah Zeldin im nächsten Monat eine Gehaltserhöhung. Übrigens, der Klempner, der die Warmwasserversorgung repariert hat, war sehr nett und charmant, aber sie ist schon wieder kaputt.«

Michael machte das Licht aus. Seine Hand tastete im Dunkeln nach meiner. Aber seine Augen hatten sich noch nicht an das kärgliche Licht gewöhnt, das durch die Fensterläden drang, und sein Arm prallte so heftig gegen mein Kinn, daß ich einen Schmerzensschrei ausstieß. Er entschuldigte sich. Er strich mir übers Haar. Ich fühlte mich müde und leer. Er legte seine Wange an meine. Wir hatten heute eine so schöne, lange Wanderung gemacht, und deshalb hatte er keine Zeit gefunden, sich zu rasieren. Die Stoppeln zerkratzten mein Kinn. Einen unangenehmen Augenblick lang kam ich mir wie die Braut in einem ordinären Witz vor, eine altmodische Braut, die die Annäherungsversuche ihres Mannes völlig mißversteht. War das Doppelbett nicht breit genug für uns beide? Es war ein demütigender Augenblick.

In dieser Nacht träumte ich von Frau Tarnopoler. Wir waren in einer Stadt an der Küste, vielleicht Holon, vielleicht in der Wohnung meines Schwiegervaters. Frau Tarnopoler machte mir ein Glas Pfefferminztee. Er schmeckte bitter und ekelerregend. Mir wurde schlecht, und ich verdarb mir mein weißes Hochzeitskleid. Frau Tarnopoler lachte heiser. »Ich habe Sie gewarnt«, prahlte sie. »Ich habe Sie rechtzeitig gewarnt. Aber Sie haben ja alle meine Andeutungen ignoriert.« Ein böser Vogel stieß mit scharfen, gekrümmten Klauen herab. Klauen zerkratzten meine Augenlider. Ich wachte in panischer Angst auf und stieß Michaels Arm beiseite. Er machte eine irritierte Bewegung und murmelte: »Du hast den Verstand verloren. Laß mich in Ruhe. Ich muß schlafen. Ich habe einen harten Tag vor mir.« Ich schluckte eine Tablette. Eine Stunde später nahm ich noch eine. Schließlich fiel ich in einen betäubenden Schlaf. Am nächsten Morgen hatte ich leichtes Fieber. Ich ging nicht zur Arbeit. Beim Mittagessen stritt ich mich mit Michael und schleuderte ihm Beschimpfungen ins Gesicht. Michael hielt seine Gefühle zurück und blieb ruhig. Abends versöhnten wir uns wieder. Jeder von uns beschuldigte sich, mit dem Streit begonnen zu haben. Meine Freundin Hadassah und ihr Mann kamen vorbei. Hadassahs Mann war Wirtschaftswissenschaftler. Das Gespräch wandte sich der Notstandspolitik zu. Hadassahs Mann zufolge beruhte die Aktion der Regierung auf lächerlichen Voraussetzungen – als ob ganz Israel eine einzige große Jugendbewegung wäre. Hadassah sagte, die Regierungsbeamten würden nur an ihre eigenen Familien denken, und sie führte einen erschreckenden Fall von Korruption an, der in Jerusalem die Runde machte. Michael dachte eine Weile nach und äußerte die Ansicht, daß es ein Fehler sei, zuviel vom Leben zu fordern. Ich war nicht sicher, ob er die Regierung verteidigte oder unseren Gästen zustimmte. Ich fragte ihn, was er meinte. Michael lächelte mich an, als sei dieses Lächeln die einzige Antwort, die ich von ihm erwartete. Ich ging in die Küche, um Tee und Kaffee zu machen und ein bißchen Gebäck zu holen. Durch die geöffneten Türen konnte ich meine Freundin Hadassah reden hören. Sie sang meinem Mann mein Loblied. Sie erzählte ihm, ich sei die beste Schülerin meiner Klasse gewesen. Dann wandte sich das Gespräch der hebräischen Universität zu. Eine so junge Universität, die dennoch derart konservativ geleitet wurde.

XII

Im Juni, drei Monate nach der Hochzeit, stellte ich fest, daß ich schwanger war.
Michael war nicht gerade erfreut, als ich es ihm erzählte. Er fragte mich zweimal, ob ich sicher sei. Vor unserer Heirat habe er einmal in einem medizinischen Handbuch gelesen, daß man sich sehr leicht täuschen könne, besonders beim ersten Mal. Womöglich hatte ich die Symptome mißverstanden?
An diesem Punkt stand ich auf und verließ das Zimmer. Er blieb, wo er war, vor dem Spiegel, und führte den Rasierapparat über die empfindliche Haut zwischen Unterlippe und Kinn. Vielleicht hatte ich den falschen Moment gewählt, um mit ihm zu reden, als er gerade beim Rasieren war.

Am nächsten Tag traf Tante Jenia, die Kinderärztin, aus Tel Aviv ein. Michael hatte sie morgens angerufen, und sie hatte alles stehen- und liegenlassen und war herbeigeeilt.
Tante Jenia sprach streng mit mir. Sie warf mir Verantwortungslosigkeit vor. Ich würde Michaels Bemühungen, vorwärtszukommen und etwas zu erreichen im Leben, zunichte machen. War mir denn nicht klar, daß Michaels Fortkommen mein eigenes Schicksal war? Und auch noch genau vor seinem Abschlußexamen!
»Wie ein Kind«, sagte sie. »Genau wie ein Kind.«
Sie weigerte sich, über Nacht zu bleiben. Sie hatte alles stehen- und liegenlassen und war nach Jerusalem gehetzt wie eine Närrin. Sie bedauerte, gekommen zu sein. Sie bedauerte eine Menge Dinge. »Die ganze Sache ist mit einem kleinen Eingriff von zwanzig Minuten Dauer behoben, nicht schlimmer als sich die Mandeln herausnehmen zu lassen. Aber es gibt ein paar komplizierte Frauen, die die einfachsten Dinge nicht begreifen wollen. Und du, Micha, sitzt da wie eine Kleiderpuppe, als ginge dich das ganze überhaupt nichts an. Manchmal glaube ich, es hat wenig Sinn, wenn sich die ältere Generation für die jüngere aufop-

fert. Ich bin besser still jetzt und behalte den Rest für mich. Guten Tag euch beiden.«
Tante Jenia schnappte ihren braunen Hut und stürmte davon. Michael saß sprachlos da, den Mund halb geöffnet wie ein Kind, dem man gerade eine Gruselgeschichte erzählt hat. Ich ging in die Küche, schloß die Tür hinter mir ab und weinte. Ich stand bei der Anrichte, rieb eine Karotte, streute Zucker darauf, tat etwas Zitronensaft hinzu und weinte. Sollte mein Mann an die Tür geklopft haben, ich antwortete ihm nicht. Aber ich bin jetzt fast sicher, daß er nicht geklopft hat.

Unser Sohn Yair kam am Ende unseres ersten Ehejahres, im März 1951, nach einer komplizierten Schwangerschaft zur Welt. Im Sommer, zu Beginn meiner Schwangerschaft, verlor ich unterwegs zwei Lebensmittelkarten. Michaels und meine. Ohne sie war es unmöglich, wichtige Nahrungsmittel zu kaufen. Wochenlang litt ich unter Vitaminmangel. Michael weigerte sich, auch nur ein Salzkorn auf dem schwarzen Markt zu kaufen. Er hatte diese Prinzipientreue von seinem Vater geerbt, eine grimmige, stolze Loyalität gegenüber den Gesetzen unseres Staates. Auch als wir die neuen Lebensmittelkarten bekamen, hatte ich noch unter verschiedenen Beschwerden zu leiden. Einmal wurde mir schwindlig, und ich brach auf dem Spielplatz von Sarah Zeldins Kindergarten zusammen. Der Arzt verbot mir, weiterhin zu arbeiten. Das war eine schwere Entscheidung für uns, denn unsere finanzielle Lage war kritisch. Der Arzt verschrieb mir außerdem Leberextraktinjektionen und Kalziumtabletten. Ich hatte ständig Kopfschmerzen. Ich fühlte mich, als stieße man mir einen Splitter aus eiskaltem Metall in die rechte Schläfe. Meine Träume wurden quälend. Ich wachte schreiend auf. Michael schrieb seiner Familie und berichtete, daß ich aufhören müsse zu arbeiten. Er erwähnte auch meinen seelischen Zustand. Dank der Hilfe des Mannes meiner besten Freundin Hadassah erhielt Michael ein bescheidenes Darlehen aus dem Studentischen Hilfsfonds.
Ende August traf ein eingeschriebener Brief von Tante Jenia ein.

Sie hatte es nicht für richtig gehalten, uns auch nur eine Zeile zu schreiben, aber in dem Umschlag fanden wir einen zusammengefalteten Scheck über 300 Pfund. Michael sagte, wenn mein Stolz mich dazu zwänge, das Geld zurückzuschicken, sei er bereit, sein Studium aufzugeben und sich einen Job zu suchen, und daß ich volle Freiheit habe, Tante Jenias Geld zurückzugeben. Ich sagte, das Wort »Stolz« gefiele mir nicht und daß ich das Geld dankbar annähme. In diesem Fall bat Michael mich, stets daran zu denken, daß er bereit gewesen sei, sein Studium aufzugeben und sich einen Job zu suchen.
»Ich werde daran denken, Michael. Du kennst mich. Ich kann nicht vergessen.«

Ich besuchte keine Vorlesungen mehr. Ich würde nie wieder hebräische Literatur studieren. Ich vermerkte in meinem Kolleg-heft, daß die Werke der Dichter der hebräischen Renaissance von einer Art Trostlosigkeit durchdrungen sind. Woher diese Trostlosigkeit kam, worin sie bestand, würde ich nie erfahren. Auch die Hausarbeit blieb liegen. Ich saß den größten Teil des Vormittags allein auf unserem kleinen Balkon und blickte auf einen verlassenen Hinterhof. Ich lag im Liegestuhl und warf den Katzen Brotkrumen zu. Es machte mir Spaß, die Nachbarskinder zu beobachten, wie sie im Hof spielten. Mein Vater gebrauchte gelegentlich den Ausdruck »stumm dastehen und große Augen machen«. Ich stehe stumm da und mache große Augen, aber das hat wenig mit dem zu tun, was mein Vater vermutlich meinte. Was haben die Kinder im Hof von ihrem eifrigen, atemlosen Wettstreit? Das Spiel ist ermüdend, und der Sieg ist hohl. Was bringt der Sieg schon ein? Die Nacht wird hereinbrechen. Der Winter wird wiederkehren. Regen wird fallen und alles auslöschen. Starke Winde werden wieder in Jerusalem wehen. Vielleicht gibt es Krieg. Das Versteckspiel ist auf absurde Weise fruchtlos. Von meinem Balkon aus kann ich sie alle sehen. Wer kann sich wirklich verstecken? Wer versucht es? Was für eine seltsame Sache die Aufregung ist. Langsam, ihr müden Kinder. Der Winter ist noch weit, doch er sammelt bereits seine Kräfte. Und die Entfernung täuscht. Nach dem Mittagessen fiel ich erschöpft auf mein Bett. Ich konnte nicht einmal die Zeitung lesen. Michael ging um acht Uhr morgens aus dem Haus und kam abends um sechs zurück. Es war Sommer. Ich konnte nicht auf die Fensterscheibe hauchen und Figuren auf das Glas malen. Um mich zu entlasten, aß er mit seinen Freunden in dem Studentenlokal am Ende der Mamillah-Straße zu Mittag.

Der Dezember war der sechste Monat meiner Schwangerschaft. Michael machte seine erste Prüfung. Er bestand mit gut. Sein Erfolg berührte mich nicht. Sollte er doch allein feiern und mich in Ruhe lassen. Mein Mann hatte bereits im Oktober mit den Vorbereitungen für seine zweite Prüfung begonnen. Abends, wenn er müde nach Hause kam, erklärte er sich noch bereit, zum Lebensmittelhändler, zum Gemüsehändler, zum Drogisten zu gehen. Einmal blieb er mir zuliebe einem wichtigen Experiment fern, weil ich ihn gebeten hatte, in der Klinik ein Testergebnis für mich abzuholen.
An jenem Abend brach Michael sein im Geiste abgelegtes Schweigegelübde. Er versuchte, mir zu erklären, daß auch sein Leben zur Zeit nicht einfach sei. Ich solle mir nicht einbilden, er sei sozusagen auf Rosen gebettet.
»Das habe ich mir nie eingebildet, Michael.«
Warum sorgte ich dann dafür, daß er sich schuldig fühlte?
Sorgte ich dafür, daß er sich schuldig fühlte?
Er müsse doch einsehen, daß ich mich unter diesen Umständen alles andere als romantisch fühlte. Ich besitze nicht einmal ein Umstandskleid. Tagtäglich zog ich meine normalen Kleider an, die nicht mehr paßten und unbequem waren. Wie solle ich also hübsch und attraktiv aussehen?
Nein, das war es nicht, was er von mir wolle. Nicht meine Schönheit vermisse er. Er wolle mich nur bitten, nur anflehen, nicht mehr so starr und so hysterisch zu sein.

In der Tat schlossen wir während dieser Zeit eine Art unbehaglichen Kompromiß miteinander. Wir waren wie zwei Reisegefährten, die das Schicksal während einer langen Eisenbahnfahrt auf die gleiche Sitzbank gesetzt hatte. Gezwungen, aufeinander Rücksicht zu nehmen, Höflichkeitsregeln zu beachten, sich dem anderen nicht aufzudrängen und ihm nicht zur Last zu fallen, die Bekanntschaft nicht auszunutzen. Höflich und rücksichtsvoll zu sein. Einander hin und wieder vielleicht mit angenehmem, oberflächlichem Geplauder zu unterhalten. Keine Forderungen zu stellen. Gelegentlich sogar gedämpfte Zuneigung füreinander zu zeigen. Doch draußen vor dem Abteilfenster erstreckt sich eine flache, düstere Landschaft. Eine ausgedörrte Ebene. Niedriges Gestrüpp.

Wenn ich ihn bitte, ein Fenster zu schließen, tut er mir sehr gern den Gefallen.

Es war eine Art winterliches Gleichgewicht. Vorsichtig und mühselig, als ginge man eine vom Regen schlüpfrige Treppe hinunter. Ach, wenn man nur ausruhen könnte, ausruhen.

Ich gebe zu: Häufig war ich es, die das Gleichgewicht störte. Ohne Michaels festen Zugriff wäre ich ausgerutscht und gestürzt. Ich saß absichtlich ganze Abende schweigend da, als sei ich allein im Haus. Wenn Michael fragte, wie ich mich fühle, erwiderte ich:

»Was interessiert es dich schon?«

Wenn er gekränkt war und mich am nächsten Morgen nicht fragte, wie es mir gehe, warf ich ihm vor, er würde nicht fragen, weil es ihm egal sei.

Ein- oder zweimal zu Beginn des Winters brachte ich meinen Mann mit meinen Tränen in Verlegenheit. Ich nannte ihn ein Scheusal. Ich beschuldigte ihn der Gefühllosigkeit und Gleichgültigkeit. Michael wies beide Vorwürfe in mildem Ton zurück. Er sprach ruhig und geduldig, als sei er derjenige, der die Beleidigung ausgesprochen habe und mich besänftigen müsse. Ich wehrte mich wie ein rebellisches Kind. Ich haßte ihn, bis ich einen Kloß im Hals spürte. Ich wollte ihn mit aller Gewalt aus der Ruhe bringen.

Ungerührt und gründlich putzte Michael den Boden, wrang den Lappen aus und wischte noch zweimal nach. Dann fragte er, ob

ich mich besser fühle. Er machte mir etwas Milch warm und entfernte die Haut, die ich haßte. Er entschuldigte sich, mich in meinem besonderen Zustand geärgert zu haben. Er bat mich, ihm zu erklären, worüber ich mich eigentlich so geärgert habe, damit er den gleichen Fehler nicht noch einmal mache. Dann ging er eine Kanne Petroleum holen.
In den letzten Monaten meiner Schwangerschaft fühlte ich mich häßlich. Ich wagte nicht, in den Spiegel zu schauen; mein Gesicht war von dunklen Flecken entstellt. Ich mußte wegen meiner Krampfadern elastische Strümpfe tragen. Vielleicht sah ich jetzt wie Frau Tarnopoler oder die alte Sarah Zeldin aus.
»Findest du mich häßlich, Michael?«
»Du bedeutest mir sehr viel, Hannah.«
»Wenn du mich nicht häßlich findest, warum umarmst du mich dann nicht?«
»Weil du, wenn ich es tue, in Tränen ausbrichst und behauptest, daß ich dir etwas vorspiele. Du hast schon vergessen, was du mir heute morgen gesagt hast. Du sagtest, ich solle dich nicht anrühren. Und daran habe ich mich gehalten.«

Wenn Michael aus dem Haus war, überkam mich wieder meine alte Kindheitssehnsucht, sehr krank zu sein.

XIII

Michaels Vater verfaßte einen Brief in Versen, um seinem Sohn zum erfolgreichen Examen zu gratulieren. Er reimte »donnernden Erfolgs« auf »Glück euch bringen soll's« und »Hannahs ganzer Stolz«. Michael las mir den Brief laut vor und gestand mir dann, daß er sich eigentlich auch von mir ein kleines Geschenk erhofft habe, eine neue Pfeife vielleicht als Anerkennung für seinen Erfolg in der ersten Prüfung. Er sagte das mit einem verlegenen, verlegen machenden Lächeln. Ich ärgerte mich über das, was er gesagt hatte, und auch sein Lächeln ärgerte mich. Hatte ich ihm nicht tausendmal erzählt, daß mein Kopf schmerzte, als werde er von eiskaltem Stahl durchbohrt? Warum dachte er immer nur an sich und nie an mich?

Dreimal sagte Michael mir zuliebe wichtige geologische Expeditionen ab, an denen all seine Kommilitonen teilnahmen. Eine führte zum Menara-Berg, wo man Eisenerzlager entdeckt hatte, eine andere in den Negev und die dritte zu den Pottaschwerken in Sodom. Sogar seine verheirateten Freunde nahmen an diesen Expeditionen teil. Ich dankte Michael nicht für sein Opfer. Aber eines Abends fielen mir zufällig zwei halbvergessene Zeilen aus einem bekannten Kinderreim über einen Jungen namens Michael ein:

> Fünf Jahre tanzt' Klein Michael, dann heißt es Abschied nehmen,
> die Schule ruft, Lebewohl sagt er der Taube unter Tränen.

Ich brach in Lachen aus.

Michael sah mich mit einem Ausdruck milden Erstaunens an. Es komme nicht oft vor, sagte er, daß er mich glücklich sehe. Er wüßte sehr gern, worüber ich so unversehens gelacht habe.

Ich blickte in seine erstaunten Augen und lachte noch lauter. Michael versank eine Weile tief in Gedanken. Dann begann er, einen politischen Witz zu erzählen, den er an jenem Tag in der Mensa gehört hatte.

Meine Mutter traf aus dem Kibbuz Nof Harim in Obergaliläa ein, um bis zur Geburt bei uns zu bleiben und sich um die Hausarbeit zu kümmern. Seit meine Mutter 1943 nach meines Vaters Tod nach Nof Harim gezogen war, hatte sie keine Gelegenheit mehr gehabt, einen Haushalt zu führen. Sie machte sich mit einer unheilvollen Begeisterung und Tüchtigkeit an die Arbeit. Nach dem ersten Mittagessen, das sie gleich nach ihrer Ankunft gekocht hatte, sagte sie zu Michael, sie wüßte ja, daß er Auberginen nicht möge, doch er habe gerade drei aus Auberginen zubereitete

Gerichte gegessen, ohne es zu merken. Herrlich, was man in der Küche an Wundern vollbringen könne. War ihm der Auberginengeschmack wirklich nicht aufgefallen? Kein bißchen? Michael antwortete höflich. Nein, er habe überhaupt nichts bemerkt. Ja, herrlich, was man in der Küche an Wundern vollbringen könne.
Meine Mutter ließ Michael einen Botengang nach dem anderen erledigen. Sie machte ihm das Leben schwer, indem sie nachdrücklich auf strengste Hygiene bestand. Er müsse immer seine Hände waschen. Nie Geld auf den Tisch legen, wenn Leute essen. Nimm die Fliegenfenster aus den Rahmen, damit sie richtig sauber werden. »Was machst du denn da? Nicht auf dem Balkon, wenn es dir recht ist – der Staub fliegt sonst gleich wieder ins Zimmer zurück. Nicht auf dem Balkon, unten, auf dem Hof. Ja, so ist's richtig, so ist's schon besser.«
Sie wußte, daß Michael als Halbwaise ohne Mutter aufgewachsen war, und wurde deshalb nicht böse mit ihm. Aber sie verstand ihn einfach nicht: Gebildet, aufgeklärt, an der Universität – war ihm denn nicht klar, daß die Welt voller Bakterien war?

Michael unterwarf sich gehorsam wie ein guterzogenes Kind. Kann ich dir irgendwie behilflich sein? Du erlaubst doch? Bin ich dir im Weg? Nein, ich geh' schon und hole es. Natürlich frage ich den Gemüsehändler. Gut, ich werde versuchen, früh zurück zu sein. Ich nehme den Einkaufskorb gleich mit. Nein, ich denke daran: Schau, ich habe mir schon eine Liste gemacht. Er erklärte sich bereit, seinen Plan aufzugeben und die ersten Bände der neuen *Encyclopaedia Hebraica* nicht zu kaufen. Es war nicht wesentlich. Er wußte jetzt, daß wir beide jeden Pfennig sparen mußten.

Abends half Michael stundenweise dem Bibliothekar in der Fakultätsbibliothek, was noch ein bißchen Geld einbrachte. »Nunmehr beehren mich Eure Exzellenz nicht einmal mehr abends mit Ihrer Anwesenheit«, brummte ich. Michael gewöhnte sich sogar ab, zu Hause seine Pfeife zu rauchen, weil meine Mutter den Tabakgeruch nicht ertragen konnte und auch überzeugt davon war, daß der Rauch dem Baby schaden würde.

Wenn er sich nicht länger beherrschen konnte, ging mein Mann auf die Straße hinunter und stand eine Viertelstunde lang rauchend unter einer Laterne wie ein Dichter auf der Suche nach Inspiration. Einmal stand ich am Fenster und beobachtete ihn eine Weile. Im Licht der Straßenlaterne konnte ich das kurzgeschorene Haar auf seinem Hinterkopf sehen. Rauchwolken umkringelten ihn wie einen Geist, den man aus dem Totenreich geholt hatte. Mir fielen Worte ein, die Michael vor langer Zeit gesagt hatte: Katzen irren sich nie in einem Menschen. Das Wort »Knöchel« habe ihm schon immer gefallen. Ich sei ein kaltes, schönes Mädchen aus Jerusalem. Er sei ein ganz gewöhnlicher junger Mann, seiner Ansicht nach. Er habe nie eine feste Freundin gehabt, bevor er mich kennenlernte. Im Regen lacht der Steinlöwe auf dem Generali-Gebäude leise. Gefühle werden zu einem bösartigen Tumor, wenn die Leute zufrieden sind und nichts zu tun haben. Jerusalem macht einen traurig, doch es ist zu jeder Stunde des Tages und zu jeder Zeit des Jahres eine andere Traurigkeit. Das war alles sehr lange her. Michael mußte es längst vergessen haben. Nur ich war nicht bereit, den eisigen Klauen der Zeit auch nur eine Krume zu überlassen. Ich frage mich, was das für eine magische Verwandlung ist, die die Zeit an trivialen Worten vornimmt? In den Dingen ist eine Art Alchimie, die die innere Melodie meines Lebens ist. Der Jugendleiter, der den Mädchen bei Aqua Bella erzählte, die Liebe müsse heutzutage so einfach sein wie Wasser trinken, irrte sich. Michael hatte ganz recht, als er mir an jenem Abend in der Geula-Straße sagte, mein Mann müsse sehr stark sein. In jenem Augenblick dachte ich, wenn er auch wie ein in Ungnade gefallenes Kind rauchend unter der Laterne stehen mußte, so hatte er doch kein Recht, mich für seine Leiden verantwortlich zu machen, denn ich würde bald sterben und brauchte deshalb keine Rücksicht auf ihn zu nehmen. Michael klopfte seine Pfeife aus und machte sich auf den Rückweg.

Ich legte mich schnell aufs Bett und drehte mein Gesicht zur Wand. Meine Mutter bat ihn, eine Dose für sie zu öffnen. Michael erwiderte, es sei ihm ein Vergnügen. Ein Martinshorn erklang in der Ferne.

Eines Nachts, nachdem wir schweigend das Licht ausgemacht hatten, flüsterte Michael mir zu, daß er mitunter das Gefühl habe, ich liebte ihn nicht mehr. Er sagte es ruhig, als spreche er den Namen eines Minerals aus.
»Ich bin deprimiert«, sagte ich, »das ist alles.«
Michael war verständnisvoll. Mein Zustand. Meine schlechte Gesundheit. Schwierige Umstände. Er hätte auch die Worte »psychophysisch«, »psychosomatisch« benutzen können. Den ganzen Winter über bewegt der Wind die Kiefernwipfel in Jerusalem, und wenn er sich legt, hinterläßt er keine Spur auf den Kiefern. Du bist ein Fremder, Michael. Du liegst nachts neben mir und bist ein Fremder.

XIV

Unser Sohn Yair wurde im März 1951 geboren.
Der Sohn meines Bruders Emanuel trug den Namen meines verstorbenen Vaters, Yosef. Mein Sohn bekam zwei Namen, Yair und Salman, zum Gedenken an Michaels Großvater, Salman Ganz.
Yehezkel Gonen traf einen Tag nach der Geburt in Jerusalem ein. Michael brachte ihn zu mir in die Entbindungsstation des Shaare-Zedek-Krankenhauses, einem dunklen, deprimierenden Gebäude aus dem letzten Jahrhundert. Der Verputz an der meinem Bett gegenüberliegenden Wand bröckelte ab, und wenn ich auf die Wand starrte, entdeckte ich unheimliche Figuren, eine gezackte Gebirgskette oder dunkle, in hysterischen Konvulsionen erstarrte Frauen.

Auch Yehezkel Gonen war dunkel und deprimierend. Er saß lange Zeit an meinem Bett, hielt Michaels Hand und berichtete weitschweifig über sein Pech: wie er von Holon nach Jerusalem gekommen sei, wie er von der Busstation aus versehentlich nach Mea Shearim statt nach Meqor Barukh gelaufen sei. In Mea Shearim mit seinen gewundenen Treppen und tief durchhängenden Wäscheleinen gab es Winkel, die ihn an die Armenviertel von Radom in Polen erinnert hatten. Wir könnten uns gar nicht vorstellen, sagte er, wie groß sein Schmerz, seine Sehnsucht sei, wie tief seine Traurigkeit. Also, er kam nach Mea Shearim und fragte nach dem Weg, und man gab ihm Auskunft, und er fragte wieder, und man schickte ihn wieder in die falsche Richtung – er hätte ja nie gedacht, daß orthodoxe Kinder zu so dummen Streichen fähig seien, vielleicht lag es aber auch an den trügerischen Jerusalemer Seitenstraßen. Müde und erschöpft war es ihm schließlich gelungen, das Haus zu finden, und selbst das war eher Zufall gewesen. Immerhin, Ende gut, alles gut, wie man so sagt.
»Das ist nicht wichtig. Wichtig ist, daß ich deine Stirn küssen möchte – so –, um dir alles Gute zu wünschen, auch von Michaels Tanten, und dir diesen Umschlag auszuhändigen – es sind 147 Pfund darin, der Rest meiner Ersparnisse –, Blumen habe ich leider vergessen, mitzubringen, und ich bitte und flehe dich an, meinen Enkel Salman zu nennen.«
Nachdem er zu Ende gesprochen hatte, fächerte er sich mit seinem zerbeulten Hut Luft zu, um sein müdes Gesicht zu erfrischen, und seufzte vor Erleichterung darüber, den großen Stein endlich vom Brunnen weggerollt zu haben.
»Ich möchte dir kurz in ein paar Worten erklären, weshalb ich mir den Namen Salman wünsche. Ich habe sentimentale Gründe dafür. Ermüdet dich das Gerede, meine Liebe? Gut also, ich habe sentimentale Gründe. Salman war der Name meines Vaters, unseres lieben Michaels Großvater. Salman Ganz war auf seine Art ein bemerkenswerter Mensch. Es ist deine Pflicht, sein Andenken zu ehren, wie gute Juden es tun sollten. Salman Ganz war Lehrer und ein wirklich sehr guter Lehrer. Einer der Besten. Er lehrte Naturwissenschaften am hebräischen Lehrerseminar in

Grodno. Von ihm hat Michael seine naturwissenschaftliche Begabung. Na gut, um zur Sache zu kommen. Ich bitte euch darum. Ich habe euch noch nie um etwas gebeten. Übrigens, wann kann ich das Baby sehen? Also. Ich habe euch noch nie um etwas gebeten. Ich habe euch immer alles gegeben, was ich zu bieten hatte. Und jetzt, meine lieben Kinder, bitte ich euch um einen Gefallen, einen besonderen Gefallen. Es bedeutet sehr viel für mich... würdet ihr bitte meinen Enkel Salman nennen?«
Yehezkel stand auf und ging aus dem Zimmer, damit Michael und ich die Sache besprechen konnten. Er war ein rücksichtsvoller, alter Mann. Ich wußte nicht, ob ich lachen oder schreien sollte. »Salman« – was für ein Name!
Michael schlug sehr vorsichtig vor, in die Geburtsurkunde den Doppelnamen »Yair-Salman« eintragen zu lassen. Er machte den Vorschlag, bestand aber nicht darauf. Die endgültige Entscheidung lag bei mir. Bis das Kind groß war, meinte Michael, sollten wir den Zweitnamen geheimhalten, um unserem Sohn nicht das Leben schwerzumachen.
Wie klug du bist, mein Michael. Wie überaus klug.
Mein Mann strich mir über die Wange. Er fragte, was er auf dem Heimweg Besonderes kaufen solle. Dann verabschiedete er sich und ging hinaus, um seinem Vater den Kompromiß zu verkünden. Ich denke mir, daß mein Mann mich seinem Vater gegenüber lobte, weil ich bereitwillig einem Arrangement zugestimmt habe, das jede andere Frau... und so weiter.

An der Beschneidungszeremonie nahm ich nicht teil. Die Ärzte stellten eine leichte Komplikation in meinem Befinden fest und verordneten mir Bettruhe. Nachmittags bekam ich Besuch von Tante Jenia, Dr. Jenia Ganz-Crispin. Sie fegte durch die Station wie ein Hurrikan und stürzte in das Ärztezimmer. Sie brüllte auf deutsch und polnisch. Sie drohte, mich in einem privaten Krankenwagen in das Krankenhaus in Tel Aviv zu bringen, wo sie die Position einer Ersten Assistenzärztin auf der Kinderstation innehabe. Sie griff den für meinen Fall zuständigen Arzt heftig an. In Gegenwart der anderen Ärzte und der Krankenschwestern

beschuldigte sie ihn sträflicher Vernachlässigung. »Es ist ungeheuerlich«, schrie sie. »Wie in einem asiatischen Hospital, Gott bewahre.«
Ich habe keine Ahnung, worüber sich Tante Jenia mit dem Arzt herumstritt oder warum sie so wütend war. Sie verbrachte nur einen Augenblick an meinem Bett. Sie strich mit ihren Lippen und dem flaumigen Bärtchen über meine Wange und ordnete an, ich solle mir keine Sorgen machen. »Sorgen mache ich mir. Ich werde nicht davor zurückschrecken, an höchster Stelle eine Szene zu machen, wenn es nötig sein sollte. Wenn du mich fragst, unser Michael lebt in einem Elfenbeinturm. Genau wie sein Vater, derselbe *chuchem.*«
Während Tante Jenia redete, legte sie ihre Hand auf meine weiße Decke. Ich sah eine kurzfingrige, maskuline Hand. Tante Jenias Finger waren angespannt, als hielte sie mit Gewalt die Tränen zurück, während ihre Hand auf meinem Bett ruhte.
Tante Jenia hatte in ihrer Jugend viel durchgemacht. Michael hatte mir einen Teil ihrer Lebensgeschichte erzählt. Ihr erster Mann war ein Gynäkologe namens Lipa Freud gewesen. Dieser Freud hatte Tante Jenia 1934 verlassen und war einer tschechischen Athletin nach Kairo hinterhergelaufen. Er hatte sich in einem Zimmer des Shepheard-Hotels, damals das erste Hotel im Nahen Osten, erhängt. Während des zweiten Weltkriegs hatte Tante Jenia einen Schauspieler namens Albert Crispin geheiratet. Dieser Ehemann erlitt einen Nervenzusammenbruch und verfiel nach seiner Genesung in völlige und totale Apathie. Die letzten zehn Jahre hatte er in einer Pension in Nahariya verbracht, wo er nichts anderes tat als essen, schlafen und vor sich hinstarren. Tante Jenia kam für die Unkosten auf.
Ich frage mich, warum einem die Leiden anderer Leute wie eine Operettenhandlung vorkommen. Womöglich gerade deshalb, weil es die Leiden anderer Leute sind? Mein Vater pflegte gelegentlich zu sagen, daß selbst die stärksten Menschen sich nicht aussuchen können, was sie möchten. Beim Abschied sagte Tante Jenia: »Du wirst sehen, Hannah, dieser Arzt wird den Tag verfluchen, an dem er mir begegnete. So ein Schuft. Wo man auch

hinsieht heutzutage, trifft man auf Gauner und Schwachköpfe. Paß gut auf dich auf, Hannah.«
»Du auch, Tante Jenia. Ich bin dir sehr dankbar. Du hast keine Mühe gescheut, und alles mir zuliebe.«
»Keine Spur davon. Red' nicht solchen Unsinn, Hannah. Wir sollten uns wie menschliche Wesen benehmen, nicht wie wilde Tiere. Laß dir keine Medikamente geben außer Kalziumtabletten. Sag ihnen, ich hätte das angeordnet.«

XV

In jener Nacht weinte auf der Entbindungsstation eine orientalische Frau hilflos vor sich hin. Die Nachtschwester und der diensthabende Arzt redeten tröstend auf sie ein und versuchten, sie zu beruhigen. Sie baten sie, ihnen zu sagen, was los sei, damit sie ihr helfen könnten. Die orientalische Frau weinte rhythmisch und monoton vor sich hin, als gäbe es keine Worte und keine Menschen auf der Welt.
Die Ärzte und Schwestern sprachen mit ihr, als fragten sie eine gerissene Kriminelle. Einmal redeten sie grob, einmal freundlich. Abwechselnd bedrohten sie sie und versicherten ihr dann wieder, daß alles gut werden würde.
Die Orientalin reagierte nicht auf ihre Worte. Vielleicht hinderte sie ihr trotziger Stolz daran. Beim schwachen Licht der Nachtlampe konnte ich ihr Gesicht erkennen. Man sah ihm nicht an, daß sie weinte. Ihr Gesicht war glatt und faltenlos. Aber ihre Stimme war schrill, und ihre Tränen rollten ihr langsam über die Wangen.
Um Mitternacht hielt das Personal eine Beratung ab. Die Schwester brachte der weinenden Frau ihr Baby, obwohl es nicht die vorgeschriebene Zeit war. Unter ihrer Decke zog die Frau eine Hand hervor, die wie die Pfote eines kleinen Tieres wirkte. Sie berührte den Kopf des Babys, zog dann aber die Hand sofort

wieder zurück, als hätte sie ein glühendheißes Eisen angefaßt. Sie legten das Baby zu ihr ins Bett. Die Frau weinte noch immer. Auch als sie das Baby wieder wegnahmen, veränderte sich nichts. Schließlich griff die Schwester nach ihrem dünnen Arm und stieß eine Spritze hinein. Die orientalische Frau nickte langsam und benommen mit dem Kopf, als wundere sie sich über diese klugen Leute, die sich ständig um sie bemühten. War ihnen denn nicht klar, daß nichts mehr auf der Welt wichtig für sie war?
Die ganze Nacht hindurch hielt ihre schrille Klage an. Ich verlor die schäbige Station und das schwache Nachtlicht allmählich aus den Augen. Ich sah ein Erdbeben in Jerusalem.
Ein alter Mann ging die Zefanya-Straße hinunter. Er war schwerfällig und grimmig und trug einen großen Sack. Der Mann blieb an der Ecke Amos-Straße stehen. Er fing an zu rufen, *»pri-mus, pri-mus«*. Die Straßen waren menschenleer. Kein Windhauch rührte sich. Die Vögel waren verschwunden. Dann tauchten Katzen mit steif erhobenen Schwänzen aus den Höfen auf. Sie waren mager, machten Buckel, glitten ausweichend umher. Sie sprangen auf die Stämme der Bäume, die man entlang des Bürgersteigs gepflanzt hatte, und kletterten bis in die höchsten Äste hinauf. Von dort spähten sie mit gesträubtem Fell und boshaftem Fauchen nach unten, als striche ein bösartiger Hund durch das Kerem-Avraham-Viertel. Der alte Mann stellte seinen Sack mitten auf der Fahrbahn ab. Nichts rührte sich auf den Straßen, denn die britische Armee hatte strengstes Ausgehverbot verhängt. Der Mann kratzte sich im Nacken, und die Geste verriet Zorn. In seiner Hand hielt er einen rostigen Nagel, den er in den Asphalt schlug. Es bildete sich ein kleiner Spalt. Der Spalt erweiterte sich rasch und breitete sich aus wie ein Eisenbahnnetz in einem Lehrfilm, der die Vorgänge im Zeitraffer zeigt. Ich biß mir in die Faust, um nicht entsetzt aufzuschreien. In der Zefanya-Straße in Richtung Bucharisches Viertel hörte man das Geräusch prasselnder Kieselsteine. Die Kieselsteine taten nicht weh, als ich von ihnen getroffen wurde. Wie winzige Wollbällchen. Doch in der Luft war ein nervöses Zittern, wie eine Katze

zittert und das Fell sträubt, ehe sie springt. Langsam rutschte der riesige Felsblock den Skopusberg hinunter, wälzte sich durch das Bet-Yisrael-Viertel, als seien die Häuser Dominosteine, und rollte die Yehezkel-Straße hinauf. Ich sagte mir, daß ein riesiger Felsblock eigentlich kein Recht hatte, bergauf zu rollen, daß er hangabwärts stürzen müßte – alles andere wäre unfair. Ich hatte Angst, daß mir meine neue Kette vom Hals gerissen würde und verlorenginge und daß ich dafür bestraft würde. Ich fing an zu rennen, doch der alte Mann breitete seinen Sack quer über die Straße und stellte sich auf ihn, und ich konnte den Sack nicht bewegen, weil der Mann schwer war. Ich preßte mich gegen einen Zaun, obgleich ich wußte, daß ich mir dabei mein Lieblingskleid schmutzig machen würde, und dann bedeckte mich der riesige Felsblock, und der riesige Felsblock war gleichfalls wie Wolle und überhaupt nicht hart. Gebäude schwankten und stürzten reihenweise ein, drehten sich langsam und fielen zusammen wie edle Helden in einer Oper, kunstvoll erschlagen. Die Trümmer taten nicht weh. Sie bedeckten mich wie warme Eiderdaunen, wie ein Federnberg. Es war eine sanfte, halbherzige Umarmung. Zerlumpte Frauen erhoben sich aus den Ruinen. Eine von ihnen war Frau Tarnopoler. Sie sangen wehklagend eine orientalische Melodie wie die gemieteten Klagesänger, die ich bei der Beerdigung meines Vaters vor der Totenhalle des Bikur-Holim-Hospitals gesehen hatte. Hunderttausende von Jungen, orthodoxe Jungen, dünne Jungen mit Schläfenlocken und schwarzen Kaftanen strömten in Scharen schweigend aus Ahva, Geula, Sanhedriya, Bet Yisrael, Mea Shearim, Tel Arza herbei. Sie ließen sich auf den Ruinen nieder und kritzelten, kritzelten hinterhältig, voll glühenden Eifers. Es war schwer, sie anzusehen und nicht einer von ihnen zu sein. Ich war einer von ihnen. Ein als Polizist verkleideter Junge thronte auf einem zerbröckelnden Balkon hoch oben auf einer freistehenden Fassade. Der Junge lachte laut auf vor Freude, als er mich so auf der Straße liegen sah. Es war ein ordinärer Junge. Auf der Straße ausgestreckt, bemerkte ich einen olivgrünen britischen Panzer, der sich langsam vorwärts bewegte. Aus seinem Lautsprecher im Panzerturm sprach eine hebräische Stimme. Die Stimme war ruhig und männlich und jagte mir einen angenehmen Schauder bis in die Fußspitzen. Sie verkündete die Regeln des Ausgehverbots. Alle, die sich im Freien aufhielten, würden ohne Vorwarnung erschossen. Ärzte standen um mich herum, weil ich auf der Straße zusammengebrochen war und nicht mehr aufstehen konnte. Die Ärzte sprachen polnisch. »Seuchengefahr«, sagten sie. Ihr Polnisch war hebräisch, aber nicht unser Hebräisch. Die schottischen Rotmützen warteten auf blutrot bemützte Verstärkung von den beiden britischen Zerstörern *Dragon* und *Tigress.* Plötzlich segelte der Junge in den Polizistenkleidern kopfüber von dem Balkon herunter, segelte langsam auf das Pflaster zu, als hätte der Hochkommissar für Palästina, General Cunningham, alle Schwerkraftgesetze außer Kraft gesetzt, segelte langsam auf das zerstörte Pflaster zu, segelte herab, und ich konnte nicht schreien.

Kurz vor zwei Uhr weckte mich die Nachtschwester. In einem quietschenden Wagen brachte man mir meinen Sohn zum Stillen. Der Alptraum war immer noch da, und ich weinte und weinte, heftiger sogar als die orientalische Frau, die immer noch schluchzte. Unter Tränen bat ich die Schwester, mir zu erklären, wieso das Baby noch lebte, wie mein Baby das Unglück überlebt hatte.

XVI

Zeit und Gedächtnis begünstigen triviale Worte. Sie sind ihnen besonders zugetan. Sie umgeben sie mit dem sanften Glanz des Zwielichts.
Ich klammere mich an mein Gedächtnis und an Worte, wie man sich in großer Höhe an ein Geländer klammert.
Zum Beispiel die Worte eines alten Kinderreims, an die mein Gedächtnis sich unnachgiebig klammert:

Kleiner Clown, kleiner Clown, willst du mit mir tanzen?
Der hübsche kleine Clown tanzt mit jedermann.

Ich möchte auf folgendes hinweisen: Die zweite Hälfte des Reims gibt eine Antwort auf die im ersten Teil gestellte Frage, aber die Antwort ist enttäuschend.

Zehn Tage nach der Geburt erlaubten mir die Ärzte, das Krankenhaus zu verlassen, ich sollte aber noch im Bett bleiben und jede Anstrengung vermeiden. Michael war geduldig und unermüdlich. Als ich mit meinem Baby in einem Taxi nach Hause kam, gab es einen heftigen Streit zwischen meiner Mutter und Tante Jenia. Tante Jenia hatte sich einen weiteren Tag von ihrem Krankenhaus beurlauben lassen, um nach Jerusalem zu fahren und Michael und mir Anweisungen zu geben. Sie wollte mich dazu bringen, vernünftig zu sein.

Tante Jenia wies Michael an, die Wiege des Babys an die südliche Zimmerwand zu stellen, damit man die Fensterläden öffnen konnte, ohne daß die Sonne auf das Baby fiele. Meine Mutter wies Michael an, die Wiege neben mein Bett zu stellen. Sie wolle nicht mit Ärzten über Medizin streiten, bestimmt nicht. Aber Menschen haben auch Seelen, nicht nur Körper, sagte meine Mutter, und nur eine Mutter kann die Seele einer Mutter verstehen. Eine Mutter und ihr Baby müssen sich nahe sein. Um einander zu fühlen. Ein Heim ist kein Krankenhaus. Dies sei eine Frage des Gefühls, nicht der Medizin. Meine Mutter sagte diese Worte in gebrochenem Hebräisch. Tante Jenia würdigte sie keines Blickes. Sie sah zu Michael hinüber und sagte: »Man kann ja Frau Grynbaums Gefühle verstehen, aber wir beide zumindest sollten doch vernünftig sein.«

Es folgte eine giftige, dabei aber erstaunlich höfliche Auseinandersetzung, in deren Verlauf beide Frauen ihre Einwände zurücknahmen und darauf bestanden, daß die Sache den Streit nicht wert sei, sich jedoch weigerten, die Kapitulation der anderen anzunehmen.

Michael stand stumm in seinem grauen Anzug da. Das Baby schlief in seinen Armen. Michaels Augen flehten die beiden

Frauen an, ihm das Baby abzunehmen. Er sah aus wie ein Mann, der verzweifelt versucht, ein Niesen zu unterdrücken. Ich lächelte ihm zu.
Die beiden Frauen faßten sich gegenseitig am Arm und bedrängten sich sanft, wobei sie sich mit »Pani Grynbaum« und »Pani Doktor« anredeten. Der Streit ging in ein genuscheltes Polnisch über.
Michael stammelte: »Es ist sinnlos, es ist sinnlos«, erläuterte jedoch nicht näher, welcher der beiden Standpunkte seiner Ansicht nach sinnlos war.
Schließlich schlug Tante Jenia, als sei ihr die Erleuchtung gekommen, vor, die Eltern sollten selbst entscheiden.
Michael sagte: »Hannah?«
Ich war müde. Ich stimmte Tante Jenias Vorschlag zu, weil sie mir morgens gleich nach ihrer Ankunft in Jerusalem einen blauen Flanellmorgenrock gekauft hatte. Ich konnte ihre Gefühle nicht verletzen, während ich den hübschen Morgenrock trug, den sie mir gekauft hatte.
Tante Jenia strahlte übers ganze Gesicht. Sie klopfte Michael auf die Schulter, wie eine feine Dame dem jungen Jockey gratuliert, der gerade ihrem Pferd zum Sieg verholfen hat. Meine Mutter sagte mit schwacher Stimme: »Gut, gut. Azoy wie Hannele will. Jo.«
Doch abends, kurz nach Tante Jenias Abreise, entschloß sich auch meine Mutter, am nächsten Tag nach Nof Harim zurückzufahren. Es gebe nichts mehr für sie zu tun hier. Sie wolle nicht im Weg sein. Und man brauche sie dringend dort oben. Es würde schon alles gut werden. Als Hannele ein Baby war, sah alles viel schlimmer aus. Es würde schon alles gut werden.

Nachdem die beiden Frauen abgereist waren, wurde mir klar, daß mein Mann inzwischen gelernt hatte, eine Flasche Milch in einem Topf mit kochendem Wasser zu wärmen, sein Kind zu füttern und es ab und zu hochzunehmen, damit es aufstößt und die Luft entweichen kann.
Der Arzt hatte mir verboten, das Baby zu stillen, weil sich eine

Komplikation eingestellt hatte. Die neue Komplikation war nicht besonders schwerwiegend; sie bereitete mir gelegentlich Schmerzen und ein gewisses Unbehagen.
Wenn das Baby aufwachte, öffnete es seine Augenlider, und man sah Inseln reinen Blaus. Ich glaubte, daß dies seine innere Farbe sei, daß die Gucklöcher seiner Augen nur Tropfen des strahlenden Blaus zeigten, das den Körper des Babys unter seiner Haut ausfüllte. Wenn mein Sohn mich anschaute, mußte ich daran denken, daß er noch nicht sehen konnte. Der Gedanke ängstigte mich. Ich hatte kein Vertrauen, daß die Natur die festgelegte Ereignisfolge erfolgreich wiederholen würde. Ich wußte nichts über die natürlichen körperlichen Abläufe. Michael war keine große Hilfe. »Allgemein gesprochen«, sagte er, »wird die physische Welt von festen Gesetzen beherrscht. Ich bin kein Biologe, aber als Naturwissenschaftler sehe ich keinen Sinn in deiner hartnäckigen Frage nach der Natur Kausalität. Der Begriff ›Kausalität‹ führt nur zu Schwierigkeiten und Mißverständnissen.«
Ich liebte meinen Mann, wenn er eine weiße Serviette über seine graue Jacke breitete, sich die Hände wusch und seinen Sohn vorsichtig in die Höhe hob.
»Du bist ein harter Arbeiter, Michael«, lachte ich schwach.
»Du brauchst dich nicht über mich lustig zu machen«, sagte Michael mit ruhiger Stimme.
Als ich ein Kind war, pflegte meine Mutter mir öfters das hübsche Lied von einem braven Jungen namens David vorzusingen:

> Klein David war so nett,
> stets sauber, stets adrett.

Ich weiß nicht mehr, wie es weitergeht. Wenn ich mich besser gefühlt hätte, wäre ich in die Stadt gegangen und hätte Michael ein Geschenk gekauft: eine neue Pfeife. Eine leuchtendbunte Toilettengarnitur. Ich träume.

Michael stand um fünf Uhr morgens auf, machte Wasser heiß und wusch die Windeln des Babys aus. Später öffnete ich meine

Augen und sah, wie er sich still und ergeben über mich beugte. Er reichte mir eine Tasse warmer Milch mit Honig. Ich war schläfrig. Mitunter streckte ich nicht einmal die Hand aus, um ihm die Tasse abzunehmen, weil ich glaubte, daß ich Michael nur träumte, daß er nicht wirklich war.
Es gab Nächte, in denen Michael sich nicht einmal auszog. Er saß bis in den Morgen hinein an seinem Schreibtisch und las seine Bücher. Er kaute auf dem Mundstück seiner leeren Pfeife herum. Ich habe dieses leicht klopfende Geräusch nicht vergessen. Manchmal döste er im Sitzen eine halbe oder ganze Stunde ein, dann lag sein Arm auf dem Tisch ausgestreckt, und sein Kopf ruhte auf seinem Arm.
Wenn das Baby nachts schrie, nahm Michael es hoch und trug es im Zimmer hin und her, vom Fenster zur Tür und wieder zurück, wobei er ihm Fakten ins Ohr flüsterte, die er auswendig lernen mußte. Zwischen Wachen und Schlaf hörte ich nachts die düsteren Schlagworte »Devon«, »Perm«, »Trias«, »Lithosphäre«, »Siderorsphäre«. In einem meiner Träume bewunderte der Professor für Hebräisch die linguistische Synthese des Schriftstellers Mendele und erwähnte zufällig einige dieser Wörter. »Fräulein Grynbaum«, sagte er zu mir, »wären Sie so nett, uns die inhärente Zweideutigkeit der Situation kurz zu beschreiben?« Wie dieser alte Professor mir im Traum zulächelte. Sein Lächeln war sanft und freundlich, wie eine Liebkosung.

Michael schrieb in diesen Nächten einen langen Essay, der den alten Konflikt zwischen neptunischen und plutonischen Theorien über den Ursprung der Erde behandelte. Dieser Disput ging der Laplaceschen Nebulartheorie voraus.
Das Wort »Nebulartheorie« übte eine gewisse Faszination auf mich aus.
»Wie ist die Erde wirklich entstanden, Michael?«, fragte ich meinen Mann.
Michael lächelte nur, als sei dies die einzige Antwort, die ich von ihm erwartete. Eigentlich hatte ich keine Antwort erwartet. Ich hatte mich in mich zurückgezogen. Ich war krank.

Während dieser Sommertage im Jahr 1951 erzählte mir Michael, daß er davon träume, seinen Essay auszubauen und ihn in einigen Jahren als kurzen, selbständigen Forschungsaufsatz zu veröffentlichen. Ob ich mir vorstellen könne, fragte er, wie froh sein alter Vater darüber sein würde? Ich war nicht in der Lage, ihm ein einziges ermutigendes Wort zu sagen. Ich war zusammengeschrumpft, in mich selbst zurückgezogen, als hätte ich einen winzigen Edelstein auf dem Meeresgrund verloren. Ich irrte endlose Stunden im seegrünen Zwielicht herum. Schmerzen, Depressionen und Angstträume verfolgten mich Tag und Nacht. Ich bemerkte kaum die dunklen Ringe, die sich unter Michaels Augen bildeten. Er war todmüde. Er mußte stundenlang mit meiner Lebensmittelkarte in der Hand Schlange stehen, um kostenlose Lebensmittel für stillende Mütter zu kriegen. Er beklagte sich nicht ein einziges Mal. Er scherzte nur in der ihm eigenen, trockenen Art und meinte, daß eigentlich er die Zuteilung verdiente, da er das Baby füttere.

XVII

Klein Yair sah mehr und mehr meinem Bruder Emanuel ähnlich mit einem breiten, gesunden Gesicht, einer fleischigen Nase und hohen Backenknochen. Diese Ähnlichkeit gefiel mir nicht. Yair war ein gefräßiges und lebhaftes Baby. Er grunzte beim Trinken, und wenn er schlief, gab er zufriedene Glckslaute von sich. Seine Haut war rosig. Die Inseln reinen Blaus wurden zu kleinen, neugierigen grauen Augen. Er neigte zu unerklärlichen Ausbrüchen wütenden Zorns, wobei er mit geballten Fäusten in die Luft zu schlagen pflegte. Mir kam der Gedanke, daß es gefährlich sein müßte, in seine Nähe zu kommen, wenn seine Fäustchen nicht so winzig wären. Bei solchen Gelegenheiten nannte ich meinen Sohn *Die Maus, die brüllte* nach dem bekannten Film. Michael zog den Spitznamen »Bärenbaby« vor. Im Al-

ter von drei Monaten hatte unser Sohn schon mehr Haare als die meisten anderen Babys.
Manchmal, wenn das Baby schrie und Michael nicht da war, stand ich mit bloßen Füßen auf und schaukelte die Wiege heftig, wobei ich mein Baby in ekstatischem Schmerz »Salman-Yair«, »Yair-Salman« nannte. Als hätte mein Sohn mir Unrecht getan. Ich war eine gleichgültige Mutter während der ersten Monate im Leben meines Sohnes. Ich dachte an Tante Jenias unangenehmen Besuch zu Beginn meiner Schwangerschaft, und zuweilen hing ich der perversen Idee nach, daß ich es war, die das Baby hatte loswerden wollen, und Tante Jenia, die mich davon abgehalten hatte. Auch hatte ich das Gefühl, daß ich bald sterben würde und deshalb keinem etwas schuldig war, auch nicht diesem rosigen, gesunden, bösen Kind. Ja, Yair war böse. Oft schrie er in meinen Armen, und sein Gesicht lief dabei so rot an wie das eines wütenden, betrunkenen Bauern in einem russischen Film. Nur wenn Michael ihn mir aus den Armen nahm und ihm leise vorsang, war Yair bereit, den Mund zu halten. Ich nahm ihm das übel. Es war, als beschäme mich ein Fremder mit gemeiner Undankbarkeit.
Ich erinnere mich. Ich habe es nicht vergessen. Wenn Michael mit dem Kind in den Armen hin und her vom Fenster zur Tür und wieder zurück durchs Zimmer marschierte und ihm seltsame Worte ins Ohr flüsterte, erkannte ich plötzlich in beiden, in uns dreien, eine Eigenschaft, die ich nur als Melancholie bezeichnen kann. Ich weiß kein anderes Wort dafür.
Ich war krank. Auch als Dr. Urbach verkündete, er sei zufrieden, daß die Komplikation nun beseitigt sei und ich in jeder Hinsicht wieder ein normales Leben führen könne, selbst dann war ich noch krank. Ich entschloß mich jedoch, Michaels Feldbett aus dem Zimmer, in dem die Wiege stand, zu entfernen. Von nun an übernahm ich selbst die Pflege des Babys. Mein Mann sollte im Wohnzimmer schlafen, damit wir ihn nicht länger von seinen Studien abhielten. Er hätte so Gelegenheit, die Arbeit nachzuholen, die er während der vorangegangenen Monate nicht hatte machen können.

Um acht Uhr abends fütterte ich das Kind, legte es ins Bett, verschloß die Tür von innen und streckte mich auf dem breiten Doppelbett aus. Mitunter klopfte Michael um halb zehn oder zehn leise an die Tür. Wenn ich öffnete, sagte er:
»Ich sah das Licht unter der Tür und wußte, daß du nicht schläfst. Deshalb habe ich geklopft.«
Während er sprach, schaute er mich mit seinen grauen Augen an wie ein rücksichtsvoller, älterer Sohn. Kühl und zurückhaltend erwiderte ich:
»Ich bin krank, Michael. Du weißt, daß ich mich nicht wohl fühle.«
Er preßte seine Hand um die leere Pfeife, bis die Knöchel rot wurden. »Ich wollte nur fragen, ob... ob ich dich nicht störe... ob ich irgend etwas für dich tun kann, oder – brauchst du mich? Jetzt nicht? Du weißt, Hannah, ich bin gleich nebenan, wenn du was brauchst... ich mache nichts Wichtiges, lese gerade Goldschmidt zum dritten Mal durch, und...«

Vor langer Zeit hatte mir Michael Gonen gesagt, daß Katzen sich nie in einem Menschen irrten. Eine Katze würde nie mit jemandem Freundschaft schließen, der sie nicht mochte. Nun, dann.
Ich pflegte aufzuwachen, bevor es hell wurde. Jerusalem ist eine abgeschiedene Stadt, selbst wenn man dort lebt, wenn man dort geboren ist. Ich wache auf und höre den Wind in den engen Straßen von Meqor Barukh. In den Hinterhöfen und auf alten Balkonen stehen Wellblechverschläge. Der Wind spielt auf ihnen. Wäsche schlägt auf Wäscheleinen, die über die Straße gespannt sind. Müllmänner ziehen Mülltonnen über das Pflaster. Einer von ihnen flucht immer heiser. In einem der Hinterhöfe kräht wütend ein Hahn. Ferne Stimmen von allen Seiten. Eine stille, fiebrige Spannung liegt in der Luft. Das Geheul von Katzen, die verrückt sind vor Begierde. Ein einsamer Schuß in der fernen Dunkelheit im Norden. Ein in der Ferne aufheulender Motor. Eine stöhnende Frau in einer anderen Wohnung. Glocken, die weitab im Osten läuten, vielleicht in den Kirchen der alten Stadt.

Ein frischer Wind bewegt die Baumspitzen. Jerusalem ist eine Stadt der Kiefern. Gespannte Zuneigung herrscht zwischen den Kiefern und dem Wind. Uralte Kiefern in Talppyiot, in Katamon, in Bet Hakerem und hinter dem dunklen Schneller-Wald. In dem tief gelegenen Dorf En Kerem sind die weißen Morgennebel Boten eines Reiches, in dem andere Farben herrschen. Die Klöster sind von hohen Mauern umgeben in dem tief gelegenen Dorf En Kerem. Selbst innerhalb der Mauern gibt es flüsternde Kiefern. Finstere Pläne werden beim blinden Licht der Morgendämmerung geschmiedet. Werden geschmiedet, als wäre ich nicht hier und könnte alles hören. Als wäre ich nicht hier. Singende Reifen. Das Fahrrad des Milchmanns. Seine leichten Schritte auf dem Treppenabsatz. Sein gedämpftes Husten. Hunde, die in den Höfen bellen. Draußen auf dem Hof ist etwas Schreckliches. Die Hunde können es sehen und ich nicht. Ein Fensterladen ächzt. Sie wissen, daß ich hier wach liege und zittere. Sie konspirieren, als wäre ich nicht hier. Ihr Ziel bin ich.

Jeden Morgen, nachdem ich eingekauft und die Wohnung aufgeräumt habe, fahre ich Yair in seinem Kinderwagen spazieren. Es ist Sommer in Jerusalem. Ein friedlicher, blauer Himmel. Wir gehen zum Mahane-Yehuda-Markt, um eine billige Pfanne oder einen Filter zu kaufen. Als Kind betrachtete ich gern die nackten, braunen Rücken der Träger auf dem Markt. Der Geruch ihres Schweißes gab mir ein gutes Gefühl. Auch heute noch wirken die vermischten Gerüche des Mahane-Yehuda-Marktes beruhigend auf mich. Mitunter setze ich mich der religiösen Jungenschule Taschkemoni gegenüber auf eine Bank, den Kinderwagen an meiner Seite, und beobachte die Jungen, wie sie sich in den Pausen zwischen den Unterrichtsstunden auf dem Spielplatz balgen.

Häufig gingen wir bis zum Schneller-Wald. Für diesen Ausflug nahm ich eine Flasche Tee mit Zitrone, Kekse, mein Strickzeug, eine graue Decke und ein paar Spielsachen mit. Wir hielten uns etwa eine Stunde im Wald auf. Es war ein kleiner, auf einem steilen Hügel gelegener Wald, dessen Boden von einem Teppich to-

ter Kiefernnadeln bedeckt war. Seit meiner Kindheit habe ich diesen Wald den »Forst« genannt.
Ich breite die Decke aus, lege Yair darauf und lasse ihn mit seinen Bauklötzen spielen. Ich setze mich mit drei oder vier anderen Hausfrauen auf einen kalten Stein. Diese Frauen sind freundlich: Glücklich reden sie über sich und ihre Familien, ohne auch nur die leiseste Andeutung zu machen, daß auch ich meine Geheimnisse preisgeben solle. Um nicht überheblich oder herablassend zu wirken, erörtere ich mit ihnen die Vorteile verschiedener Stricknadelarten. Ich erzähle ihnen von hübschen Blusen aus leichten Stoffen, die es in der Maayan-Stub oder bei Schwarz zu kaufen gibt. Eine der Frauen brachte mir bei, wie man ein erkältetes Baby mit Inhalationen behandelt. Hin und wieder versuche ich sie mit einem politischen Witz zu erheitern, den Michael nach Hause gebracht hatte, über Dov Yosef, den »Minister der Lebensmittelrationierung«, oder über einen Neueinwanderer, der dies oder jenes zu Ben Gurion gesagt hatte. Doch sobald ich den Kopf wende, fällt mein Blick auf das jenseits der Grenze dösende, in blaues Licht getauchte arabische Dorf Shaafat. Seine Dachziegel leuchten rot in der Ferne, und in den nahen Baumwipfeln singen Vögel morgens Lieder in einer Sprache, die ich nicht verstehe.

Ich werde schnell müde. Ich gehe nach Hause, füttere mein Kind, lege es in seine Wiege und falle erschöpft auf mein Bett. In der Küche waren Ameisen aufgetaucht. Vielleicht hatten sie plötzlich gemerkt, wie überaus schwach ich war.
Mitte Mai erlaubte ich Michael, in der Wohnung Pfeife zu rauchen mit Ausnahme des Zimmers, in dem das Baby und ich schliefen. Was sollte bloß aus uns werden, wenn Michael auch nur die harmloseste Krankheit bekäme? Seit seinem vierzehnten Lebensjahr war er nicht einen Tag krank gewesen. Könnte er nicht ein paar Tage Urlaub nehmen? In zweieinhalb Jahren ungefähr, wenn er seine zweite Prüfung hinter sich habe, könne er es ein bißchen langsamer angehen lassen, und dann könnten wir alle zusammen einen schönen Urlaub verbringen. Gab es irgend

etwas, was er gern hätte? Sollte ich ihm etwas zum Anziehen kaufen? Eigentlich spare er immer noch für die Bände der großen *Encyclopaedia Hebraica,* die er sich jeweils bei Erscheinen kaufen wolle; aus diesem Grund gehe er viermal die Woche zu Fuß von der Universität nach Hause, statt den Bus zu nehmen, und habe so bereits ungefähr 25 Pfund gespart.

Anfang Juni gab es die ersten Anzeichen dafür, daß das Baby seinen Vater erkannte. Michael näherte sich ihm von der Tür, und das Kind gluckste vor Vergnügen. Dann versuchte Michael, sich ihm von der anderen Seite zu nähern, und wieder jauchzte Yair vor Freude. Mir mißfiel das Aussehen des Kindes, wenn es nicht mehr aus noch ein wußte vor Freude. Ich sagte Michael, daß ich befürchte, unser Sohn werde nicht allzu intelligent werden. Michaels Unterkiefer klappte erschrocken nach unten. Er wollte etwas sagen, zögerte, überlegte es sich anders und schwieg. Später schrieb er eine Postkarte an seinen Vater und seine Tanten, auf der er berichtete, daß sein Sohn ihn erkannte. Mein Mann war überzeugt davon, daß er und sein Sohn einmal Freunde werden würden.

»Du mußt ein verwöhntes Kind gewesen sein«, sagte ich.

XVIII

Im Juli war das akademische Jahr zu Ende. Michael erhielt ein bescheidenes Stipendium als Zeichen der Anerkennung und Ermutigung. In einer privaten Unterredung sprach sein Professor über seine Zukunftsaussichten. Einen gesunden, tüchtigen jungen Mann würde man nicht übersehen. Er würde sicher einmal wissenschaftlicher Assistent werden. Eines Abends lud Michael ein paar seiner Kommilitionen zu uns ein, um auf seinen Erfolg zu trinken. Er plante eine kleine Überraschungsparty. Wir bekamen sehr selten Besuch. Alle drei Monate kam die eine oder andere der Tanten vorbei und verbrachte einen halben Tag bei uns. Die alte Sarah Zeldin vom Kindergarten schaute für zehn

Minuten herein und gab uns fachmännische Ratschläge zu Babyfragen. Der Mann von Michaels Freundin Liora brachte uns eine Kiste Äpfel vom Kibbuz Tirat Yaar. Einmal platzte mein Bruder Emanuel um Mitternacht herein. »Hier, nehmt schon das verdammte Huhn. Schnell. Lebt ihr denn noch? Hier, ich habe euch einen Vogel mitgebracht – er lebt auch noch. Na, dann alles Gute. Kennt ihr den über die drei Flieger? Na gut, grüßt mir das Baby. Unser Laster wartet unten, und sie werden gleich nach mir hupen.«

Samstags kam gelegentlich meine beste Freundin Hadassah mit ihrem Mann oder allein vorbei. Sie versuchte, mich hartnäckig zu überreden, mein Studium wiederaufzunehmen. Tante Leahs Freund, der alte Herr Kadischmann, hatte sich angewöhnt, uns hin und wieder zu besuchen, um nach dem Rechten zu sehen und eine Partie Schach mit Michael zu spielen.

Am Abend der Überraschungsparty kamen neun Studenten und Studentinnen. Eine von ihnen war ein blondes Mädchen, das auf den ersten Blick hinreißend aussah, später jedoch eher derb wirkte. Offensichtlich war sie das Mädchen, das auf unserer Hochzeitsparty den wilden spanischen Tanz getanzt hatte. Sie nannte mich »Süße«, und zu Michael sagte sie »Genie«.

Mein Mann schenkte Wein ein und reichte Kekse herum. Dann stellte er sich auf den Tisch und begann, seine Dozenten nachzuahmen. Seine Freunde lachten höflich. Nur das blonde Mädchen, Yardena, war wirklich begeistert. »Micha«, applaudierte sie, »Micha, du bist der Größte.«

Ich schämte mich für meinen Mann, weil er nicht amüsant war. Seine Fröhlichkeit war überspannt und verkrampft. Selbst als er eine lustige Geschichte erzählte, konnte ich nicht lachen, weil er sie erzählte, als diktiere er Notizen für eine Vorlesung.

Nach zwei Stunden verabschiedeten sich die Gäste.

Mein Mann sammelte die Gläser ein und trug sie in die Küche. Dann leerte er die Aschenbecher. Er kehrte das Zimmer. Er band sich eine Schürze um und ging wieder zum Spülbecken. Auf seinem Weg durch den Flur blieb er stehen und sah mich an wie ein gescholtener Schuljunge. Er schlug mir vor, schlafen zu gehen, und versprach, keinen Lärm zu machen. Er vermute, ich sei erschöpft nach all der Aufregung. Er habe einen Fehler gemacht. Er könne jetzt sehen, was er für einen Fehler gemacht habe. Er hätte keine Fremden einladen dürfen. Meine Nerven waren noch überreizt, und ich ermüdete schnell. Er wundere sich über sich selbst, daß er nicht früher daran gedacht habe. Übrigens finde er dieses Mädchen Yardena schrecklich vulgär. Ob ich ihm diesen Abend je verzeihen könne?

Während Michael mich bat, ihm die kleine Party zu verzeihen, die er gegeben hatte, mußte ich daran denken, wie verloren ich mich an jenem Abend gefühlt hatte, als wir von unserem ersten Ausflug nach Tirat Yaar zurückkehrten, und wie wir zwischen den zwei Reihen dunkler Zypressen standen, wie der kalte Regen mir ins Gesicht schlug und Michael plötzlich seinen groben Mantel aufknöpfte und mich in ihn hineinzog.
Jetzt stand er über den Spülstein gebeugt, als hätte er sich das Genick gebrochen, und hantierte mit sehr müden Bewegungen. Er reinigte die Gläser in heißem Wasser und spülte sie dann kalt ab. Ich schlich mich barfuß von hinten an ihn heran. Ich küßte seinen kurzgeschorenen Kopf, schlang beide Arme um seine Schultern und griff nach seiner festen, flaumigen Hand. Ich war froh, daß er meine Brüste gegen seinen Rücken fühlen konnte, denn seit Beginn meiner Schwangerschaft waren mein Mann und ich uns ferngeblieben. Michaels Hand war naß vom Spülen der Gläser. Er hatte einen schmutzigen Verband um einen seiner Finger. Vielleicht hatte er sich geschnitten und sich nicht die Mühe gemacht, es mir zu erzählen. Auch der Verband war naß. Er wandte mir sein längliches, schmales Gesicht zu, das noch magerer wirkte als an dem Tag, an dem wir uns in Terra Sancta kennengelernt hatten. Mir fiel auf, daß sein ganzer Körper abgemagert war. Seine Backenknochen standen vor. Eine feine Linie begann sich am rechten Nasenflügel abzuzeichnen. Ich berührte seine Wange. Er schien nicht überrascht. Als hätte er die ganze Zeit darauf gewartet. Als hätte er im voraus gewußt, daß sich an diesem Abend alles ändern würde.

Es war einmal ein kleines Mädchen namens Hannah, das für den Sabbat ein neues Kleid bekam, weiß wie Schnee. Sie besaß auch ein hübsches Paar Schuhe aus echtem Ziegenleder, und ihre Lokken wurden von einem hübschen Seidentuch zusammengehalten, denn Klein-Hannah hatte wunderschönes, lockiges Haar. Nun ging Hannah auf die Straße und erblickte einen unter dem Gewicht seines schwarzen Sackes gebeugten alten Kohlenhändler. Der Sabbat stand vor der Tür. Hannah half dem Kohlenhändler rasch den Kohlensack tragen, denn Klein-Hannah hatte ein mitfühlendes Herz. Ihr weißes Kleid war voller Kohlenstaub, und ihre Ziegenlederschuhe waren schmutzig. Hannah fing bitterlich an zu weinen, denn Klein-Hannah war ein braves Mädchen, das immer sauber und ordentlich aussah. Der freundliche Mond am Himmel hörte ihr Weinen und schickte seine Strahlen herunter, damit sie sanft auf ihr spielten und jeden Fleck in eine goldene Blume und jede Dreckspur in einen silbernen Stern verwandelten. Denn es gibt keine Traurigkeit auf der Welt, die nicht in große Freude verwandelt werden könnte.
Ich wiegte das Baby in den Schlaf und ging in einem langen, durchsichtigen Nachthemd, das mir bis zu den Knöcheln reichte, in das Zimmer meines Mannes. Michael legte ein Lesezeichen in sein Buch, klappte es zu, legte die Pfeife weg und knipste die Tischlampe aus. Dann stand er auf und legte beide Arme um meine Taille. Er sprach kein Wort.
Nachher sagte ich ihm die vertrauten Worte, die mir einfielen: »Sag, Michael. Warum hast du einmal behauptet, dir gefiele das Wort ›Knöchel‹? Ich mag dich dafür, daß dir das Wort ›Knöchel‹ gefällt. Vielleicht ist es noch nicht zu spät, dir zu sagen, daß du sanft und sensibel bist. Du bist eine Ausnahme, Michael. Du wirst dein Referat schreiben, Michael, und ich tippe es dir ins reine. Dein Referat wird sehr gründlich sein, und Yair und ich werden sehr stolz auf dich sein. Auch dein Vater wird glücklich darüber sein. Alles wird anders werden. Wir werden uns befreit fühlen. Ich liebe dich. Ich liebte dich, als wir uns in Terra Sancta kennenlernten. Vielleicht ist es noch nicht zu spät, dir zu sagen, daß mich deine Finger faszinieren. Ich weiß nicht, mit welchen

Worten ich dir sagen soll, wie sehr ich deine Frau sein möchte. Wie sehr ich mir das wünsche.«
Michael schlief. Konnte ich es ihm verdenken? Ich hatte mit sanfter Stimme gesprochen, und er war so furchtbar müde. Nacht für Nacht hatte er bis zwei oder drei Uhr früh über seine Arbeit gebeugt am Schreibtisch gesessen und an seiner leeren Pfeife gekaut. Meinetwegen hatte er den Job angenommen, Aufsätze der ersten Semester zu korrigieren und sogar technische Artikel aus dem Englischen zu übersetzen. Mit dem verdienten Geld hatte er mir einen elektrischen Heizofen gekauft und einen teuren Kinderwagen für Yair mit Federung und einem bunten Dach. Er war so müde. Meine Stimme war so sanft. Er war eingeschlafen.
Ich flüsterte meinem abwesenden Mann die zärtlichsten Dinge zu, die in mir waren. Über die Zwillinge. Und über das verschlossene Mädchen, das die Königin der Zwillinge war. Ich verbarg nichts. Die ganze Nacht hindurch spielte ich im Dunkeln mit den Fingern seiner linken Hand, und er vergrub seinen Kopf im Bettzeug und spürte nichts. Ich schlief wieder an der Seite meines Mannes. Morgens war Michael ganz der alte, zurückhaltend und tüchtig. Letzthin begann sich eine feine Linie unter seinem linken Nasenflügel abzuzeichnen. Noch war sie kaum sichtbar, aber wenn sich erst tiefere Falten über sein Gesicht auszubreiten begännen, würde mein Michael mehr und mehr seinem Vater ähneln.

XIX

Ich habe Ruhe gefunden. Ereignisse können mich nicht mehr berühren. Dies ist mein Platz. Hier bin ich. So wie ich bin. Die Tage gleichen sich. In mir bleibt alles gleich. Selbst in meinem neuen Sommerkleid mit der hohen Taille bin ich noch immer die gleiche. Man hat mich sorgfältig zurechtgemacht und schön verpackt, mit einem hübschen, roten Band verschnürt und ausgestellt, gekauft und ausgepackt, benutzt und beiseite gelegt. Die Tage gleichen sich auf trübselige Weise. Besonders, wenn es Sommer ist in Jerusalem. Was ich gerade geschrieben habe, ist eine müde Lüge. Es gab zum Beispiel Ende Juli 1953 einen Tag, einen leuchtend blauen Tag voller Klänge und Beobachtungen. Unser gutaussehender Gemüsehändler frühmorgens, unser persischer Gemüsehändler Elijah Mossiah, und seine hübsche Tochter Levana. Herr Guttmann, der Elektriker aus der David-Yelin-Straße, wollte das Bügeleisen in zwei Tagen reparieren und versprach, Wort zu halten. Er wollte mir auch eine gelbe Glühbirne verkaufen, um nachts die Moskitos vom Balkon fernzuhalten. Yair war zwei Jahre und drei Monate alt. Er fiel die Treppe hinunter und schlug deshalb mit seinen winzigen Fäusten auf sie ein. Seine Knie waren blutig. Ich verband die Wunde, ohne das Kind dabei anzusehen. Am Abend zuvor hatten wir im Edison-Kino einen modernen italienischen Film gesehen, *Fahrraddiebe*. Beim Mittagessen spendete Michael zurückhaltendes Lob. Er hatte eine Abendzeitung in der Stadt gekauft, in der über Südkorea berichtet wurde und über Banden von Eindringlingen im Negev. Zwei religiöse Frauen stritten sich in unserer Straße. Ein Martinshorn ertönte in der Rashi-Straße oder einer der anderen nahegelegenen Straßen. Eine Nachbarin beklagte sich bei mir über den hohen Preis und die schlechte Qualität von Fisch. Michael trug eine Brille, weil seine Augen schmerzten. Es war nur eine Lesebrille. Ich kaufte im Café Allenby in der King-George-Straße für Yair und mich ein Eis. Das Eis tropfte auf den Ärmel meiner grünen Bluse. Die Familie Kamnitzer über uns hatte einen Sohn namens Yoram, ein verträumter, blondhaariger Junge von 14 Jahren. Yoram war ein Dichter. In seinen Gedichten ging es um die Einsamkeit. Er gab mir seine Manuskripte zu lesen, weil er gehört hatte, daß ich als junges Mädchen Literatur studiert hatte. Ich beurteilte seine Werke. Seine Stimme zitterte, seine Lippen bebten, und ein grünes Flimmern leuchtete in seinen Augen. Yoram brachte mir ein neues Gedicht, das er der Erinnerung an die Dichterin Rachel gewidmet hatte. Yorams Gedicht verglich ein Leben ohne Liebe mit einer öden Wildnis. Ein einsamer Wanderer sucht einen Brunnen in der Wüste, wird aber von trügerischen Visionen in die Irre geführt. Neben dem wirklichen Brunnen bricht er schließlich zusammen und stirbt.

»So ein guterzogener, frommer, orthodoxer Junge wie du schreibt Liebesgedichte«, lachte ich.

Yoram brachte einen Moment lang die Kraft auf, in mein Gelächter einzustimmen, doch er hielt bereits die Armlehnen seines Stuhls fest umklammert, und seine Finger waren blaß wie die eines Mädchens. Er lachte mit mir, doch plötzlich füllten sich seine Augen mit Tränen. Er griff hastig nach dem Blatt Papier mit dem Gedicht und zerknüllte es in seiner zusammengepreßten Hand.

Plötzlich drehte er sich um und stürzte aus der Wohnung. An der Tür blieb er stehen.

»Es tut mir leid, Frau Gonen«, flüsterte er. »Auf Wiedersehen.«

Bedauern.

An jenem Abend besuchte uns Tante Leahs Freund, der alte Herr Abraham Kadischmann. Wir tranken Kaffee, und er kritisierte die linke Regierung. Glichen sich die Tage noch immer? Die Tage vergingen, ohne eine Spur zu hinterlassen. Ich bin mir selbst feierlich verpflichtet, in diesem Bericht jeden Tag und jede Stunde, die verstreichen, festzuhalten, denn meine Tage gehören mir, und ich habe Ruhe gefunden, und die Tage sausen vorüber wie die Hügel, wenn man im Zug sitzt nach Jerusalem. Ich werde sterben, Michael wird sterben, der persische Gemüsehändler Elijah Mossiah wird sterben, Levana wird sterben, Yoram wird sterben, Kadischmann wird sterben, alle Nachbarn, alle Leute werden sterben, ganz Jerusalem wird sterben, und dann wird es einen seltsamen Zug voll seltsamer Leute geben, und sie werden wie wir am Fenster stehen und seltsame Hügel vorbeisausen sehen. Ich kann noch nicht einmal eine Ameise auf dem Küchenfußboden töten, ohne an mich selbst zu denken. Und ich denke auch an empfindliche Dinge tief in meinem Körper. Empfindliche Dinge, die mir gehören, ganz und gar mir, wie mein Herz und meine Nerven und mein Leib. Sie gehören mir, sie sind ich,

aber ich werde sie nie sehen oder berühren können, weil alles auf der Welt Distanz ist.
Könnte ich nur die Lokomotive in meine Gewalt bringen und die Prinzessin des Zuges sein, mit einem geschmeidigen Zwillingspaar umgehen, als handle es sich um einen Teil meiner selbst, meine linke und rechte Hand.
Oder würde es nur Wirklichkeit, daß am 17. August 1953 um sechs Uhr früh ein bucharischer Taxifahrer namens Rahamin Rahaminov, endlich einträte, lachend und von mächtiger Gestalt, auf meiner Schwelle stünde, an die Tür klopfte und höflich fragte, ob Fräulein Yvonne Azulai bereit sei, aufzubrechen. Ich wäre mit ganzer Seele bereit, mit ihm zum Flughafen Lydda zu fahren und mit Olympic zu den schneebedeckten russischen Steppen zu fliegen, nachts auf einem Schlitten in Bärenfelle gehüllt, die Silhouette des gewaltigen Schädels des Fahrers, und auf der endlosen, eisigen Fläche glühen die Augen magerer Wölfe. Die Strahlen des Mondes fallen auf den Nacken eines einsamen Baums. Halt, Fahrer, halt eine Sekunde an, dreh dich um und laß mich dein Gesicht sehen. Sein Gesicht ist ein Holzschnitt, grobkörnig in dem weichen, weißen Licht. Eiszapfen hängen an den Spitzen seines wirren Schnurrbarts.
Und das Unterseeboot *Nautilus* gab es wirklich und gibt es noch immer. Es gleitet durch die Tiefen des Meeres, riesengroß, strahlend hell und geräuschlos in einem grauen Ozean, kreuzt warme Strömungen und seetangumschlungene Unterwasserhöhlen am Fuß der Korallenriffe des Archipels, gleitet tiefer und tiefer mit mächtigen Stößen, es weiß, wo es hinfährt und warum und gönnt sich keine Ruhe, anders als ein Stein, anders als eine erschöpfte Frau.
Und unter dem Nordlicht vor der Küste Neufundlands patrouilliert Wache haltend der britische Zerstörer *Dragon,* und seine Mannschaft findet keine Ruhe aus Angst vor Moby Dick, dem edlen weißen Wal. Im September wird *Dragon* von Neufundland nach Neukaledonien fahren, um der Garnison dort Proviant zu bringen. Bitte, *Dragon,* vergiß den Hafen von Haifa nicht und Palästina und Hannah in weiter Ferne.

All diese Jahre trug sich Michael mit der Hoffnung, unsere Wohnung in Meqor Barukh gegen eine in Rehavia oder Bet Hakerem gelegene einzutauschen. Er wohnt nicht gerne hier. Auch seine Tanten fragen sich beharrlich, warum Michael mitten unter religiösen Leuten lebt, statt in einer zivilisierten Nachbarschaft. Ein Wissenschaftler braucht Ruhe und Frieden, behaupten die Tanten, und die Nachbarn hier sind laut.
Es war meine Schuld, daß wir es immer noch nicht geschafft hatten, auch nur genügend Geld für die Anzahlung auf eine neue Wohnung zusammenzusparen. Michael war so rücksichtsvoll, diese Tatsache seinen Tanten gegenüber zu verschweigen. Jedes Jahr, wenn wieder Frühling ist, überkommt mich ein Einkaufsrausch. Elektroartikel, ein leuchtend grauer Vorhang für eine ganze Wand, Unmengen neuer Kleider. Vor meiner Heirat kaufte ich selten Kleider. Als Studentin pflegte ich den ganzen Winter hindurch dieselben Kleidungsstücke zu tragen, ein blaues Wollkleid, das meine Mutter gestrickt hatte, oder eine braune Kordhose und einen dicken, roten Pullover, wie ihn Mädchen an der Universität damals zu tragen pflegten, um möglichst lässig zu wirken. Jetzt hatte ich neue Kleider nach wenigen Wochen satt. Jedes Frühjahr überkam mich das Verlangen, einzukaufen. Ich stürzte aufgeregt von Geschäft zu Geschäft, als warte irgendwo, doch immer irgendwo anders, der große Preis auf mich.
Michael wunderte sich, warum ich das Kleid mit der hohen Taille nicht mehr trug. Es habe mir doch so gut gefallen, als ich es vor nicht ganz sechs Wochen kaufte. Er unterdrückte seine Verwunderung und nickte schweigend mit dem Kopf, als habe er volles Verständnis dafür. Das machte mich wahnsinnig. Vielleicht war das der Grund, weshalb ich mit dem festen Vorsatz in die Stadt ging, ihn mit meiner Verschwendungssucht zu schockieren. Ich liebte seine Selbstbeherrschung. Ich wollte sie zerstören.

Träume.
Harte Gegenstände verschwören sich jede Nacht gegen mich. In den Schluchten der Wüste Juda südöstlich von Jericho üben die

Zwillinge im Morgengrauen das Werfen von Handgranaten. Ihre Zwillingskörper bewegen sich im Gleichklang. Maschinenpistolen über den Schultern. Zerschlissene, ölverschmierte Felduniformen. Eine blaue Ader zeichnet sich auf Halils Stirn ab. Aziz duckt sich, schnellt seinen Körper nach vorn. Halil senkt den Kopf. Aziz streckt sich und wirft. Das trockene Blitzen der Explosion. Das Echo hallt von den Hügeln wider, und hinter ihnen glüht das Tote Meer bleich wie ein See voll brennenden Öls.

XX

Alte Hausierer durchstreifen Jerusalem. Sie haben nichts mit dem armen Kohlenhändler in der Geschichte von Klein-Hannahs Kleid zu tun. Ihre Gesichter leuchten nicht von innen heraus. Sie sind von eiskaltem Haß gezeichnet. Alte Hausierer. Unheimliche Händler, die die Stadt durchstreifen. Sie sind unheimlich. Ich kenne sie seit Jahren, sie und ihre lauten Rufe. Schon mit fünf oder sechs Jahren fürchtete ich mich vor ihnen. Ich werde auch sie beschreiben – vielleicht hören sie dann auf, mich nachts zu ängstigen. Ich versuche, ihre Wege, ihre Bezirke zu erkunden, im voraus zu wissen, an welchem Tag jeder einzelne von ihnen seine Waren in unseren Straßen ausrufen wird. Sicher richten auch sie sich nach einem Schema oder einem festen Plan. »*Gla-ser, Gla-ser*« – seine Stimme ist heiser und starr. Er hat keine Werkzeuge bei sich, keine Glasscheiben, als habe er sich damit abgefunden, nie eine Antwort auf sein Rufen zu erhalten. »*Alte Sachen, alte Schuh'*«, mit einem Riesensack über den Schultern wie der Einbrecher auf der Illustration zu einer Kindergeschichte. »*Pri-mus, pri-mus*«, ein schwerer Mann mit einem riesigen, knochigen Schädel wie das Urbild des Schmieds. »*Matratzen, Matratzen*«, das Wort kommt mit einer fast unmoralischen Zweideutigkeit aus seiner Kehle. Der Messerschleifer schleppt ein hölzernes, mit einem Pedal betriebenes Rad mit sich herum.

Er hat keine Zähne und behaarte, abstehende Ohren. Wie eine Fledermaus. Alte Handwerker, unheimliche Hausierer wandern unberührt von der Zeit jahraus, jahrein durch die Straßen Jerusalems. Als wäre Jerusalem ein nordisches Spukschloß und sie die auf der Lauer liegenden, rächenden Geister.
Ich kam 1930 während des Laubhüttenfests in Qiryat Shemuel zur Welt, am Rande von Katamon. Manchmal habe ich das seltsame Gefühl, daß eine öde Wüste das Haus meiner Eltern von dem meines Mannes trennt. Ich habe die Straße, in der ich geboren bin, nie wieder aufgesucht. An einem Sabbatmorgen machten Michael, Yair und ich einen Spaziergang bis zum Rand von Talbiyeh. Ich weigerte mich, weiterzugehen. Wie ein verwöhntes Kind stampfte ich mit dem Fuß auf. Nein, nein. Mein Mann und mein Kind lachten mich aus, gaben aber nach.
In Mea Shearim, in Bet Yisrael, Sanhedriya, Kerem Avraham, Ahva, Zichron Moshe, Nahalat Shiva leben religiöse Leute. Aschkenasim mit Pelzmützen und Sephardim mit gestreiften Gewändern. Alte Frauen kauern schweigend auf niedrigen Hokkern, als breite sich vor ihnen nicht eine kleine Stadt, sondern weites Land aus, dessen fernste Horizonte sie täglich mit Falkenaugen absuchen müssen.
Jerusalem ist nie zu Ende. Talppiyot, ein vergessener Kontinent im Süden, verborgen unter seinen stets flüsternden Kiefern. Bläulicher Dunst zieht von der Wüste Juda herüber, die im Osten an Talppiyot grenzt. Der Dunst berührt die kleinen Villen und selbst die von Kiefern beschatteten Gärten. Bet Hakerem, ein einsames, jenseits der windigen Ebene gelegenes Dörfchen, das von steinigen Feldern umrahmt wird. Bayit Wegan, eine isolierte Bergfeste, wo eine Violine hinter tagsüber verschlossenen Fensterläden spielt und nachts die Schakale gen Süden heulen. Angespannte Stille lastet nach Sonnenuntergang auf Rehavya, auf der Saadya-Gaon-Straße. An einem erleuchteten Fenster sitzt ein grauhaariger Gelehrter bei der Arbeit, seine Finger auf den Tasten seiner Schreibmaschine. Wer käme auf die Idee, daß am anderen Ende dieser Straße das Shaare-Hesed-Viertel liegt, voller barfüßiger Frauen, die nachts zwischen bunten, im Winde

flatternden Bettüchern herumwandern, und voller heimtückischer, von Hof zu Hof schleichender Katzen? Ist es möglich, daß der alte Mann, der Melodien auf seiner deutschen Schreibmaschine spielt, nichts davon ahnt? Wer käme auf die Idee, daß sich unter seinem westlichen Balkon das Tal des Kreuzes erstreckt, ein uralter Hain, der den Hang hinaufkriecht und nach den am Rande von Rehavya gelegenen Häusern greift, als wolle er sie mit seiner üppigen Vegetation einhüllen und ersticken? Kleine Feuer flackern im Tal, und langgezogene, gedämpfte Lieder erklingen aus den Wäldern und dringen bis hin zu den Fensterscheiben. In der Dämmerung machen sich unzählige Knirpse mit weißen Zähnen aus den Randgebieten der Stadt nach Rehavya auf und zerschmettern die prunkvollen Laternen mit kleinen, scharfen Steinchen. Noch sind die Straßen ruhig: Kimhi, Maimonides, Nachmanides, Alharizi, Abrabanel, Ibn Ezra, Ibn Gevirol, Saadya Gaon. Aber auch die Decks des britischen Zerstörers *Dragon* werden ruhig sein, wenn die Meuterei unten langsam auszubrechen beginnt. Gegen Abend erblickt man plötzlich in Jerusalem bedrohliche Hügel über den Straßenschluchten, die darauf warten, daß die Dunkelheit über die verriegelte Stadt hereinbricht.
In Tel Arza im Norden Jerusalems lebt eine ältere Pianistin. Sie übt pausenlos und unermüdlich. Sie bereitet sich auf einen neuen Vortrag von Schubert- und Chopin-Stücken vor. Der einsame Turm von Nebi Samwil steht auf einer Hügelkuppe im Norden, steht bewegungslos jenseits der Grenze und beobachtet Tag und Nacht die ältliche Pianistin, die unschuldig an ihrem Klavier sitzt, den steifen Rücken gegen das offene Fenster gekehrt. Nachts kichert der Turm, der hohe, schlanke Turm kichert, als flüstere er sich selber »Chopin und Schubert« zu.

An einem Augusttag machten Michael und ich einen langen Spaziergang. Wir ließen Yair bei meiner besten Freundin Hadassah in der Bezalel-Straße. Es war Sommer in Jerusalem. Die Straßen hatten ein neues Licht. Ich denke an die Zeit zwischen halb sechs und halb sieben, an das letzte Licht des Tages. Es war wohltuend

kühl. In der engen Gasse, die Pri-Hadash-Straße heißt, gab es einen mit Steinen gepflasterten Hof, den ein heruntergekommener Zaun von der Straße abgrenzte. Ein alter Baum erzwang sich seinen Weg zwischen den grob behauenen Pflastersteinen. Ich weiß nicht, was für ein Baum das war. Als ich im Winter diesen Weg allein gegangen war, hatte ich fälschlicherweise angenommen, der Baum sei tot. Jetzt waren neue Triebe aus dem Stamm gebrochen, die mit spitzen Krallen in die Luft griffen.
Von der Pri-Hadash-Straße wandten wir uns nach links zur Josephus-Straße. Ein großer, dunkler, in einen Mantel gehüllter Mann mit einer grauen Kappe auf dem Kopf starrte mich durch das erleuchtete Fenster einer Fischhandlung an. Bin ich verrückt, oder beobachtet mich mein wirklicher Mann, in einen Mantel gehüllt und mit einer grauen Kappe auf dem Kopf, wütend und vorwurfsvoll durch das erleuchtete Fenster einer Fischhandlung?
Frauen hatten vieles aus ihren Wohnungen auf die Balkone geschleppt: Rosafarbenes und Weißes, Bettücher und Decken. In der Hashmonaim-Straße stand ein geradegewachsenes, schlankes Mädchen auf einem der Balkone. Sie hatte die Ärmel hochgekrempelt und das Haar unter einem Tuch zusammengebunden. Sie schlug mit einem Schlagholz wütend auf ein Federbett ein, ohne von uns Notiz zu nehmen. Auf einer der Mauern stand in roten Buchstaben ein verblichener Slogan aus den Zeiten des Untergrunds: *Judäa fiel in Blut und Feuer, in Blut und Feuer wird Judäa auferstehn.* Die Begeisterung war mir fremd, aber die Musik in den Worten berührte mich.
Michael und ich machten einen langen Spaziergang an jenem Abend. Wir durchquerten das Bucharische Viertel und gingen die Shemuel-Hanavi-Straße hinunter bis zum Mandelbaum-Tor. Von hier aus nahmen wir den Weg, der im Bogen durch die Ungarischen Gebäude zum Abessinischen Viertel, nach Mousrara und schließlich das letzte Stück der Yafo-Straße entlang bis zum Notre-Dame-Platz führt. Jerusalem ist eine brennende Stadt. Ganze Viertel scheinen in der Luft zu hängen. Doch genaueres Hinsehen offenbart unermeßliche Schwere. Die überwältigende

Willkür der sich windenden Gassen. Ein Labyrinth provisorischer Unterkünfte, Hütten und Schuppen, die sich in schwelender Wut gegen den einmal blau und dann wieder rötlich schimmernden grauen Stein lehnen. Rostende Dachrinnen. Zerfallene Mauern. Ein harter, stummer Kampf zwischen Mauerwerk und störrischer Vegetation. Ödland voller Schutt und Disteln. Und schließlich die übermütigen Tricks des Lichts: Drängt sich eine wandernde Wolke einen Augenblick lang zwischen Dämmerung und Stadt, sieht Jerusalem gleich anders aus.
Und die Mauern.
Jedes Viertel, jeder Vorort hat einen versteckten, von hohen Mauern umschlossenen Kern. Feindliche Festen, die dem Passanten verschlossen sind. Kann man sich jemals zu Hause fühlen in Jerusalem, frage ich mich, selbst wenn man 100 Jahre hier gelebt hat? Stadt der Innenhöfe, deren Seele sich hinter düsteren, von Glassplittern gekrönten Mauern verbirgt. Es gibt kein Jerusalem. Ein paar Krumen wurden in der Absicht gestreut, unschuldige Menschen in die Irre zu führen. Eine Hülle birgt die nächste, und der Kern ist verboten. Ich habe geschrieben: »Ich bin in Jerusalem geboren«; »Jerusalem ist meine Stadt« kann ich nicht schreiben. Ich kann nicht wissen, welche Gefahren in den Tiefen des russischen Bezirks, hinter den Mauern der Schneller-Kaserne, in den klösterlichen Gehegen von En Kerem oder in der Enklave des auf dem Berg des Bösen Rates gelegenen Palastes des Hochkommissars auf mich lauern. Dies ist eine brütende Stadt.
In der Melisanda-Straße stürzte sich, als die Laternen angegangen waren, ein großer, würdevoller Mann auf Michael, faßte ihn wie einen alten Bekannten bei den Mantelknöpfen und sagte: »Verflucht seist du, o Störenfried Israels. Mögest du zugrunde gehen.«
Michael, der die Verrückten Jerusalems nicht kannte, war überrascht und erbleichte. Der Fremde lachte freundlich und fügte ruhig hinzu:
»Wie alle Feinde des Herrn zugrunde gehen mögen. Amen Selah.«

Michael wollte dem Fremden vielleicht gerade erklären, daß er ihn mit seinem schlimmsten Feind verwechselt haben müsse, doch der Mann setzte der Diskussion ein Ende, indem er auf Michaels Schuhe zielte:
»Ich spucke auf dich und all deine Nachkommen in Ewigkeit, Amen.«

Dörfer und Vororte drängen sich in engem Kreis um Jerusalem wie neugierige Passanten um eine verwundete, auf der Straße liegende Frau: Nebi Samwil, Shaafat, Sheikh Jarrah, Isawiya, Augusta Victoria, Wadi Al Joz, Silwan, Sur Bahir, Bet Safafa. Wenn sie ihre Fäuste ballten, würde die Stadt zerschmettert. Unglaublicherweise kommen abends gebrechliche, alte Gelehrte heraus, um frische Luft zu schnappen. Sie tappen mit ihren Stöcken auf das Pflaster wie blinde Wanderer in einer verschneiten Steppe. An jenem Abend begegneten uns zwei von ihnen in der Lunz-Straße, hinter dem Sansur-Haus. Sie gingen Arm in Arm, als wollten sie sich in einer feindlichen Umwelt gegenseitig Halt geben. Ich lächelte und grüßte sie heiter. Beide führten hastig die Hand zum Kopf. Einer schwenkte eifrig seinen Hut als Entgegnung auf meinen Gruß; des anderen Kopf war unbedeckt, und er winkte mir mit einer symbolischen oder geistesabwesenden Geste zu.

XXI

In jenem Herbst erhielt Michael eine Assistentenstelle im geologischen Fachbereich. Diesmal gab er keine Party, nahm sich jedoch zu diesem Anlaß zwei Tage frei. Wir fuhren mit Yair nach Tel Aviv, wo wir bei Tante Leah wohnten. Die flache, schimmernde Stadt, die leuchtendbunten Autobusse, der Anblick des Meeres und der Geschmack der salzigen Brise, die säuberlich beschnittenen Bäume, die die Straßen säumten, dies alles rief eine

brennende Sehnsucht in mir wach, wonach und warum wußte ich nicht. Alles war ruhig und voll unbestimmter Erwartung. Wir besuchten drei Schulfreunde Michaels und sahen uns zwei Vorstellungen im Habima-Theater an. Wir mieteten ein Boot und ruderten den Yarkon hinauf nach Seven Mills. Weitausladende Eukalyptusbäume spiegelten sich zitternd im Wasser. Es war ein sehr friedlicher Augenblick.
In jenem Herbst begann ich auch wieder, fünf Stunden täglich im Kindergarten der alten Sarah Zeldin zu arbeiten. Wir fingen an, das Geld, das wir uns nach der Hochzeit geliehen hatten, zurückzuzahlen. Wir zahlten sogar einen Teil des Geldes, das wir von Michaels Tanten erhalten hatten, zurück. Es gelang uns allerdings nicht, etwas für die Anzahlung auf eine neue Wohnung zu sparen, denn am Vorabend des Passahfestes* ging ich ohne Michaels Wissen los und kaufte bei Zuzovskys ein teures, modernes Sofa und drei dazu passende Sessel.
Sobald Michael die Genehmigung der Stadtverwaltung erhielt, mauerten wir den Balkon zu. Das neue Zimmer nannten wir das Studio. Hier stellte Michael seinen Schreibtisch auf, und auch die Bücherregale wanderten hinüber. Ich schenkte Michael zu unserem vierten Hochzeitstag den ersten Band der *Encyclopaedia Hebraica*. Michael kaufte mir einen in Israel hergestellten Radioapparat.
Michael arbeitete bis spät in die Nacht. Eine Glastür trennte das neue Studio von meinem Schlafzimmer. Durch die Glastür warf die Leselampe riesige Schatten auf die meinem Bett gegenüberliegende Wand. Nachts drang Michaels Schatten in meine Träume ein. Wenn er eine Schublade öffnete oder ein Buch wegschob, seine Brille aufsetzte oder die Pfeife anzündete, huschten dunkle Schatten über die Wand. Die Schatten fielen in absoluter Stille. Mitunter nahmen sie Formen an. Ich schloß fest die Augen, aber die Formen lockerten nicht ihren Griff. Wenn ich die Augen öffnete, schien der ganze Raum mit jeder Bewegung, die mein Mann nachts an seinem Schreibtisch machte, zusammenzu-

* *Passahfest:* Frühlingsfest zum Gedächtnis an den Auszug aus Ägypten.

stürzen. Ich bedauerte, daß Michael Geologe war und kein Architekt. Wenn er nur nachts über Plänen für Gebäude, Straßen, Festungen oder einen Hafen brüten könnte, in dem der britische Zerstörer *Dragon* einen Ankerplatz fände.
Michael hatte eine feingliedrige, sichere Hand. Was für zierliche Diagramme er zeichnete. Er zeichnet einen geologischen Plan auf dünnes Pauspapier und preßt dabei die Lippen fest zusammen. Er kommt mir wie ein General oder Staatsmann vor, der mit eiskalter Ruhe eine schicksalsschwere Entscheidung trifft. Wäre Michael ein Architekt, dann könnte ich vielleicht den Schatten akzeptieren, den er nachts auf meine Schlafzimmerwand wirft. Seltsam und erschreckend ist nachts der Gedanke, daß Michael unbekannte Schichten in den Tiefen der Erde erforscht. Als entweihe und provoziere er nachts eine unversöhnliche Welt.
Schließlich stand ich auf und machte mir ein Glas Pfefferminztee, wie ich es von Frau Tarnopoler, meiner ehemaligen Vermieterin, gelernt hatte. Oder ich machte das Licht an und las bis zwölf oder eins. Dann legte mein Mann sich still neben mich, sagte gute Nacht, küßte mich auf den Mund und zog sich die Bettdecke über den Kopf.
Die Bücher, die ich nachts las, erinnerten in nichts mehr daran, daß ich einmal Literatur studiert hatte: Somerset Maugham oder Daphne du Maurier auf englisch, in Paperbackausgaben mit glänzenden Umschlägen, Stefan Zweig, Romain Rolland. Mein Geschmack war sentimental geworden. Ich weinte, als ich André Maurois' *Claire oder das Land der Verheißung* in einer billigen Übersetzung las. Ich weinte wie ein Schulmädchen. Ich hatte die Erwartungen meines Professors nicht erfüllt. Ich hatte mich der Hoffnungen, die er kurz nach meiner Hochzeit in mich setzte, nie würdig erwiesen.

Wenn ich am Spülstein stand, konnte ich in den Garten hinuntersehen. Unser Garten war ungepflegt, schlammbedeckt im Winter und voller Staub und Disteln im Sommer. Zerbrochenes Geschirr lag im Garten herum. Yoram Kamnitzer und seine

Freunde hatten steinerne Festungen errichtet, deren Ruinen geblieben waren. Am Ende des Gartens lag ein kaputter Wasserhahn. Es gibt die russische Steppe, es gibt Neufundland, es gibt die Inseln des Archipels, und ich bin hier im Exil. Doch mitunter öffnen sich mir die Augen, und ich kann die Zeit sehen. Die Zeit ist wie ein Polizeifahrzeug, das nachts die Straßen abfährt und dessen Rotlicht so schnell aufblinkt, daß die Bewegung der Räder dagegen langsam scheint. Die Räder drehen sich leicht. Bewegen sich vorsichtig. Langsam. Drohend. Schleichend.
Ich wollte mir einreden, daß leblose Objekte einem anderen Rhythmus gehorchen, weil sie nicht denken können.
Zum Beispiel hing an einem Zweig des Feigenbaums, der in unserem Garten stand, seit Jahren eine rostige Schüssel. Vielleicht hatte ein längst verstorbener Nachbar sie einst aus dem Fenster der Wohnung über uns geworfen, und sie war in den Zweigen hängengeblieben. Sie hing bereits rostbedeckt vor unserem Küchenfenster, als wir einzogen. Vier, fünf Jahre lang. Selbst die wütenden Winterstürme hatten sie nicht heruntergeholt. Am Neujahrstag indessen stand ich am Spülbecken und sah mit eigenen Augen, wie die Schüssel vom Baum fiel. Kein Windhauch regte sich, keine Katze und kein Vogel bewegten die Zweige. Aber starke Kräfte kamen in diesem Moment zum Zuge. Das rostige Metall zerfiel, und die Schüssel schlug scheppernd zu Boden. Ich will damit sagen, daß ich all diese Jahre völligen Stillstand in einem Gegenstand gesehen hatte, in dem die ganze Zeit über ein verborgener Prozeß ablief.

XXII

Unsere Nachbarn sind in der Mehrzahl religiöse Leute mit vielen Kindern. Im Alter von vier Jahren stellt Yair manchmal Fragen, die ich nicht beantworten kann. Ich schicke ihn mit seinen Fragen zu seinem Vater. Und Michael, der mitunter mit mir redet

wie mit einem widerspenstigen kleinen Mädchen, spricht mit seinem Sohn von Mann zu Mann. Ich kann ihre Unterhaltung in der Küche mithören. Sie fallen sich nie gegenseitig ins Wort. Michael hat Yair beigebracht, alles, was er zu sagen hat, mit dem Wort »Ende« abzuschließen. Michael gebraucht diesen Ausdruck manchmal selber, wenn er mit einer seiner Antworten zu Ende ist. Mit dieser Methode wollte mein Mann seinen Sohn lehren, anderen Leuten nicht ins Wort zu fallen.
Yair fragte zum Beispiel: »Warum denkt jeder Mensch etwas anderes?« Und Michael erwiderte: »Alle Menschen sind verschieden.« Yair fragte dann: »Warum sind nicht zwei Erwachsene oder zwei Kinder gleich?« Michael gab zu, daß er die Antwort nicht wußte. Das Kind verstummte eine Weile, dachte lange nach und sagte etwa:
»Ich glaube, Mami weiß alles, denn Mami sagt nie, ich weiß es nicht. Mami sagt, ich weiß es, aber ich kann es nicht erklären. Ich meine, wenn man etwas nicht erklären kann, wie kann man dann sagen, daß man es weiß? Ende.«
Michael versuchte dann vielleicht mit einem leichten Lächeln, seinem Sohn den Unterschied zwischen Denken und Formulieren klarzumachen.
Wenn ich einer dieser Unterhaltungen folgte, mußte ich jedesmal unwillkürlich an meinen verstorbenen Vater denken, der ein aufmerksamer Mann war und jede Äußerung, die er hörte, und kam sie auch von einem Kind, auf Zeichen oder Andeutungen einer Wahrheit hin untersuchte, die ihm verwehrt war und an deren Schwelle er ein Leben lang demütig knien mußte.
Als Vier- und Fünfjähriger war Yair ein kräftiges, stilles Kind. Mitunter zeigte er Neigungen zu außergewöhnlicher Gewalttätigkeit. Vielleicht hatte er herausgefunden, wie ängstlich die Nachbarskinder waren. Er konnte selbst ältere Kinder mit seinen Drohgebärden in Angst und Schrecken versetzen. Gelegentlich bezog er von den Eltern anderer Kinder Prügel. Doch meistens weigerte er sich, zu sagen, wer für seine Wunden verantwortlich war. Wenn Michael ihn bedrängte, erwiderte er häufig:

»Es geschieht mir ganz recht, weil ich angefangen habe. Ich habe mit der Prügelei angefangen, und dann haben sie zurückgeschlagen. Ende.«
»Warum hast du angefangen?«
»Sie haben mich gereizt.«
»Womit haben sie dich gereizt?«
»Mit allem Möglichen.«
»Zum Beispiel?«
»Weiß ich nicht. Sachen nicht sagen – nicht tun.«
»Was für Sachen?«
»Sachen.«

Ich bemerkte eine trotzige Ungezogenheit in meinem Sohn. Ein konzentriertes Interesse am Essen. An Gegenständen. Elektrischen Instrumenten. Der Uhr. Langanhaltendes Schweigen, als sei er ständig mit komplizierten Gedankengängen beschäftigt.
Michael erhob nie die Hand gegen das Kind, aus Prinzip nicht und weil er selber mit viel Verständnis aufgezogen und als Kind nie geschlagen worden war. Von mir kann ich das nicht sagen. Ich schlug Yair, sobald er seine trotzige Ungezogenheit hervorkehrte. Ohne in seine ruhigen, grauen Augen zu sehen, drosch ich auf ihn ein, bis es mir keuchend gelang, die Schluchzer aus seiner Kehle zu pressen. Seine Willenskraft war so stark, daß es mich manchmal schauderte, und wenn sein Stolz endlich gebrochen war, stieß er ein groteskes Winseln aus, das mehr wie die Imitation eines weinendes Kindes klang.

Über uns im zweiten Stock, der Kamnitzerschen Wohnung gegenüber, lebte ein kinderloses, älteres Ehepaar. Ihr Name war Glick. Er war ein frommer, kleiner Kurzwarenhändler, und sie litt unter hysterischen Anfällen. Nachts weckte mich anhaltendes, leises Schluchzen auf wie das eines jungen Hundes. Mitunter hörte man vor Morgengrauen einen grellen Schrei, dem nach einer Pause ein zweiter, gedämpfter folgte, als würde er unter Wasser ausgestoßen. Ich sprang aus dem Bett und rannte im

Nachthemd ins Kinderzimmer. Manchmal glaubte ich, Yair würde schreien, meinem Sohn würde etwas Schreckliches zustoßen.

Ich haßte die Nächte.

Das Meqor-Barukh-Viertel ist aus Stein und Eisen erbaut. Eiserne Geländer an Treppenfluchten, die an den Außenwänden alter Häuser emporklettern. Schmutzige Eisentore, auf denen das Datum der Errichtung und die Namen des Stifters und seiner Eltern stehen. Verkommene, in verzerrten Posen erstarrte Zäune. Rostige, in einem einzigen Scharnier hängende Fensterläden, die jederzeit auf die Straße zu stürzen drohen. Und auf einer Mauer unweit unseres Hauses, von der der Verputz abbröckelt, in roter Farbe der Slogan *»Judäa fiel in Blut und Feuer, in Blut und Feuer wird Judäa auferstehn«*. Nicht die Aussage dieses Slogans spricht mich an, sondern eine gewisse Symmetrie. Eine Art strenges Gleichgewicht, das ich nicht erklären kann, das aber auch nachts gegenwärtig ist, wenn die Laternen den Schatten der Fensterbalken auf die Wand mir gegenüber prägen und alles sich zu verdoppeln scheint.

Wenn der Wind bläst, rüttelt er an den Wellblechverschlägen, die die Leute auf ihren Balkonen und Dächern errichten. Auch dieses Geräusch trägt zu meiner ständig wiederkehrenden Niedergeschlagenheit bei. Gegen Ende der Nacht schweben die beiden still über unserem Viertel. Nackt bis zur Taille, barfuß und leicht gleiten sie draußen vorüber. Magere Fäuste hämmern auf das Wellblech, denn sie haben den Auftrag, die Hunde zur Raserei zu bringen. Gegen Morgen geht das Bellen der Hunde in ein verwirrendes Heulen über. Draußen gleiten die Zwillinge weiter. Ich kann es fühlen. Ich kann das Tappen ihrer bloßen Füße hören. Sie lachen sich lautlos zu. Einer stellt sich dem anderen auf die Schultern. Sie klettern über den Feigenbaum, der in unserem Garten wächst, hinauf zu mir. Sie haben Anweisung, mit einem Zweig gegen meinen Fensterladen zu klopfen. Nicht fest. Leise. Einmal hörte ich Fingernägel, die sich an den Läden festklammerten. Einmal entschlossen sie sich, mit Tannenzapfen zu werfen. Sie haben den Auftrag, mich zu wecken. Irgendwer bildet sich ein, ich würde schlafen. Als junges Mädchen war ich erfüllt von der Kraft zu lieben, und nun stirbt diese Kraft. Ich will nicht sterben.

Im Laufe dieser Jahre stellte ich mir gelegentlich ähnliche Fragen, wie sie mir in jener Nacht drei Wochen vor unserer Hochzeit durch den Kopf gegangen waren, als wir zu Fuß von Tirat Yaar zurückliefen. Was findest du an diesem Mann, und was weißt du über ihn? Wenn nun ein anderer Mann nach deinem Arm gegriffen hätte, als du auf der Treppe von Terra Sancta ausrutschtest? Sind da Kräfte am Werk, Kräfte, die man vielleicht nicht benennen kann, oder hatte Frau Tarnopoler recht mit dem, was sie mir zwei Tage vor der Hochzeit sagte?
Was mein Mann denkt, versuche ich nicht herauszufinden. Sein Gesicht strahlt Ruhe aus, als hätte man ihm seinen Wunsch erfüllt und als warte er nun, müßig und zufrieden, auf den Bus, der ihn nach einem genußreichen Zoobesuch nach Hause fährt, wo er essen, sich ausziehen und zu Bett gehen wird. Wenn wir in der Grundschule einen Ausflug beschrieben, pflegten wir unsere Gefühle am Ende mit den Worten »müde, aber glücklich« zusammenzufassen. Das ist genau der Ausdruck, den Michaels Gesicht meist zeigt. Michael wechselt jeden Morgen einmal den Bus, um zur Universität zu kommen. Die Aktentasche, die sein Vater ihm zur Hochzeit geschenkt hatte, ein Überbleibsel aus den Notstandsjahren und aus synthetischem Material, war längst abgenutzt, aber ich durfte ihm keine neue kaufen. Er hänge sehr an der alten, sagte er.
Mit fester, sicherer Hand nutzt die Zeit leblose Gegenstände ab. Alle Dinge sind ihr ausgeliefert.
In seiner Aktentasche hat Michael seine Vorlesungsnotizen, die er mit römischen Zahlen numeriert, statt mit den gewöhnlichen arabischen. Er trägt außerdem sommers wie winters einen von meiner Mutter gestrickten Wollschal in seiner Aktentasche herum. Und ein paar Tabletten gegen Sodbrennen. Letzthin litt Michael unter leichtem Sodbrennen, besonders kurz vor dem Mittagessen.

Im Winter trägt mein Mann einen bläulich-grauen Regenmantel, der zu der Farbe seiner Augen paßt. Und er trägt einen Plastikschutz über seinem Hut. Im Sommer trägt er ein loses Maschenhemd ohne Krawatte. Sein magerer, behaarter Körper schimmert durch das Hemd. Er besteht noch immer darauf, das Haar kurzgeschoren zu tragen, so daß er wie ein Sportler oder Offizier aussieht. Hatte Michael je den Wunsch, ein Sportler oder Offizier zu sein? Wie wenig man doch über einen anderen Menschen erfährt. Selbst wenn man sehr aufmerksam ist. Selbst wenn man nie etwas vergißt.

Wir reden nicht viel an einem gewöhnlichen Nachmittag:.reichst du mir bitte, hältst du mal, beeil dich, mach nicht so ein Durcheinander, wo ist Yair, das Abendessen ist fertig, würdest du bitte das Licht im Flur ausmachen.
Abends nach den Neun-Uhr-Nachrichten sitzen wir uns in unseren Sesseln gegenüber und schälen und essen Obst. Chruschtschow wird Gomulka schon fertigmachen; Eisenhower wird nicht wagen. Beabsichtigt die Regierung wirklich? Der König von Irak ist eine Marionette in den Händen junger Offiziere. Die Wahlen werden keine großen Veränderungen bringen.
Dann setzt sich Michael an seinen Schreibtisch und setzt die Lesebrille auf. Ich stelle das Radio leise an und höre Musik. Kein Konzert, sondern Tanzmusik von einem weit entfernten ausländischen Sender. Um elf gehe ich schlafen. In einer der Wände ist ein Wasserrohr. Das Geräusch verborgenen Wasserziehens. Das Husten. Der Wind.

Jeden Dienstag geht Michael auf dem Heimweg von der Universität durch die Innenstadt und kauft bei der Kahana-Agentur zwei Kinokarten. Wir ziehen uns um acht Uhr um und verlassen um Viertel nach acht das Haus. Der blasse Junge Yoram Kamnitzer paßt auf Yair auf, während Michael und ich im Kino sind. Als Gegenleistung helfe ich ihm bei den Vorbereitungen auf seine Prüfung in hebräischer Literatur. Ihm habe ich es zu verdanken, daß ich nicht alles, was ich als Studentin lernte, verges-

sen habe. Wir setzen uns zusammen und lesen die Essays von Ahad Haam, vergleichen Priester und Prophet, Fleisch und Geist, Sklaverei und Freiheit. Alle Ideen sind in symmetrisch kontrastierenden Paaren ausgedrückt. Mir gefallen solche Systeme. Auch Yoram meint, Prophetentum, Freiheit und Geist verlangten von uns, daß wir uns von den Fesseln der Sklaverei und des Fleisches befreien. Wenn ich eines seiner Gedichte bewundere, ist ein grünes Leuchten in seinen Augen. Yorams Gedichte sind mit Leidenschaft geschrieben. Er benutzt ungewöhnliche Wörter und Sätze. Einmal fragte ich ihn nach der Bedeutung des Ausdrucks »asketische Liebe«, der in einem seiner Gedichte vorkam. Yoram erklärte, nicht jede Liebe sei ein Grund zur Freude. Ich wiederholte eine Bemerkung, die ich vor langer Zeit von meinem Mann gehört hatte, daß sich Gefühle wie ein bösartiger Tumor ausbreiten, wenn die Leute zufrieden sind und nichts zu tun haben.
Yoram sagte »Frau Gonen«, und seine Stimme brach plötzlich, so daß die letzte Silbe wie ein Quietscher klang, denn er war in dem Alter, in dem es für Jungen schwierig ist, ihre Stimme zu beherrschen.
Wenn Michael den Raum betrat, in dem ich mit Yoram saß, schien der Junge innerlich zu schrumpfen. Er machte einen Buckel und starrte auf unangenehme Weise den Boden an, als habe er etwas auf den Teppich geschüttet oder eine Vase umgeworfen. Yoram Kamnitzer würde die Oberschule abschließen, die Universität besuchen und dann in Jerusalem Hebräisch und Bibelkunde lehren. Zum neuen Jahr würde er uns eine hübsche Glückwunschkarte schicken, und auch von uns bekäme er eine. Die Zeit wäre noch immer da, groß und durchsichtig, Yoram und mir feindlich gesinnt, nichts Gutes verheißend.

Eines Tages im Herbst 1954 kam Michael abends mit einem grauweißen Kätzchen im Arm nach Hause. Er hatte es in der David-Yelin-Straße gefunden, bei der Mauer der religiösen Mädchenschule.
»Ist es nicht süß? Faß mal an. Schau, wie es seine winzige Pfote

hebt und uns bedroht, als wäre es zumindest ein Leopard oder ein Panther. Wo ist Yairs Tierbuch? Hol doch bitte mal das Buch, Mami, und laß uns Yair zeigen, daß Katzen und Leoparden Vettern sind.«
Als Michael die Hand meines Sohnes nahm und ihn das Kätzchen streicheln ließ, zuckten die Mundwinkel des Kindes, als sei das Kätzchen zerbrechlich oder das Streicheln mit Gefahr verbunden.
»Schau, Mami, es sieht mich an. Was will es denn?«
»Es will essen, Liebling. Und schlafen. Geh und mach ihm einen Schlafplatz auf dem Küchenboden. Nein, Dummes, Katzen brauchen keine Decken.«
»Warum nicht?«
»Weil sie nicht wie Menschen sind. Sie sind anders.«
»Warum sind sie anders?«
»Sie sind nun mal anders. Ich kann es nicht erklären.«
»Vati, warum brauchen Katzen keine Decken wie wir?«
»Weil Katzen ein warmes Fell haben, das sie auch ohne Decken warm hält.«

Michael und Yair spielten den ganzen Abend mit dem Kätzchen. Sie nannten es »Schneeball«. Es war erst ein paar Wochen alt und in seinen Bewegungen noch rührend unbeholfen. Es versuchte mit aller Kraft, eine Motte zu fangen, die dicht unter der Küchendecke herumflatterte. Seine Sprünge waren lächerlich, denn es fehlte ihm jeder Sinn für Höhe oder Entfernung. Es sprang einfach ein paar Zentimeter in die Höhe und öffnete und schloß dabei seine kleinen Krallen, als hätte es die Motte bereits erwischt. Wir mußten lachen. Das Kätzchen hielt in der Bewegung inne, als wir lachten, und gab einen Zischlaut von sich, der markerschütternd sein sollte. »Schneeball wird groß werden«, sagte Yair, »und die stärkste Katze im Viertel sein. Wir werden ihn lehren, das Haus zu bewachen und Diebe und Eindringlinge zu fangen. Schneeball wird unsere Wachkatze sein.«
»Es braucht etwas zu essen«, sagte Michael. »Und es braucht Zuneigung. Jedes Lebewesen braucht Liebe. Wir werden

Schneeball also liebhaben, und Schneeball wird uns liebhaben. Du brauchst ihn deshalb nicht zu küssen, Yair. Mami wird böse mit dir sein.«
Ich steuerte ein grünes Plastikschüsselchen, Milch und Käse bei. Michael mußte Schneeballs Nase in die Milch stecken, da das Kätzchen noch nicht gelernt hatte, aus einer Schüssel zu trinken. Das Tier erschrak. Es spuckte und schüttelte wild den nassen Kopf. Weiße Tropfen flogen herum. Schließlich kehrte es uns ein feuchtes, klägliches, besiegtes Gesicht zu. Schneeballs Farbe war nicht schneeweiß, sondern grau-weiß. Eine gewöhnliche Katze.

In der Nacht entdeckte das Kätzchen eine schmale Öffnung am Küchenfenster. Es schlüpfte über den Balkon ins Schlafzimmer und fand unser Bett. Obwohl Michael es aufgelesen und den ganzen Abend mit ihm gespielt hatte, rollte es sich zu meinen Füßen zusammen. Es war ein undankbares Kätzchen. Es ignorierte die Person, die gut zu ihm gewesen war, und schmeichelte sich statt dessen bei derjenigen ein, die sich abweisend verhalten hatte. Vor ein paar Jahren hatte Michael Gonen mir gesagt: »Eine Katze freundet sich niemals mit den falschen Leuten an.« Jetzt wurde mir klar, daß dies lediglich eine Metapher gewesen war, die man nicht wörtlich nehmen durfte, und daß Michael diesen Satz gesagt hatte, um originell zu erscheinen. Das Kätzchen lag zusammengerollt zu meinen Füßen und gab schnurrende Laute von sich, die friedlich waren und beruhigend. Gegen Morgen kratzte das Kätzchen an der Tür. Ich stand auf und ließ es hinaus. Kaum war es draußen, begann es, vor der Tür zu miauen und wollte eingelassen werden. War es im Zimmer, stolzierte es zur Balkontür, gähnte, streckte sich, knurrte, miaute und wollte wieder hinaus. Schneeball war ein launisches Kätzchen, vielleicht auch einfach sehr unentschlossen.

Nach fünf Tagen verließ unser neues Kätzchen die Wohnung und kam nicht mehr zurück. Mein Mann und mein Sohn suchten den ganzen Abend die Straße, die Nachbarschaft und auch die

Mauer der religiösen Mädchenschule ab, wo Michael es in der vergangenen Woche gefunden hatte. Yair meinte, wir hätten Schneeball beleidigt. Michael wiederum deutete an, daß es zu seiner Mutter zurückgekehrt sei. Mein Gewissen war rein. Ich erwähne das, weil man mich verdächtigte, das Kätzchen beseitigt zu haben. Glaubte Michael wirklich, ich könnte ein Kätzchen vergiften?
»Ich sehe ja ein«, sagte er, »daß es nicht richtig von mir war, eine Katze ins Haus zu bringen, ohne dich zu fragen, als lebte ich allein. Bitte versuche mich zu verstehen: Ich wollte nur dem Jungen eine Freude machen. Als ich ein Kind war, wünschte ich mir so sehr eine Katze, aber mein Vater hat es nicht erlaubt.«
»Ich habe sie nicht angerührt, Michael. Du mußt mir glauben. Ich werde auch keinen Einspruch erheben, wenn du ein anderes Kätzchen mitbringst. Ich habe sie nicht angerührt.«
»Vermutlich ist sie in einem Feuerwagen gen Himmel gefahren.« Michael lächelte ein trockenes Lächeln. »Reden wir nicht mehr davon. Mir tut nur der Junge leid. Er hing sehr an Schneeball. Aber lassen wir das Thema. Müssen wir uns über ein kleines Kätzchen streiten?«
»Wir haben keinen Streit«, sagte ich.
»Keinen Streit und kein Kätzchen.« Wieder lächelte Michael sein trockenes Lächeln.

XXIII

Um diese Zeit herum bekamen unsere Nächte eine neue Intensität. Dank geduldiger und sorgfältiger Beobachtung hatte Michael gelernt, meinen Körper zu erfreuen. Seine Finger waren zuversichtlich und erfahren. Sie gaben nie auf, ehe sie mich nicht zu einem tiefen Seufzer gezwungen hatten. Michael brachte viel Geduld und Einfühlungsvermögen auf, um mir diesen Seufzer zu entlocken. Er lernte, seine Lippen auf eine bestimmte Stelle meines Halses zu pressen und dort ungestüm zu verweilen. Mit

seiner warmen, festen Hand meinen Rücken hinauf bis in den Nacken zu klettern, bis zu den Haarwurzeln, und auf einem anderen Weg wieder hinunterzugleiten. Beim dürftigen Licht der durch die Rippen der Fensterläden scheinenden Straßenlaterne sah Michael auf meinem Gesicht einen Ausdruck, der dem eines scharfen Schmerzes ähnelte. Die Anstrengung, mich zu konzentrieren, war so groß, daß ich die Augen stets geschlossen hielt. Ich weiß, daß Michaels Augen nicht geschlossen waren, denn er war konzentriert und klar. Klar und zuverlässig war jetzt seine Berührung. Jede Bewegung seiner Hand war darauf abgestellt, mir Freude zu bereiten. Wenn ich gegen Morgen erwachte, wollte ich ihn wieder. Wilde Visionen stellten sich ein, ohne daß ich es wollte. Ein in Felle gehüllter Einsiedler nimmt mich mit in den Schneller-Wald, beißt mich in die Schulter und schreit. Ein verrückter Arbeiter von der neuen Fabrik im Westen von Meqor Barukh schnappt mich und stürzt davon in die Hügel. Er trägt mich leicht auf seinen ölverschmierten Armen. Und die Dunklen: Ihre Hände sind weich, aber fest, ihre Beine behaart und bronzefarben. Sie lachen nicht.
Oder der Krieg ist ausgebrochen in Jerusalem, und ich stürze in einem dünnen Nachthemd aus dem Haus und renne wie wahnsinnig eine dunkle, schmale Straße entlang. Glänzende Fackeln erhellen plötzlich die Zypressenallee: Mein Kind ist weg. Ernste, fremde Männer suchen nach ihm in den Tälern. Ein Fährtensucher. Polizisten. Erschöpfte Freiwillige aus den umliegenden Dörfern. Das Mitgefühl leuchtet ihnen aus den Augen, aber sie sind sehr beschäftigt. Höflich, aber bestimmt betonen sie, ich solle mir keine Sorgen machen. Die Chancen seien gut. Nach Sonnenaufgang werde die Suche verstärkt fortgesetzt. Ich wanderte durch die düsteren Gassen hinter der Straße der Abessinier. Ich rief »Yair, Yair« in einer Straße, auf der das Pflaster übersät war mit toten Katzen. Aus einem der Höfe trat der ehrwürdige Professor, der mich hebräische Literatur gelehrt hatte. Er trug einen schäbigen Anzug. Sein Lächeln war das Lächeln eines sehr müden Mannes. »Auch Sie sind kinderlos, junge Frau«, sagte er höflich, »deshalb werden Sie mir erlauben, Sie hereinzubitten.«

Wer ist jenes fremde Mädchen im grünen Kleid, das ein Stück weiter die Straße hinunter die Arme um die Taille meines Mannes gelegt hat, als wäre ich nicht hier? Ich war unsichtbar. Mein Mann sagte: »Ein glückliches Gefühl. Ein trauriges Gefühl.« Er sagte: »Sie wollen einen sehr tiefen Hafen in Ashod bauen.«

Es war Herbst. Die Bäume waren nicht richtig in der Erde verankert. Wiegten sich argwöhnisch. Obszön. Auf einem hohen Balkon sah ich Kapitän Nemo. Sein Gesicht war bleich, und seine Augen glänzten. Sein schwarzer Bart war gestutzt. Ich wußte, daß es mein Fehler war, mein Fehler, daß sie nicht rechtzeitig in See stechen konnten. Die Zeit eilt dahin. Ich schäme mich, Kapitän. Sehen Sie mich nicht so stumm an.

Mit sechs oder sieben Jahren saß ich einmal in meines Vaters Geschäft in der Yafo-Straße, als der Dichter Saul Tschernichowsky hereinkam, um eine Tischlampe zu kaufen. »Ist dieses reizende Mädchen auch zu haben?«, fragte der Dichter lachend meinen Vater. Plötzlich hob er mich mit seinen starken Armen hoch, und sein silbriger Schnurrbart kitzelte meine Wange. Sein Körper roch warm und stark. Sein Lachen war spitzbübisch wie das eines stolzen Jungen, dem es gelungen ist, die Erwachsenen zu provozieren. Als er gegangen war, zitterte mein Vater vor Aufregung. »Unser großer Dichter sprach mit uns und benahm sich wie ein gewöhnlicher Kunde. Aber sicher wollte der Dichter etwas damit sagen«, fuhr mein Vater in nachdenklichem Tonfall fort, »als er Hannah mit seinen Armen hochhob und dieses gewaltige Lachen lachte.« Ich habe es nicht vergessen. Im Frühwinter 1954 träumte ich von dem Dichter. Und von der Stadt Danzig. Und von einer großen Prozession.

Michael hatte begonnen, Briefmarken zu sammeln. Als Erklärung gab er an, er sammle sie um des Kindes willen, aber Yair hatte bislang nicht das geringste Interesse an Briefmarken gezeigt. Eines Abends zeigte mir Michael eine seltene Marke von Danzig. Woher hatte er sie? An jenem Morgen habe er in der

Solel-Straße ein ausländisches Buch aus zweiter Hand gekauft. Das Buch heiße *Die Seismographie der Tiefwasserseen*, und zwischen den Seiten habe er diese seltene Marke von Danzig gefunden. Michael versuchte, mir den hohen Wert von Briefmarken aus nicht mehr existierenden Staaten zu erklären: Lettland, Litauen, Estland, die Freie Stadt Danzig, Schleswig-Holstein, Böhmen und Mähren, Serbien, Kroatien. Ich verliebte mich in die Namen, die Michael aussprach.

Die seltene Marke sah nicht sehr aufregend aus: dunkle Farben, ein stilisiertes Kreuz mit einer Krone darüber und in gotischer Schrift »Freie Stadt«. Es war kein Bild auf der Briefmarke. Wie sollte ich wissen, wie die Stadt aussah? Breite Alleen oder von hohen Mauern umgebene Gebäude? Steil abfallend und die Füße ins Wasser des Hafens tauchend wie Haifa oder sich flach über eine morastige Ebene erstreckend? Eine Stadt der Türme, umgeben von Wäldern, oder vielleicht eine Stadt der Banken und Fabriken, erbaut nach einem quadratischen Plan? Die Briefmarke gab keinen Hinweis.

Ich fragte Michael, wie die Stadt Danzig aussehe.

Michael antwortete mit einem Lächeln, als sei dieses Lächeln die einzige Antwort, die ich von ihm erwartete.

Ich wiederholte meine Frage. Weil ich zweimal gefragt hatte, war er gezwungen, zuzugeben, daß ihn meine Frage erstaunte. »Warum zum Teufel willst du wissen, wie Danzig aussieht? Und wie kommst du darauf, daß ich es wüßte? Nach dem Essen schlage ich es für dich in der *Encyclopaedia Hebraica* nach – nein, das kann ich nicht, weil sie noch nicht bis ›D‹ gekommen sind. Übrigens, wenn dir daran liegt, einmal ins Ausland zu reisen, rate ich dir, ein bißchen sparsamer zu sein und deine neuen Kleider nicht gleich nach ein paar Wochen wieder wegzuwerfen. Was ist eigentlich aus dem grauen Rock geworden, den wir am Laubhüttenfest zusammen in der Maayan-Stub gekauft haben?«

Von Michael konnte ich also nichts über die Stadt Danzig erfahren. Beim Geschirrabtrocknen nach dem Essen machte ich mich über ihn lustig. Ich sagte, er täte nur so, als sammle er Briefmar-

ken für das Kind, das Kind sei vielmehr nur eine Ausrede für seinen eigenen infantilen Wunsch, wie ein Baby mit Briefmarken zu spielen. Ich wollte auch einmal recht behalten.
Michael verweigerte mir selbst diese magere Genugtuung. Er ist nicht leicht beleidigt: Er unterbrach den Strom meiner Anschuldigungen nicht, denn es ist nicht richtig, jemandem, der redet, ins Wort zu fallen. Er fuhr fort, den Porzellanteller, den er in der Hand hielt, sorgfältig abzutrocknen. Er stellte sich auf die Zehenspitzen, um den sauberen Teller zurück auf seinen Platz im Schrank über dem Spülbecken zu stellen. Dann sagte er, ohne den Kopf zu wenden, daß ich nichts Neues gesagt habe. Man brauche nicht viel von Psychologie zu verstehen, um zu wissen, daß auch Erwachsene gelegentlich gern spielen. Er sammle Briefmarken für Yair, so wie ich Papierfiguren aus Zeitschriften für ihn ausschneide, obwohl sich das Kind nicht im geringsten dafür interessiere. Warum machte ich mich also über seine Lust am Briefmarkensammeln lustig?

Nachdem wir die Teller weggeräumt hatten, setzte sich Michael in einen Sessel und hörte Nachrichten. Ich saß ihm gegenüber und schwieg. Wir schälten Obst. Wir reichten einander das geschälte Obst. Michael sagte:
»Die Stromrechnung ist enorm hoch diesen Monat.«
Ich sagte:
»Alles wird teurer. Der Milchpreis ist auch wieder gestiegen.«

In jener Nacht träumte ich von Danzig.
Ich war eine Prinzessin. Vom Turm meines Schlosses aus blickte ich über die Stadt. Scharen von Untertanen hatten sich am Fuß des Turmes versammelt. Ich streckte meine Arme aus und grüßte sie. Die Geste erinnerte an die Haltung der bronzenen Jungfrau auf dem Terra-Sancta-Kloster.
Ich sah unzählige, düstere Dächer. Im Südosten verdunkelte sich der Himmel über den alten Teilen der Stadt. Schwarze Wolken jagten von Norden heran. Es wird Sturm geben. Am Fuß des

Hügels konnte ich die Silhouetten gigantischer Ladekräne im Hafen erkennen, schwarze, eiserne Schafotte. An der Spitze jedes Ladekrans flackerte ein rotes Warnlicht. Das Tageslicht ging allmählich in Grau über. Ich hörte die Sirene eines Schiffes, das den Hafen verließ. Im Süden konnte ich das Getöse fahrender Züge hören, doch die Züge selbst waren unsichtbar. Ich konnte einen Park mit belaubtem Gebüsch sehen. In der Mitte des Parks war ein länglicher See. Mitten im See war eine kleine, langgestreckte Insel. Auf ihr stand die Statue einer Prinzessin. Meine Statue.

Das Hafenwasser war schmierig vom schwarzen Öl der Schiffe. Die Straßenlaternen gingen an und warfen Streifen kalten Lichts auf meine Stadt. Die kühle Helle prallte gegen das Dach aus Nebel. Wolken und Rauch. Sie sammelte sich wie ein düsterer Heiligenschein am Himmel über den Vororten.

Tosender Lärm stieg vom Platz auf. Ich, die Prinzessin der Stadt, stand auf dem Turm des Palastes und sollte zu den auf dem Platz wartenden Menschen sprechen. Ich mußte ihnen sagen, daß ich sie liebte, daß ich ihnen verzieh, daß ich jedoch lange schwer krank gewesen sei. Ich konnte nicht sprechen. Ich war immer noch krank. Der Dichter Saul, den ich zum Großkämmerer ernannt hatte, kam und stellte sich zu meiner Rechten auf. Er redete besänftigend in einer Sprache, die ich nicht verstehen konnte, auf die Leute ein. Die Menge jubelte ihm zu. Plötzlich glaubte ich unter den Jubelrufen ein undeutliches, zorniges Gemurmel zu hören. Der Dichter sprach vier sich reimende Worte, einen Slogan oder Leitsatz in einer anderen Sprache, und die Menge brach in ansteckendes Gelächter aus. Eine Frau fing an zu rufen. Ein Kind kletterte auf eine Säule und schnitt Grimassen. Ein Mann in einem Mantel machte eine boshafte Bemerkung. Die lauten Jubelrufe übertönten alles andere. Dann legte mir der Dichter einen warmen Mantel um die Schultern. Ich berührte sein feines, silbriges Haar mit meinen Fingerspitzen. Die Geste versetzte die Menge in glühende Erregung, der Lärm schwoll an, bis er zum Tumult wurde. Ein Ausbruch der Liebe oder des Zorns.

Ein Flugzeug flog über die Stadt. Ich befahl ihm, grün und rot zu blinken. Für einen Augenblick schien das Flugzeug mitten unter den Sternen zu fliegen und die schwächeren von ihnen hinter sich herzuziehen. Dann drängte sich eine Armee-Einheit über den Zionsplatz. Die Männer sangen eine feurige Hymne zu Ehren der Prinzessin. Ich wurde in einem von vier grauen Pferden gezogenen Wagen durch die Straßen gefahren. Mit müder Hand streute ich Küsse unter mein Volk. Meine Untertanen drängten sich zu Tausenden in der Geula-Straße, in Mahane Yehuda, in der Ussishkin-Straße und der Keren-Kayemet-Straße. Jede Hand hielt eine Fahne oder eine Blume. Es war ein Festzug. Ich stützte mich auf die Arme meiner beiden Leibwächter. Sie waren beherrscht, grazil und dunkel. Ich war müde. Meine Untertanen warfen mir Chrysanthemenkränze zu. Chrysanthemen sind meine Lieblingsblumen. Es war ein Festtag. Beim Terra-Sancta-College streckte mir Michael seinen Arm entgegen und half mir aus dem Wagen. Wie gewöhnlich war er ruhig und gefaßt. Die Prinzessin wußte, daß dies ein entscheidender Moment war. Sie spürte, daß sie königlich sein mußte. Ein kleiner Bibliothekar mit einem schwarzen Käppchen auf dem Kopf erschien. Seine Haltung war unterwürfig. Es war Yehezkel, Michaels Vater. »Eure Hoheit.« Der Zeremonienmeister verbeugte sich untertänigst. »Mit der gütigen Erlaubnis Eurer Hoheit.« Hinter der Unterwürfigkeit glaubte ich unbestimmten Spott zu spüren. Ich hatte das trockene Lachen der alten Sarah Zeldin noch nie gemocht. Sie hat kein Recht, dort auf dem Treppenabsatz zu stehen und mich auszulachen. Ich war im Souterrain der Bibliothek. Im Zwielicht konnte ich die Gestalten magerer Frauen ausmachen. Die mageren Frauen lagen mit unzüchtig gespreizten Beinen auf dem Boden, in dem engen Gang zwischen den Bücherborden. Der Boden war schleimig. Die mageren Frauen sahen alle gleich aus mit ihren gefärbten Haaren und den obszön zur Schau gestellten Brüsten. Nicht eine von ihnen lächelte oder zollte mir Respekt. Auf ihren Gesichtern lag gefrorenes Leid. Sie waren vulgär. Diese Frauen, die mich haßten, berührten mich und berührten mich doch nicht. Ihre Finger waren spitz und drohend.

Es waren liederliche Frauenzimmer aus dem Hafenviertel. Sie spotteten laut über mich. Sie rülpsten. Sie waren betrunken. Ein widerlicher Gestank entstieg ihren Körpern. »Ich bin die Prinzessin von Danzig«, versuchte ich zu rufen, aber die Stimme versagte mir. Ich war eine dieser Frauen. Mir kam der Gedanke: »Sie sind alle Prinzessinnen von Danzig.« Ich erinnerte mich, daß ich eine wichtige Abordnung von Bürgern und Kaufleuten wegen irgendwelcher Privilegien empfangen sollte. Ich weiß nicht, was Privilegien sind. Ich bin müde. Ich bin eine jener harten Frauen. Aus dem Nebel, von den fernen Schiffswerften herüber, klang das Heulen eines Schiffes, wie von einer Schlachtszene. Ich war eine Gefangene im Souterrain der Bibliothek. Ich wurde einer Horde widerwärtiger Frauen auf dem schleimigen Boden ausgeliefert. Ich vergaß nicht, daß es einen britischen Zerstörer namens *Dragon* gab, der mich kannte und dem es gelingen würde, mich unter all den anderen ausfindig zu machen, der kommen und mein Leben retten würde. Doch das Meer würde erst in der neuen Eiszeit an die freie Stadt zurückkehren. Bis dahin war *Dragon* weit, weit weg und patrouillierte Tag und Nacht vor der Küste von Mozambique. Kein Schiff konnte die Stadt erreichen, die es schon lange nicht mehr gab. Ich war verloren.

XXIV

Mein Mann Michael Gonen widmete mir seinen ersten Artikel in einer wissenschaftlichen Zeitschrift. Der Titel lautete: »Erosionsprozesse in den Schluchten der Paran-Wüste.« Dieses Thema war ihm auch für seine Dissertation zugeteilt worden. Die Widmung stand in Kursivschrift unter dem Titel:
Der Autor möchte diese Arbeit Hannah, seiner verständnisvollen Frau, widmen.
Ich las den Artikel und gratulierte Michael: Mir gefiele die Art,

wie er den Gebrauch von Adjektiven und Adverbien vermeide und sich statt dessen auf Substantive und Verben konzentriere. Mir gefiele außerdem, daß er komplizierte Satzkonstruktionen vermeide. Er habe sich durchweg in kurzen, prägnanten Sätzen ausgedrückt. Ich bewundere seinen trockenen, sachlichen Stil.

Michael griff das Wort »trocken« auf. Wie die meisten Leute, die sich nicht für Sprache interessieren und Wörter benutzen wie Luft oder Wasser, dachte Michael, ich hätte das Wort abwertend gebraucht. Er bedaure, sagte er, daß er kein Dichter sei, daß er mir kein Gedicht widmen könne anstelle einer trockenen Forschungsarbeit. Jeder tue, was er kann. »Ich weiß – was für eine banale Gefühlsduselei.«

»Michael, glaubst du etwa, ich sei dir nicht dankbar für die Widmung oder wüßte den Artikel nicht zu schätzen?«

»Ich mache dir ja keine Vorwürfe. Der Artikel ist für Fachleute auf dem Gebiet der Geologie und der ihr verwandten Fächer gedacht. Geologie ist nicht Geschichte. Es ist möglich, hochgebildet und kultiviert zu sein, ohne die Grundbegriffe der Geologie zu kennen.«

Michaels Worte schmerzten mich, denn ich hatte nach einem Weg gesucht, seine Freude zu teilen und hatte ihn ungewollt verletzt.

»Kannst du mir in einfachen Worten erklären, warum es bei der Geomorphologie geht?«

Michael streckte nachdenklich die Hand aus, nahm seine Brille vom Tisch und betrachtete sie mit seinem geheimnisvollen Lächeln. Dann legte er sie wieder weg.

»Ja, ich bin bereit, es dir zu erklären, vorausgesetzt, daß du es wirklich wissen willst und nicht nur fragst, um mir einen Gefallen zu tun.

Nein, leg dein Strickzeug nicht weg. Ich sitze dir gern gegenüber und rede, während du strickst. Ich sehe dich gern entspannt. Du brauchst mich nicht anzusehen. Ich weiß, daß du mir zuhörst. Wir verhören uns ja nicht gegenseitig. Die Geomorphologie ist eine Wissenschaft an der Grenze zwischen Geologie und Geo-

graphie. Sie befaßt sich mit den Prozessen, die die Charakteristika der Erdoberfläche bestimmen. Die meisten Leute sind der irrigen Meinung, daß die Erde vor vielen Millionen Jahren ein für allemal geformt und erschaffen wurde. In Wirklichkeit bildet sich die Erdoberfläche ständig. Wenn wir einmal den beliebten Begriff ›Schöpfung‹ anwenden, dann können wir sagen, daß die Erde ständig erschaffen wird. Selbst während wir hier sitzen und reden. Unterschiedliche und sogar entgegengesetzte Faktoren arbeiten zusammen und formen und verändern die sichtbaren Konturen, aber auch die unterirdischen Merkmale, die wir nicht sehen können. Einige der Faktoren sind geologischen Ursprungs und auf die Aktivität des flüssigen Kerns im Erdinnern, auf seine allmähliche, ungleichmäßige Abkühlung zurückzuführen. Andere Faktoren sind atmosphärischer Natur, wie der Wind, Überschwemmungen und der Gegensatz von Hitze und Kälte, die sich in einem festgelegten Zyklus ablösen. Auch bestimmte physikalische Faktoren beeinflussen geomorphologische Prozesse. Gerade diese einfache Tatsache wird häufig von Wissenschaftlern übersehen, vielleicht wegen ihrer großen Einfachheit. Die physikalischen Faktoren sind so offensichtlich, daß selbst einige der hervorragendsten Experten gelegentlich dazu neigen, sie zu ignorieren. Die Schwerkraft zum Beispiel und die Sonnenaktivität. Man hat einige komplizierte und ausführliche Erklärungen für Phänomene vorgeschlagen, die sich auf die einfachsten Naturgesetze zurückführen lassen.
Neben den geologischen, atmosphärischen und physikalischen Faktoren müssen auch bestimmte Begriffe aus der Chemie berücksichtigt werden. Das Schmelzen zum Beispiel und die Fusion. Abschließend kann man sagen, daß die Geomorphologie der Treffpunkt verschiedener wissenschaftlicher Disziplinen ist. Nebenbei gesagt, wurde diese Methode bereits in der antiken griechischen Mythologie vorweggenommen, die die Entstehung der Welt einem fortwährenden Konflikt zuzuschreiben scheint. Dieses Prinzip wurde von der modernen Wissenschaft übernommen, die allerdings keinen Versuch unternimmt, den Ursprung der verschiedenen Faktoren zu erklären. In gewisser

Weise beschränken wir uns auf eine Frage, die viel enger gefaßt ist, als es in der antiken Mythologie der Fall war. Nicht ›warum?‹, sondern ›wie?‹ – das ist die einzige Frage, mit der wir uns beschäftigen. Doch einige moderne Wissenschaftler können mitunter der Versuchung nicht widerstehen, eine alles umfassende Erklärung zu finden. Besonders die sowjetische Schule macht, soweit man ihren Publikationen folgen kann, gelegentlich Gebrauch von Begriffen, die der klassischen Philologie entliehen sind. Es ist eine große Versuchung für jeden Naturwissenschaftler, sich von Metaphern fortreißen zu lassen und der weitverbreiteten Illusion zu erliegen, daß eine Metapher eine wissenschaftliche Definition ersetzen könne. Ich persönlich vermeide bewußt jene Schlagworte, die bei gewissen Schulen gebräuchlich sind. Ich meine damit so vage Begriffe wie ›Anziehung‹, ›Abstoßung‹, ›Rhythmus‹ und so weiter. Die Trennungslinie zwischen einer wissenschaftlichen Beschreibung und einem Märchen ist sehr fein. Viel feiner, als man gemeinhin glaubt. Ich gebe mir große Mühe, diese Linie nicht zu überschreiten. Vielleicht ist das der Grund, warum mein Artikel ziemlich trocken wirkt.«
»Michael«, sagte ich, »ich sollte versuchen, ein Mißverständnis aufzuklären. Als ich das Wort ›trocken‹ gebrauchte, habe ich es im lobenden Sinn benutzt.«
»Deine Worte machen mich sehr glücklich, wenn ich mir auch schlecht vorstellen kann, daß wir beide dasselbe meinen, wenn wir das Wort ›trocken‹ benutzen. Dazu unterscheiden wir uns zu sehr voneinander. Wenn du einmal ein paar Stunden Zeit für mich hast, zeige ich dir gern mein Labor. Du kannst auch eine meiner Vorlesungen hören. Dann wäre es viel einfacher, dir alles zu erklären, und vielleicht auch weniger trocken.«
»Morgen«, sagte ich. Und während ich das Wort aussprach, versuchte ich, mein hübschestes Lächeln aufzusetzen.
»Mit dem größten Vergnügen«, sagte Michael.

Am nächsten Morgen schickten wir Yair mit einem Entschuldigungsbrief an Sarah Zeldin in den Kindergarten: Aus dringenden persönlichen Gründen müsse ich mir einen Tag freinehmen.

Michael und ich fuhren mit den beiden Buslinien zum geologischen Labor. Als wir ankamen, bat Michael die Reinmachefrau, zwei Tassen Kaffee zu machen und sie hinauf in sein Zimmer zu bringen.
»Zwei Tassen heute, nicht eine«, sagte er gutgelaunt und fügte hastig hinzu: »Matilda, das ist Frau Gonen. Meine Frau.«
Dann gingen wir hinauf in Michaels Büro im zweiten Stock. Es war ein winziger Verschlag am Ende des Korridors, den man mittels einer Sperrholzwand von diesem abgetrennt hatte. In dem Raum standen ein Schreibtisch, der seinen Weg hierher aus einem Büro der britischen Verwaltung gefunden hatte, zwei Korbstühle und ein leeres Bücherbord, das mit einer als Blumenvase dienenden großen Geschoßhülse geschmückt war. Unter der Glasplatte des Schreibtisches waren ich an unserem Hochzeitstag, Yair in einem Phantasiekostüm und zwei weiße, aus einer farbigen Illustrierten ausgeschnittene Kätzchen zu sehen.
Michael setzte sich mit dem Rücken zum Fenster hin, streckte die Beine aus, stützte die Ellenbogen auf den Schreibtisch und versuchte, eine förmliche Pose einzunehmen. »Nehmen Sie doch bitte Platz, gnädige Frau«, sagte er. »Was kann ich für Sie tun?«
In diesem Augenblick öffnete sich die Tür, und Matilda kam mit einem Tablett herein, auf dem zwei Tassen Kaffee standen. Vermutlich hatte sie Michaels letzte Worte gehört. In seiner Verlegenheit wiederholte mein Mann:
»Matilda, das ist Frau Gonen. Meine Frau.«
Matilda verließ den Raum. Michael bat mich, ihn zu entschuldigen, während er sich ein paar Minuten seinen Notizen widmete. Ich schlürfte meinen Kaffee und betrachtete ihn, denn ich vermutete, daß er das wollte. Er bemerkte, daß ich ihn anschaute, und strahlte mich ruhig und zufrieden an. Wie wenig man tun muß, um einen anderen Menschen glücklich zu machen.
Nach ein paar Minuten stand Michael auf. Ich erhob mich ebenfalls. Er entschuldigte sich für die leichte Verzögerung. »Ich mußte nur rasch meine Papiere ordnen, wie man so sagt. Laß uns

jetzt ins Labor hinuntergehen. Ich hoffe, du findest es interessant. Wenn du Fragen hast, werde ich sie dir alle beantworten.«
Mein Mann war klar und höflich, während er mich durch die geologischen Labors führte. Ich stellte ihm Fragen, um ihm Gelegenheit zu geben, etwas zu erklären. Er fragte wiederholt, ob ich mich müde oder gelangweilt fühle. Diesmal war ich sehr vorsichtig in der Wahl meiner Worte.
»Nein, Michael«, sagte ich. »Ich bin nicht müde oder gelangweilt. Ich möchte noch viel mehr sehen. Es macht mir Spaß, deinen Erklärungen zuzuhören. Du hast eine natürliche Begabung dafür, komplizierte Dinge sehr klar und präzise zu erklären. Ich finde alles, was du sagst, neu und faszinierend.«
Als ich das sagte, nahm Michael meine Hand in die seine und hielt sie einen Augenblick fest, genauso, wie er es damals getan hatte, als wir aus dem Café Atara auf die verregnete Straße traten.
Wie viele Studenten der Geisteswissenschaften hatte ich mir immer vorgestellt, daß jeder akademische Forschungsgegenstand ein System aufeinanderbezogener Wörter und Ideen sei. Nun entdeckte ich, daß Michael und seine Kollegen sich nicht nur mit Wörtern befaßten, sondern auch nach verborgenen Schätzen im Erdinnern suchten: Wasser, Öl, Salz, Minerale, Bausteine und industrielle Rohstoffe und sogar Edelsteine für den Schmuck der Frauen.
Als wir das Labor verließen, sagte ich:
»Ich wünschte, ich könnte dich davon überzeugen, daß ich das Wort ›trocken‹ zu Hause positiv gemeint habe. Wenn du mich zu deiner Vorlesung einlädst, werde ich mich ganz hinten hinsetzen und sehr stolz sein.«
Das war noch nicht alles. Ich sehnte mich danach, mit ihm nach Hause zu gehen, um sein Haar wieder und wieder streicheln zu können. Ich zerbrach mir den Kopf nach einem glühenden Kompliment, das das zurückhaltende Leuchten, das zufriedene Strahlen zurück in seine Augen bringen würde.
Ich fand einen freien Platz in der vorletzten Reihe. Mein Mann stand mit aufgestützten Ellbogen am Katheder. Sein Körper war

mager. Seine Pose war entspannt. Hin und wieder drehte er sich um und deutete mit einem Zeigestock auf eines der Diagramme, die er vor der Vorlesung an die Tafel gezeichnet hatte. Die Linien, die er mit Kreide auf die Tafel malte, waren fein und präzise. Ich dachte an seinen Körper unter den Kleidern. Die Studenten der ersten Semester saßen über ihre Notizhefte gebeugt da. Einmal hob ein Student die Hand und stellte eine Frage. Michael sah den Studenten eine Sekunde fest an, als wolle er ergründen, warum er diese Frage stellte, ehe er sie beantwortete. Dann beantwortete er sie so, als habe der Student den Kernpunkt des Problems berührt. Er war ruhig und beherrscht. Selbst wenn er eine kleine Pause zwischen seinen Sätzen machte, schien er das nicht zu tun, weil er nicht weiter wußte, sondern weil er aus einem Gefühl der Verantwortung heraus seine Worte sorgfältig wählte. Ich mußte auf einmal an den alten Geologiedozenten im Terra-Sancta-College denken, in jenem Februar vor fünf Jahren. Er hatte auch einen Zeigestock benutzt, um auf wichtige Einzelheiten des Lehrfilms aufmerksam zu machen. Seine Stimme war schleppend und klingend gewesen. Auch mein Mann hatte eine angenehme Stimme. Frühmorgens beim Rasieren im Badezimmer, wenn er meinte, ich schliefe noch fest, pflegte er leise vor sich hinzusummen. Jetzt, während er seine Vorlesung hielt, wählte Michael ein Wort aus jedem Satz und betonte es mit sanftem Nachdruck, als wolle er vorsichtig etwas andeuten, was nur für seine intelligentesten Schüler gedacht war. Gesichtszüge, Arm und Zeigestock des alten Dozenten vom Terra-Sancta-College hatten mich beim Licht der Laterna magica an die Holzschnitte in den Büchern erinnert, die ich als Kind geliebt hatte, an *Moby Dick* und die Geschichten von Jules Verne. Ich kann nichts vergessen. Wo werde ich sein, was werde ich sein an dem Tag, an dem Michael den Schatten des alten Dozenten vom Terra Sancta einholt?

Nach der Vorlesung aßen wir zusammen in der Mensa zu Mittag. »Ich möchte dir gern meine Frau vorstellen«, sagte Michael stolz zu einem zufällig vorbeikommenden Bekannten. Mein Mann war wie ein Schuljunge, der dem Direktor seinen berühmten Vater vorstellt.

Wir tranken Kaffee. Michael bestellte mir einen türkischen Kaffee. Er selbst bevorzugte Kaffee mit Milch.

Danach zündete Michael seine Pfeife an. »Ich kann mir überhaupt nicht vorstellen«, sagte er, »daß du meine Vorlesung irgendwie interessant fandest. Ich war aber ziemlich aufgeregt, obwohl die Studenten keine Ahnung davon hatten, daß meine Frau anwesend war. Ich war wirklich so aufgeregt, daß ich zweimal beinahe den Faden verloren hätte, weil ich an dich dachte und dich anschaute. Ich habe nur bedauert, daß ich nicht über ein literarisches Thema sprach. Ich hätte sehr gern dein Interesse gefesselt, statt dich mit einer so trockenen Sache zu langweilen.«

Michael hatte gerade mit der Niederschrift seiner Doktorarbeit begonnen. Er freue sich auf den Tag, sagte er, wenn sein alter Vater seinen wöchentlichen Brief an »Dr. und Frau M. Gonen« richten könne. Das sei natürlich reine Sentimentalität, aber jeder hege schließlich irgendwo sentimentale Gefühle. Andererseits sollte man eine Dissertation nicht überstürzen. Er müsse sich mit einem sehr schwierigen Thema befassen.

Als mein Mann die Worte »schwieriges Thema« aussprach, ging ein plötzliches Zucken über sein Gesicht, und einen Augenblick lang konnte ich sehen, wie die winzigen Linien, die sich in letzter Zeit um seine Mundwinkel gebildet hatten, in Zukunft verlaufen würden.

XXV

Im Sommer 1955 fuhren wir mit unserem Sohn eine Woche nach Holon, um uns auszuruhen und im Meer zu schwimmen. Im Bus neben uns saß ein erschreckend aussehender Mann, ein Kriegsverletzter vielleicht oder ein Flüchtling aus Europa. Sein Gesicht

war entstellt und eine seiner Augenhöhlen leer. Am schrecklichsten sah sein Mund aus: Er hatte keine Lippen mehr, so daß die Zähne völlig freilagen, als grinse er von einem Ohr zum anderen oder als sei er ein Totenschädel. Als unser unglücklicher Mitreisender unseren Sohn anschaute, vergrub Yair sein Gesicht an meiner Brust, schielte aber immer wieder nach diesen entstellten Zügen, als wolle er seiner Angst stets neue Nahrung geben. Die Schultern des Kindes zuckten, und sein Gesicht war weiß vor Furcht.
Der Fremde spielte dieses Spiel begeistert mit. Er wandte weder sein Gesicht ab noch ließ er mit seinem einzigen Auge von unserem Sohn. Als wolle er jede Variante des Schreckens aus dem Jungen herausholen, begann er jetzt Fratzen zu schneiden und seine Zähne zu entblößen, bis sogar mich das Entsetzen packte. Begierig lauerte er auf die verstohlenen Blicke des Kindes und versuchte, ein Gesicht zu ziehen, sobald Yair die Augen aufschlug. Yair ließ sich auf das schaurige Spiel ein. Er setzte sich auf, starrte den Fremden eine Weile an und wartete geduldig, bis dieser eine neue Fratze schnitt. Dann vergrub er seine Schultern erneut an meiner Brust und zitterte heftig. Sein ganzer Körper zuckte. Das Spiel ging lautlos vor sich. Yair schluchzte mit seinen Muskeln, mit seinen Lungen, aber nicht mit seiner Stimme.
Wir konnten nichts tun. In dem Bus gab es keine freien Plätze mehr. Der Mann und der Junge ließen nicht einmal zu, daß Michael seinen Körper zwischen sie schob, was er zu tun versuchte. Sie schielten und spähten nacheinander hinter seinem Rücken oder unter seinen Armen hindurch.
Als wir am Hauptbahnhof von Tel Aviv aus dem Bus stiegen, kam der Fremde auf uns zu und bot Yair einen Keks an. Er trug Handschuhe, obwohl es Sommer war. Yair nahm den Keks und steckte ihn schweigend in die Tasche.
Der Mann berührte mit seinem Finger das Gesicht des Kindes und sagte: »Was für ein reizendes Kind. Was für ein süßer, kleiner Junge.« Yair zitterte wie im Fieber, sagte jedoch kein Wort. Als wir im Bus nach Holon saßen, holte das Kind den Keks aus

der Tasche, hielt ihn voller Schrecken in die Höhe und sagte einen einzigen Satz:
»Wer sterben möchte, kann ihn essen.«
»Du solltest von Fremden keine Geschenke annehmen«, erwiderte ich.
Yair verstummte. Er wollte etwas sagen, überlegte es sich anders und erklärte schließlich mit fester Stimme: »Dieser Mann war sehr schlecht. Überhaupt kein Jude.«
Michael fühlte sich verpflichtet, zu widersprechen: »Er ist vermutlich im Krieg sehr schwer verwundet worden. Vielleicht war er ein Held.«
Yair wiederholte trotzig: »Kein Held. Nicht die Spur von einem Juden. Schlechter Mensch.«
»Hör auf mit dem Geschwätz, Yair«, fuhr Michael scharf dazwischen.
Das Kind führte den Keks zum Mund und zitterte erneut am ganzen Körper. »Ich werd' sterben«, murmelte er. »Ich ess' das jetzt.« Ich wollte gerade erwidern: »Du wirst niemals sterben«, ein Satz, der mir eine wunderschöne Passage von Gershom Shoffman ins Gedächtnis rief, aber Michael, »vor dem es keine Freude und keinen Frohsinn gibt«, kam mir zuvor und sprach die wohlüberlegten Worte:
»Du wirst sterben, wenn du 120 bist. Jetzt hör bitte auf mit dem Unsinn. Ende.«
Yair gehorchte. Eine Weile hielt er seine Lippen fest zusammengepreßt. Schließlich sagte er zögernd, als habe er gerade höchst komplizierte Überlegungen angestellt:
»Wenn wir bei Opa Yehezkel sind, ess' ich überhaupt nichts. Überhaupt nichts.«
Wir blieben sechs Tage bei Opa Yehezkel. Morgens gingen wir mit unserem Sohn zum Strand von Bat Yam. Es waren friedliche Tage. Yehezkel Gonen hatte seine Stellung bei den städtischen Wasserwerken aufgegeben. Seit Anfang des Jahres lebte er von einer bescheidenen Pension. Er vernachlässigte jedoch keineswegs seine Pflichten bei der Ortsgruppe der Arbeiterpartei. Noch immer ging er jeden Abend mit dem Schlüsselbund in der

Tasche zum Klub. In einem kleinen Notizbuch schrieb er sich auf, daß er die Vorhänge in die Reinigung geben, eine Flasche Obstsaft für den Redner besorgen, die Belege aufbewahren und nach dem Datum geordnet ablegen mußte.
Die Vormittage verbrachte er damit, sich mit Hilfe eines vom Institut für Öffentliche Erziehung veranstalteten Fernkurses geologische Grundkenntnisse anzueignen, damit er eine einfache wissenschaftliche Unterhaltung mit seinem Sohn führen konnte.
»Ich finde, ich habe jetzt genug Freizeit«, sagte er. »Ein Mann sollte niemals behaupten, er sei zu alt, um noch vom Lernen zu profitieren.«
»Bitte fühlt euch in dieser Wohnung ganz zu Hause«, sagte er zu uns. »Tut so, als sei ich nicht vorhanden. Wenn ihr immer an mich denkt, verderbt ihr euch nur die Ferien. Wenn ihr übrigens die Möbel umstellen oder eure Betten ungemacht liegenlassen wollt, dann laßt euch unter keinen Umständen aus Gründen der Höflichkeit davon abhalten. Ich möchte, daß ihr euch richtig ausruht.«
»Ihr beide kommt mir sehr jung vor, meine Lieben. So jung, daß ich in Selbstmitleid versinken müßte, wenn ich mich nicht so freuen würde, euch zu sehen.«
Yehezkel wiederholte diesen Satz bei verschiedenen Gelegenheiten. Alles, was er sagte, klang ungeheuer gewichtig, weil er einmal dazu neigte, seine Worte so auszusprechen, als richte er sie an eine kleine Versammlung, und zum anderen Ausdrücke benutzte, die man eigentlich nur bei feierlichen Anlässen gebrauchte. Ich mußte an die Bemerkung denken, die Michael während unserer Unterhaltung im Café Atara gemacht hatte, daß sein Vater mit hebräischen Wendungen umginge wie andere Leute mit zerbrechlichem Porzellan. Mir wurde jetzt klar, daß Michael damals ganz zufällig eine sehr genaue Beobachtung gemacht hatte.
Vom ersten Tag an entwickelte sich eine enge Freundschaft zwischen Großvater und Enkel. Sie standen beide um sechs Uhr morgens auf, gaben sich Mühe, Michael und mich nicht zu wek-

ken, zogen sich an und nahmen ein leichtes Frühstück zu sich. Dann streunten sie gemeinsam durch die menschenleeren Straßen. Yehezkel machte es Spaß, seinen Enkel in die Geheimnisse der städtischen Dienstleistungen einzuweihen: die Verzweigungen der Stromleitungen vom Haupttransformator aus, der Kreislauf der Wasserversorgung, das Hauptquartier der Feuerwehr und die an verschiedenen Stellen der Stadt angebrachten Sirenen und Hydranten, die Vorrichtungen des Stadtreinigungsamtes für die Müllabfuhr und das Netz der Omnibuslinien. Es war eine ganz neue Welt mit einer eigenen, faszinierenden Logik.
Eine weitere amüsante Neuheit war der Name, den Großpapa dem Kind gab.
»Deine Eltern können dich ruhig Yair nennen, ich nenne dich jedenfalls Salman, denn Salman ist dein richtiger Name.«
Das Kind wehrte sich nicht gegen den neuen Namen, aber nach einem nur ihm bekannten Kodex ausgleichender Gerechtigkeit begann er den alten Mann mit demselben Namen, Salman, anzureden. Um halb neun kamen sie von ihrem Spaziergang zurück und Yair verkündete:
»Salman und Salman sind wieder da.«
Ich lachte, bis mir die Augen tränten. Selbst Michael konnte ein Lächeln nicht unterdrücken.
Wenn Michael und ich aufstanden, fanden wir das Frühstück fertig auf dem Küchentisch vor – Salat, Kaffee und mit Butter bestrichene Weißbrotschnitten.
»Salman hat euch mit eigenen Händen das Frühstück gemacht, der kluge Junge«, erklärte Yehezkel stolz. Und um die Tatsachen nicht allzusehr zu verfälschen, fügte er hinzu: »Ich habe ihm lediglich ein paar gute Ratschläge gegeben.«
Anschließend begleitete Yehezkel uns zur Bushaltestelle, wobei er uns vor Strömungen und Sonnenbrand warnte. Einmal wagte er die Bemerkung: »Ich würde mich ja anschließen, aber ich möchte euch nicht zur Last fallen.«
Mittags, wenn wir vom Strand zurückkehrten, machte Yehezkel uns ein vegetarisches Mittagessen: gebratene Eier, Gemüse, Toast und Obst. Irgendein Grundsatz, den er aus Furcht, uns zu

langweilen, nicht näher erläuterte, verhinderte, daß jemals Fleisch auf den Tisch kam. Während der Mahlzeit gab er sich große Mühe, uns mit Anekdoten aus Michaels Kindheit zu unterhalten. So erzählte er uns, was Michael einmal dem Zionistenführer Moshe Shertok gesagt hatte, als dieser seine Grundschule besuchte und wie Moshe Shertok vorgeschlagen hatte, Michaels Bemerkung in einer Kinderzeitschrift zu veröffentlichen.
Yehezkel erzählte seinem Enkel beim Essen Geschichten über böse Araber und gute Araber, jüdische Wachtposten und bewaffnete arabische Banden, heroische jüdische Kinder und britische Offiziere, die Kinder illegaler Einwanderer mißhandelten.
Yair entpuppte sich als aufmerksamer und hingebungsvoller Schüler. Er merkte sich jedes Wort und vergaß nicht das kleinste Detail. Als fänden sich Michaels Wissensdurst und meine deprimierende Fähigkeit, alles zu behalten, in ihm vereint. Man konnte das Kind nach allem, was es von »Großpapa Salman« gelernt hatte, fragen: Die Stromleitungen sind alle mit der Station Reading verbunden; Hassan Salames Bande beschoß vom Hügel Tel Arish aus Holon; das Wasser kommt aus der Quelle in Rosh Haayin. Bevin war ein böser Engländer, Wingate hingegen ein guter.
Großpapa kaufte kleine Geschenke für uns alle. Fünf Krawatten in einer Schachtel für Michael, für mich Professor Shirmans *Hebräische Dichtung in Spanien und der Provence* und für seinen Enkel ein rotes Feuerwehrauto zum Aufziehen mit einer Sirene, die wirklich aufheulte.
Die Tage verliefen ruhig.
Draußen auf dem Gelände der Arbeitersiedlung pflanzte man Zierbäume um zierliche, quadratische Rasenflächen herum. Vögel zwitscherten von früh bis spät. Die Stadt war hell und sonnendurchtränkt. Gegen Abend kam eine Brise vom Meer auf, und Yehezkel sperrte Fensterläden und Küchentür weit auf.
»Es weht ein erfrischender Wind«, sagte er. »Seeluft ist der Atem des Lebens.«

Um zehn Uhr, wenn er aus dem Klub nach Hause kam, beugte der alte Mann sich über das Bett und küßte seinen schlafenden Enkel. Dann leistete er uns auf dem Balkon Gesellschaft, und wir saßen zusammen auf den abgewetzten Liegestühlen. Er erzählte nie von der Partei, da er glaubte, wir interessierten uns sicher nicht für Dinge, die ihn interessierten. Er wollte uns nicht langweilen während unseres kurzen Urlaubs. Statt dessen lenkte er die Unterhaltung auf Themen, die uns, wie er meinte, näherlagen. Er sprach über Josef Hyyim Brenner, der vor 34 Jahren nicht weit von hier getötet worden war. Brenner war seiner Ansicht nach ein großer Schriftsteller und ein großer Sozialist gewesen, wenn auch die Jerusalemer Professoren auf ihn herabsahen, weil er sich zu sehr politisch engagiert und zu wenig Interesse an der Literatur um ihrer selbst willen gezeigt hatte. »Denkt an meine Worte«, sagte er, »früher oder später wird Brenners Größe auch in Jerusalem wieder anerkannt werden.«
Ich wagte nicht, ihm zu widersprechen.
Mein Schweigen gefiel Yehezkel, der es als weiteren Beweis meines guten Geschmacks deutete. Wie Michael war auch er der Meinung, daß ich eine empfindsame Seele hätte. »Bitte entschuldige meine Sentimentalität, wenn ich sage, daß du mir teuer bist wie eine Tochter.«
Mit Michael sprach er über die Bodenschätze des Landes. »Der Tag ist nicht mehr fern, an dem man in unserem Land Öl finden wird. Daran zweifle ich keine Sekunde. Ich weiß noch gut, wieviel Skepsis die sogenannten Experten dem Vers aus dem Fünften Buch Moses ›Ein Land, des Steine Eisen sind, da du Erz aus den Bergen hauest‹ entgegenbrachten. Und heute haben wir den Manara-Berg, und wir haben Timna: Eisen und Kupfer. Ich bin überzeugt davon, daß wir bald auch Öl finden werden. Seine Existenz ist ausdrücklich in der Tosefta erwähnt, und die alten Rabbiner waren durch und durch praktische und realistische Männer. Was sie schrieben, gründete sich auf Gelehrsamkeit, nicht auf Gefühle. Ich glaube, mein Sohn, du bist kein phantasieloser Geologe wie tausend andere; deine Bestimmung ist es, Neues zu suchen und zu finden, davon bin ich überzeugt.«

»Aber jetzt habe ich euch lange genug mit meinem Gerede ermüdet. Ihr sollt euch schließlich erholen, und ich törichter, alter Mann schwatze über Dinge, die Teil deiner Arbeit sind.
Als ob dich in Jerusalem nicht genug anstrengende Geistesarbeit erwartet. Was bin ich doch für ein lästiger, alter Langweiler. Warum geht ihr zwei jetzt nicht schlafen und wacht morgen früh frisch und munter wieder auf. Gute Nacht, ihr Lieben. Schlaft gut und hört nicht auf das weitschweifige Gerede eines alten Mannes, der allein lebt und selten Gelegenheit hat, mit jemandem zu reden.«
Es waren ruhige Tage.
Nachmittags schlenderten wir zum Stadtpark hinunter, wo wir alte Freunde und Nachbarn trafen, die alle Michael eine große Zukunft vorausgesagt hatten und jetzt froh waren, an seinem großartigen Erfolg teilzuhaben. Sie waren stolz darauf, seiner Frau die Hand zu schütteln und seinem Sohn in die Wange zu kneifen, und erzählten lustige Geschichten aus der Zeit, als Michael noch ein Baby war.
Michael kaufte mir jeden Tag eine Abendzeitung. Er kaufte mir auch illustrierte Zeitschriften. Die Sonne bräunte uns. Unsere Haut roch nach Meer. Die Stadt war klein, mit weißgekalkten Häusern.
»Holon ist eine neue Stadt«, sagte Yehezkel Gonen. »Sie wurde nicht wieder zu altem Glanz erweckt, sondern wuchs sauber und ordentlich aus dem Sand. Und ich, der ich mich noch an ihre allerersten Tage erinnere, freue mich täglich aufs neue an ihr – wenngleich wir natürlich nicht einen Bruchteil dessen hier haben, was ihr in eurem Jerusalem habt.«
Am letzten Abend kamen die vier Tanten aus Tel Aviv zu Besuch. Sie brachten Geschenke für Yair mit. Sie umarmten ihn stürmisch und küßten ihn forsch. Ausnahmsweise waren sie alle nett; sogar Tante Jenia verschonte uns mit ihren üblichen Klagen.
Tante Leah führte das Wort:
»Stellvertretend für uns alle kann ich, glaube ich, sagen, daß du die Hoffnungen, die wir in dich gesetzt haben, nicht enttäuscht

hast, Micha. Hannah, du solltest strahlen vor Stolz über seinen Erfolg. Ich weiß noch, wie sich Michas Freunde nach dem Unabhängigkeitstag über ihn lustig machten, weil er nicht wie ein Vollidiot mit ihnen in irgendeinen Kibbuz im Negev zog. Stattdessen faßte er den vernünftigen Entschluß, in Jerusalem zu studieren und seinem Volk und Land mit seinem Verstand und seiner Begabung zu dienen und nicht mit seinen Muskeln wie ein Lasttier. Und jetzt, da unser Michael fast ein Doktor ist, kommen die gleichen Freunde, die sich über ihn lustig machten, zu ihm und bitten ihn um Hilfe bei ihren ersten Gehversuchen an der Universität. Die besten Jahre ihres Lebens haben sie wie Schwachköpfe vertan, und mittlerweile hängt ihnen ihr Kibbuz im Negev zum Hals heraus, während unser Micha, der sich von Anfang an so klug verhielt, diese Prahlhänse jetzt für den Umzug in die neue Wohnung, die ihr bestimmt bald haben werdet, als Möbelträger anheuern könnte, wenn er Lust dazu hat.«

Als sie »Kibbuz im Negev« sagte, verzog Tante Leah ihr Gesicht. Sie sprach das Wort »Negev« fast wie ein Fluch aus. Ihre letzte Bemerkung ließ alle vier Tanten in schrilles Gelächter ausbrechen.

»Du sollst deine Mitmenschen nicht verspotten«, sagte der alte Yehezkel.

Michael überlegte einen Moment und gab dann seinem Vater recht, wobei er hinzufügte, daß seiner Ansicht nach Bildung den Wert eines Menschen nicht verändere.

Dieser Kommentar gefiel Tante Jenia. Sie wies darauf hin, daß Michaels Erfolg ihm weder zu Kopf gestiegen sei noch seiner Bescheidenheit Abbruch getan habe.

»Bescheidenheit ist eine sehr nützliche Eigenschaft. Ich habe immer behauptet, daß es die Pflicht einer Ehefrau ist, ihrem Mann auf seinem Weg zum Erfolg Mut zuzusprechen. Nur wenn der Mann nichts taugt, ist seine Frau gezwungen, den grausamen Weg zu gehen und einen Männerkampf in einer Männerwelt zu kämpfen. Das war mein Los. Ich bin froh, daß Micha seiner Frau ein ähnliches Schicksal erspart hat. Und auch du, meine liebe Hannah, auch du solltest froh sein, denn in diesem

Leben gibt es keine größere Befriedigung als entschiedenes Bemühen, das von Erfolg gekrönt ist und dem in Zukunft ganz sicher noch größere Erfolge beschieden sein werden. Von Kindheit an habe ich daran geglaubt. Und all der Kummer, den ich ertragen mußte, hat diesen Glauben nicht erschüttern können. Im Gegenteil, er hat ihn nur bestärkt.«

Am Morgen unserer Rückkehr nach Jerusalem tat Yehezkel etwas, das ich nie vergessen werde. Er stieg auf eine Leiter und holte aus einem hohen Schrank eine Riesenschachtel, der er eine alte, verblaßte und zerknautschte Milizuniform entnahm. Dann fischte er aus der Kommode die dazugehörige Kopfbedeckung, den *»kolpak«* und setzte ihn seinem Enkel auf. Er war so groß, daß er dem Kind fast über die Augen rutschte. Großpapa selber zog die Uniform über den Pyjama, den er trug.
Den ganzen Vormittag stürmten die beiden durch die Wohnung und inszenierten Schlachten und Manöver, bis es Zeit für uns war, aufzubrechen. Sie beschossen einander mit Stöcken aus gesicherten Stellungen hinter den Möbeln hervor. Sie schrien sich gegenseitig »Salman« zu. Yairs Gesicht strahlte vor wilder Freude, als er zum ersten Mal die Wonnen der Macht entdeckte, und der alte Soldat gehorchte ergeben und unerschütterlich jedem Befehl. Yehezkel war ein glücklicher, alter Mann an diesem letzten Vormittag unseres letzten Besuchs in Holon. Einen einzigen brennenden Augenblick lang kam mir die Szene vertraut vor, als hätte ich sie bereits vor unendlich langer Zeit erlebt. Es war wie eine unscharfe Kopie eines viel schärferen, klareren Originals. An Zeit und Ort konnte ich mich nicht erinnern. Ein kalter Schauer lief mir über den Rücken, und ich hatte das deutliche Gefühl, etwas in Worte fassen, meinen Sohn und meinen Schwiegervater vielleicht vor der Gefahr eines Feuers oder der Hinrichtung auf dem elektrischen Stuhl warnen zu müssen. Aber in ihrem Spiel war nicht die leiseste Spur einer dieser Bedrohungen. Es drängte mich, Michael vorzuschlagen, daß wir sofort, auf der Stelle, aufbrechen sollten, doch ich war unfähig, die Worte auszusprechen. Es hätte töricht und groß geklungen.

Warum fühlte ich mich nur so unbehaglich? Einige Kampfflugzeuge hatten an diesem Morgen Holon im Tiefflug überquert. Ich glaube nicht, daß dies der Grund für mein Gefühl des Unbehagens war. Ich glaube nicht, daß »Grund« in diesem Zusammenhang das richtige Wort ist. Die Flugzeugmotoren dröhnten. Die Fensterscheiben klirrten. Ich hatte das Gefühl, daß es auf gar keinen Fall das erste Mal war.

Bevor wir gingen, küßte mich mein Schwiegervater Yehezkel auf beide Wangen. Dabei fiel mir auf, daß seine Augen verändert schienen, als hätten die trüben Pupillen sich über das Weiß ausgebreitet, um es völlig zu bedecken. Auch sein Gesicht war grau, seine Wangen welk und hohl, und die Lippen, die meine Stirn berührten, hatten keine Wärme. Dagegen schien sein Händedruck erstaunlich warm. Er war fest, fast wild, als versuche der alte Mann, mir seine Finger zum Geschenk zu machen. Vier Tage nach unserer Rückkehr nach Jerusalem, als gegen Abend Tante Jenia mit der Nachricht eintraf, Yehezkel sei bei der Bushaltestelle gegenüber seiner Wohnung zusammengebrochen, schoß mir das alles wieder durch den Kopf.
»Gestern abend noch, gerade gestern abend erst war der arme Yehezkel bei uns zu Besuch«, plapperte sie entschuldigend, fast als wolle sie einen häßlichen Verdacht zerstreuen. »Gestern abend noch war er bei uns zu Besuch und klagte über keinerlei Beschwerden. Im Gegenteil. Er erzählte mir von einem neuen Medikament gegen Kinderlähmung, das man gerade in Amerika entdeckt hat. Er war... normal. Ganz normal. Und dann plötzlich heute morgen, direkt vor den Augen der Globermanns von nebenan, fiel er bei der Bushaltestelle auf den Boden.« Plötzlich schluchzte sie. »Micha eine Waise!« Beim Schluchzen warf sie wie ein ältliches, gescholtenes Kind die Lippen auf. Sie preßte Michaels Hand an ihre welke Brust, strich ihm über die Stirn und hielt dann inne.
»Micha, wie ist das möglich, daß ein Mann plötzlich, einfach so, ohne Grund, auf das Pflaster, so wie man eine Tasche oder ein Paket aus der Hand fallen läßt, einfach so auf das Pflaster,

und... es ist schrecklich. Es ist... es ist nicht richtig. Es ist abscheulich. Als ob der arme Yehezkel eine Tasche oder ein Paket wäre, das hinfällt und aufplatzt... Es ist... denk nur, wie das aussieht, Micha... die Schande... mit den Globermanns von nebenan, die wie in einer Opernloge bequem zurückgelehnt von ihrer Veranda aus alles beobachten, und völlig fremden Leuten, die vorbeikommen und ihn an Armen und Beinen packen und aus dem Weg räumen, damit er nicht den Verkehr blockiert, und dann seinen Hut und seine Brille aufheben und die Bücher, die über die ganze Straße verstreut liegen... Und wißt ihr, wo er eigentlich hin wollte?« Tante Jenia erhob ihre Stimme zu einer schrillen, empörten Klage. »Er wollte nur eben mal schnell in die Bibliothek gehen und ein paar Bücher zurückbringen, und er wollte nicht einmal den Bus nehmen, es war reiner Zufall, daß er genau an der Bushaltestelle hinfiel, gegenüber den Globermanns. So ein gütiger Mann, so ein lieber... so ein gütiger Mann, und plötzlich... genau wie im Zirkus, sag ich euch, wie in einem Kinofilm, ein Mann geht friedlich mitten auf der Straße, und plötzlich kommt einer von hinten und schlägt ihm mit einem Stock auf den Kopf, und er klappt zusammen und fällt, als wäre er eine Stoffpuppe oder so was. Ich sag dir, Micha, das Leben ist nichts als ein stinkender Abfallhaufen. Laßt das Kind bei den Nachbarn oder sonstwo, schnell, und kommt mit nach Tel Aviv. Leahle ist ganz allein dort, Leahle mit ihren zwei linken Händen, um alles zu erledigen. Und tausend Formalitäten. Ein Mann stirbt, und man glaubt, er führe zumindest ins Ausland bei all den Formalitäten. Nehmt eure Mäntel mit und kommt. Ich gehe gerade mal rüber in die Drogerie inzwischen und rufe ein Taxi, und... ja, Micha, bitte einen dunklen Anzug oder wenigstens eine Jacke, und beeilt euch beide, bitte. Micha, was für ein Unglück, oh, was für ein schreckliches Unglück, Micha.«

Tante Jenia ging. Ich konnte ihre aufgeregten Schritte auf der Treppe und unten auf dem Pflaster im Hof hören. Ich blieb in der Stellung, die ich bei ihrem Eintritt innegehabt hatte, an das Bügelbrett gelehnt, mit dem heißen Bügeleisen in der Hand. Mi-

chael rannte im Kreis herum und stürzte zum Balkon, als wolle er hinter ihr herschreien: »Tante Jenia, Tante Jenia.«
Kurz darauf kam er wieder herein. Er schloß die Fensterläden, machte schweigend die Fenster zu und ging dann hinaus, um die Küchentür abzuschließen. Auf dem Flur gab er einen schwachen Laut von sich. Vielleicht hatte er plötzlich sein Gesicht im Spiegel bei den Garderobehaken gesehen. Er öffnete den Schrank, nahm seinen dunklen Anzug heraus und wechselte den Gürtel aus. »Mein Vater ist gestorben«, sagte er, ohne mich anzusehen. Als sei ich nicht dabeigewesen, als seine Tante alles erzählte.
Ich stellte das Bügeleisen auf den Boden unter dem Schrank, trug das Bügelbrett ins Badezimmer und ging in Yairs Zimmer. Ich unterbrach sein Spiel, schrieb ein paar Worte auf einen Zettel und schickte ihn damit zu den Kamnitzers. »Großpapa Yehezkel ist sehr krank«, erzählte ich ihm, ehe er ging. Ein verzerrtes Echo meiner Worte tönte von der Treppe herüber, als Yair allen Kindern des Hauses aufgeregt berichtete: »Mein Großvater Salman ist sehr krank, und meine Eltern fahren hin, damit es ihm bald bessergeht.«
Michael steckte seine Brieftasche in die Brusttasche und knöpfte die Jacke des dunklen Anzugs zu, der einst meinem verstorbenen Vater gehörte und den meine Mutter Malka für ihn geändert hatte. Zweimal knöpfte er sie falsch zu. Er setzte seinen Hut auf. Versehentlich griff er nach seiner abgenutzten schwarzen Aktentasche, legte sie aber dann mit einer gereizten Bewegung wieder weg.
»Ich bin fertig«, sagte er. »Einiges von dem, was sie sagte, war vielleicht fehl am Platz, aber sie hat ganz recht. Es hätte nicht so passieren dürfen. Es ist nicht richtig. Einen ehrlichen, aufrechten, alten Mann, der weder sehr stark noch besonders gesund ist, plötzlich mitten in der Stadt am hellichten Tag wie einen gefährlichen Verbrecher auf das Pflaster stürzen zu lassen. Es gehört sich nicht, sag ich dir, Hannah, es ist grausam, es ist... grausam. Ungehörig.«
Während Michael die Worte »grausam, ungehörig« aussprach,

zitterte er am ganzen Körper. Wie ein Kind, das in einer Winternacht aufwacht und statt der Mutter ein fremdes Gesicht erblickt, das es aus der Dunkelheit anstarrt.

XXVI

In der Woche, die dem Begräbnis folgte, gab Michael das Rasieren auf. Ich glaube nicht, daß er das aus Respekt vor der religiösen Tradition oder aus Achtung vor den Wünschen seines Vaters tat (Yehezkel pflegte sich als praktizierenden Atheisten auszugeben). Wahrscheinlich hätte er es entwürdigend gefunden, sich während seiner Trauerwoche zu rasieren. Wenn wir von Kummer umgeben sind, finden wir manchmal triviale Dinge ungeheuer entwürdigend. Michael hatte das Rasieren immer gehaßt. Dunkle Stoppeln bedeckten seine Kinnbacken und gaben ihm ein wildes Aussehen. Mit seinen Bartstoppeln kam mir Michael wie ein neuer Mann vor. Mitunter hatte ich das Gefühl, sein Körper sei kräftiger, als er eigentlich war. Sein Nacken war mager geworden. Fältchen hatten sich um seinen Mund herum gebildet und deuteten eine kalte Ironie an, die Michael fremd war. Seine Augen blickten müde, als sei er erschöpft von harter, körperlicher Arbeit. In den Tagen seiner Trauer sah mein Mann wie ein schmutziger Arbeiter in einer der kleinen Werkstätten in der Agrippas-Straße aus. Den größten Teil des Tages saß Michael, mit gefütterten Hausschuhen und einem leichten, grauen Morgenmantel mit dunkelgrauen Karos, in einem Sessel. Wenn ich die Tageszeitung in seinen Schoß legte, beugte er sich vor, um sie zu lesen. Fiel die Zeitung auf den Boden, machte er keine Anstalten, sie aufzuheben. Ich vermochte nicht zu sagen, ob er nachdachte oder ausdruckslos vor sich hinstarrte. Einmal bat er mich, ihm ein Glas Kognak einzugießen. Ich tat es, aber er schien seine Bitte schon wieder vergessen zu haben. Er sah überrascht auf und rührte das Getränk nicht an. Und einmal bemerkte er nach den Nachrichten kurz: »Wie seltsam.« Weiter sagte er nichts. Ich fragte nicht. Das elektrische Licht leuchtete gelb. An den Tagen nach seines Vaters Tod war Michael sehr still. Auch unser Haus war still. Manchmal schien es, als warteten wir alle auf eine Nachricht. Wenn Michael etwas zu mir oder seinem Sohn sagte, sprach er leise, als sei ich die Trauernde. Nachts begehrte ich ihn sehr. Das Gefühl war schmerzhaft. In all den Jahren unserer Ehe hatte ich nie empfunden, wie entwürdigend diese Abhängigkeit sein konnte.

Eines Abends setzte mein Mann seine Brille auf und stellte sich vornübergebeugt mit aufgestützten Händen vor seinen Schreibtisch. Sein Kopf hing herab, sein Rücken war gekrümmt. Ich betrat das Arbeitszimmer und sah Yehezkel Gonen in meinem Mann. Ich schauderte. Mit seinem vornübergeneigten Kopf, den abfallenden Schultern, der unsicheren Haltung schien Michael seinen Vater nachzuahmen. Mir fiel unser Hochzeitstag ein, die Zeremonie auf der Dachterrasse des alten Rabbinatsgebäudes gegenüber Steinmatzkys Buchhandlung. Auch damals hatte Michael so sehr seinem Vater geglichen, daß ich die beiden verwechselt hatte. Ich habe es nicht vergessen.

Michael verbrachte seine Vormittage auf dem Balkon, von wo aus er die Possen der Katzen unten im Hof mit seinen Blicken verfolgte. Er war ruhig. Es war das erste Mal, daß ich Michael in einem Zustand der Ruhe erlebte. Immer hatte er es eilig gehabt, seine Arbeit rechtzeitig fertigzustellen. Fromme Nachbarn kamen vorbei und sprachen ihr Beileid aus. Michael empfing sie mit kalter Höflichkeit. Er musterte die Familie Kamnitzer und Herrn Glick durch seine Brille, wie ein strenger Lehrer einen Schüler anstarrt, der ihn enttäuscht hat, bis ihnen ihre Beileidsbezeugungen im Hals steckenblieben.

Frau Zeldin kam zögernd herein. Sie wollte uns den Vorschlag machen, Yair solle bei ihr bleiben, bis die Trauerzeit vorüber war. Ein finsteres Lächeln spielte um Michaels Lippen.

»Warum?«, sagte er. »Nicht ich bin gestorben.«

»Gott behüte, was für ein Gedanke«, sagte seine Besucherin erschrocken. »Ich dachte nur, vielleicht...«

»Vielleicht was?« unterbrach Michael streng.
Die alte Erzieherin war verstört. Sie verabschiedete sich überstürzt. Im Gehen begriffen, bat sie um Entschuldigung, als hätte sie uns beleidigt.
Herr Kadischmann stellte sich mit weihevollem Gesichtsausdruck in einem schwarzen Sergeanzug ein. Er verkündete, daß er durch Fräulein Leah Ganz den Verstorbenen flüchtig gekannt habe. Trotz gewisser Differenzen in ihren politischen Ansichten habe er immer größte Hochachtung vor dem Verstorbenen empfunden. Der Verstorbene sei einer der wenigen, aufrechten Männer der Arbeiterbewegung gewesen. Keiner von den Heuchlern, sondern ein Fehlgeleiteter. »Er ist nicht verloren, sondern vorausgegangen«, fügte er hinzu.
»Gewiß ist er nicht verloren«, stimmte Michael frostig zu. Ich unterdrückte ein Lächeln.
Der Mann von Michaels Freundin aus Tirat Yaar stand in der Tür. Aus einem natürlichen Feingefühl heraus wollte er nicht hereinkommen. Er wünsche, uns sein Mitgefühl auszusprechen. Er bat mich, Michael zu sagen, daß er vorbeigeschaut habe. Auch in Lioras Namen natürlich.
Am vierten Abend besuchten uns der Geologieprofessor und zwei Assistenten. Sie nahmen auf dem Sofa im Wohnzimmer Platz, das Michaels Sessel gegenüberstand. Sie saßen mit steifen Rücken und zusammengepreßten Knien da, denn sie fanden es unschicklich, sich anzulehnen. Ich saß auf einem Stuhl bei der Tür. Michael bat mich, Kaffee für unsere drei Gäste zu machen und ein Glas Tee für ihn, ohne Zitrone, wegen seines Sodbrennens. Er erkundigte sich nach Probebohrungen in Nahal Arugot im Negev. Als einer der jungen Männer zu reden begann, wandte er sein Gesicht mit einer plötzlichen, heftigen Bewegung zum Fenster hin, als sei eine Feder in ihm zersprungen. Seine Schultern zuckten. Ich erschrak, denn ich hatte das Gefühl, daß er von Lachkrämpfen geschüttelt wurde, die er nicht länger unterdrükken konnte. Dann wandte er sich wieder seinen Gästen zu. Sein Gesicht war müde und ausdruckslos. Er entschuldigte sich und bat darum, mit dem Thema fortzufahren. »Bitte, lassen Sie

nichts aus. Ich möchte alles hören.« Der junge Mann, der geredet hatte, nahm seine Erläuterungen an der Stelle wieder auf, wo er sie abgebrochen hatte. Michael warf mir einen grauen Blick zu, als verwundere ihn irgend etwas an meiner Erscheinung, das ihm zum ersten Mal auffiel. Der Nachtwind schlug den Fensterladen gegen die Hauswand. Die Zeit schien sichtbare Züge anzunehmen. Das elektrische Licht. Die Bilder. Die Möbel. Die Schatten, die die Möbel warfen. Die schwankende Linie zwischen den Lichtflecken und den Schatten.

Der Professor erwachte unvermittelt zum Leben und unterbrach die Erläuterungen seines Assistenten:

»Das Exposé, das Sie Anfang des Monats für uns gemacht haben, hat sich keinesfalls als enttäuschend erwiesen, Gonen. Die Fakten stimmen mit Ihrer Hypothese überein. Daher unsere gemischten Gefühle: Wir sind enttäuscht von den Ergebnissen der Bohrung, aber gleichzeitig beeindruckt von Ihrer gründlichen Arbeit.«

Dann folgte eine komplizierte Abhandlung über die Undankbarkeit praktischer gegenüber theoretischer Forschungsarbeit. Er betonte die Bedeutung kreativer Intuition für beide Forschungsarbeiten.

Michael bemerkte trocken:

»Der Winter steht vor der Tür. Die Nächte werden länger. Länger und kälter.«

Die beiden Assistenten sahen sich an und warfen dann dem Professor einen Blick aus den Augenwinkeln zu. Der alte Mann nickte energisch, um zu zeigen, daß er den Wink verstanden hatte. Er erhob sich und sagte feierlich:

»Wir alle nehmen Anteil an Ihrem Kummer, Gonen, und wir freuen uns auf Ihre Rückkehr. Versuchen Sie, stark zu sein, und... seien Sie stark, Gonen.«

Die Besucher verabschiedeten sich. Michael begleitete sie hinaus in den Flur. Als er vorauseilte, um dem Professor in seinen schweren Mantel zu helfen, machte er eine ungeschickte Bewegung und mußte sich mit einem zaghaften Lächeln entschuldigen. Von Beginn des Abends an bis zu diesem Augenblick hatte er mich sehr beeindruckt, sein zaghaftes Lächeln schmerzte mich daher. Seine Höflichkeit war Unterwerfung, nicht Sympathie. Er begleitete seine Besucher zur Tür. Als sie gegangen waren, ging er in sein Arbeitszimmer zurück. Er schwieg. Sein Gesicht war dem dunklen Fenster zugewandt, sein Rücken mir. Am Rande des Schweigens ertönte seine Stimme; er wandte sich nicht um. Er sagte:

»Noch ein Glas Tee bitte, Hannah, und würdest du bitte das Deckenlicht ausmachen. Als Vater uns darum bat, dem Kind einen recht altmodischen Namen zu geben, hätten wir seinen Wunsch erfüllen sollen. Als ich zehn Jahre alt war, hatte ich ein sehr schlimmes Fieber. Die ganze Nacht hindurch, nächtelang saß Vater an meinem Bett. Er legte mir frische, feuchte Tücher auf die Stirn und sang immerzu das einzige Wiegenlied, das er kannte. Er sang es falsch und mit einer schwachen Stimme. Das Lied ging so: *Schlafenszeit, der Tag verklang. Schon längst die Sonne im Meer versank. Am Himmel leuchten die Sternlein fein, schlaf ein, mein Kind, schlaf ein.*

Hab' ich dir erzählt, Hannah, daß Tante Jenia mit allen Mitteln versuchte, eine zweite Frau für Vater zu finden? Sie kam nur selten zu Besuch, ohne irgendeine Freundin oder Bekannte mitzubringen. Alternde Krankenschwestern, polnische Immigrantinnen, dürre Geschiedene. Die Frauen stürzten sich zunächst einmal mit Küssen und Umarmungen, Süßigkeiten und zärtlichem Getue auf mich. Vater tat immer so, als entginge ihm Tante Jenias Absicht. Er war höflich. Er begann, über die neuesten Anordnungen des Hochkommissars oder so was zu reden.

Als ich das Fieber hatte, war meine Temperatur sehr hoch, und ich schwitzte die ganze Nacht hindurch. Die Bettwäsche war klatschnaß. Vater wechselte alle zwei Stunden vorsichtig die Laken. Er gab sich Mühe, mich nicht zu hart anzufassen, aber er übertrieb seine Vorsicht jedesmal. Ich wachte auf und weinte. Noch vor Morgengrauen wusch Vater alle Laken im Bad und ging dann hinaus in die Dunkelheit, um sie auf der Wäscheleine vor unserem Häuserblock aufzuhängen. Ich wollte den Tee ohne Zitrone haben, weil mein Sodbrennen sehr schlimm ist, Hannah.

Als das Fieber herunterging, kaufte mir Vater im Geschäft unseres Nachbarn Globermann, wo er Rabatt bekam, ein verbilligtes Damespiel. Er versuchte, jedes Spiel, das wir spielten, zu verlieren. Um mir Freude zu machen, stöhnte er auf und stützte den Kopf in die Hände, wobei er mich ›kleines Genie, kleiner Professor, kleiner Großpapa Salman‹ nannte. Einmal erzählte er mir die Geschichte der Familie Mendelssohn und verglich sich scherzend mit dem mittleren Mendelssohn, der der Sohn des einen und der Vater des anderen großen Mendelssohn war. Er sagte mir eine große Zukunft voraus. Er machte mir unzählige Tassen warmer Milch mit Honig, ohne Haut. Wenn ich eigensinnig war und mich weigerte zu trinken, versuchte er, mich mit Lockungen und Versprechungen dazu zu bewegen. Er schmeichelte meinem Verstand. So wurde ich wieder gesund. Würde es dir etwas ausmachen, Hannah, mir meine Pfeife zu bringen? Nein, nicht diese, die englische. Die kleinste. Ja, das ist sie. Danke schön! Ich wurde gesund, und Vater steckte sich bei mir an und wurde sehr krank. Er lag drei Wochen lang in dem Krankenhaus, in dem Tante Jenia arbeitete. Tante Leah erklärte sich bereit, nach mir zu sehen, solange er krank war. Nach zwei Monaten sagten sie mir, er habe es nur seinem Glück oder einem Wunder zu verdanken, daß er überhaupt mit dem Leben davonkam. Vater selbst machte viele Scherze darüber. Er zitierte ein Sprichwort, in dem es heißt, daß große Männer jung sterben, und meinte dazu, daß er zum Glück nur ein ganz gewöhnlicher Mann sei. Ich schwor vor Herzls Bild im Wohnzimmer, daß, wenn Vater plötzlich stürbe, auch ich einen Weg finden würde zu sterben, ehe ich in ein Waisenhaus oder zu Tante Leah ginge. Nächste Woche, Hannah, kaufen wir Yair eine elektrische Eisenbahn. Eine große. Wie die, die er im Schaufenster von Freimann & Beins Schuhgeschäft in der Yafo-Straße gesehen hat. Yair hat eine große Vorliebe für mechanische Dinge. Ich werde ihm den Wekker geben, der nicht mehr funktioniert. Ich zeige ihm, wie man ihn auseinandernimmt und wieder zusammensetzt. Vielleicht wird aus Yair einmal ein Ingenieur. Ist dir aufgefallen, wie fasziniert der Junge von Motoren und Federn und Maschinen ist?

Hast du jemals von einem viereinhalbjährigen Kind gehört, das in der Lage ist, zu folgen, wenn man ihm erklärt, wie ein Radio funktioniert? Ich habe mich nie für übermäßig intelligent gehalten. Das weißt du. Ich bin kein Genie oder was auch immer mein Vater vermutete oder zu vermuten vorgab. Ich bin nichts Besonderes, Hannah, aber du mußt mit aller Kraft versuchen, Yair zu lieben. Es ist auch besser für dich, wenn du das tust. Nein, ich unterstelle dir nicht, daß du das Kind vernachlässigst. Unsinn. Aber ich habe das Gefühl, daß du nicht gerade vernarrt in ihn bist. Man muß aber vernarrt sein, Hannah. Mitunter muß man sogar jeden Maßstab verlieren. Was ich sagen will, ist, ich möchte, daß du anfängst... ich weiß nicht recht, wie ich diese Art Gefühl erklären soll. Reden wir nicht mehr davon. Vor vielen Jahren saßen wir beide in einem Café, und ich sah dich an, und ich sah mich an, und ich sagte mir, ich bin nicht dafür geschaffen, ein Traumprinz oder ein Ritter auf einem Pferd zu sein, wie man so sagt. Du bist hübsch, Hannah. Du bist sehr hübsch. Habe ich dir erzählt, was Vater letzte Woche in Holon zu mir sagte? Er sagte, du wirktest wie eine Dichterin, obwohl du keine Gedichte schreibst. Schau, Hannah, ich weiß nicht, warum ich dir das alles jetzt erzähle. Du sagst gar nichts. Einer von uns hört immer zu und sagt nichts. Warum ich dir das alles erzählt habe? Sicher nicht, um dich zu kränken oder zu verletzen. Schau, wir hätten nicht auf dem Namen Yair bestehen sollen. Schließlich hätte der Name unsere Beziehung zu dem Kind nicht berührt. Und wir traten ein sehr kostbares Gefühl mit Füßen. Eines Tages, Hannah, muß ich dich fragen, warum du ausgerechnet mich unter all den interessanten Männern, die du gekannt haben mußt, ausgewählt hast. Doch jetzt ist es spät, und ich rede zuviel, und das überrascht dich sicher. Machst du allmählich die Betten zurecht, Hannah? Ich komme gleich und helfe dir. Laß uns schlafen gehen, Hannah. Vater ist tot. Ich bin selbst Vater. All dies... all diese Aktivitäten kommen mir plötzlich wie ein idiotisches Kinderspiel vor. Ich erinnere mich, daß wir einmal am Rande unseres Grundstücks auf einem unbebauten Stück Land, in dessen Nähe schon der Sand begann, spielten: Wir stellten uns in einer langen Reihe auf, und der erste warf den Ball und rannte zum Ende der Reihe, bis der erste der letzte war und der letzte wieder der erste, immer wieder von vorn. Ich weiß nicht mehr, worin der Sinn des Spiels bestand. Ich weiß nicht mehr, wie man das Spiel gewann. Ich weiß nicht einmal mehr, ob es irgendwelche Regeln gab oder ob der Wahnsinn Methode hatte. Du hast das Licht in der Küche brennen lassen.«

XXVII

Die Trauertage waren vorüber. Mein Mann und ich saßen uns wieder beim Frühstück am Küchentisch gegenüber, so ruhig und freundlich, daß ein Fremder der irrigen Meinung sein mußte, wir hätten unseren Frieden miteinander gemacht. Ich halte die Kaffeekanne. Michael reicht mir zwei Tassen. Ich gieße den Kaffee ein. Michael schneidet das Brot. Ich gebe Zucker in die zwei Tassen Kaffee und rühre und rühre, bis seine Stimme mich unterbricht: »Es ist genug, Hannah. Er hat sich aufgelöst. Du bohrst schließlich keinen Brunnen.«

Ich trinke meinen Kaffee schwarz. Michael nimmt lieber ein bißchen Milch. Ich zähle vier, fünf, sechs Tropfen Milch in seine Tasse.

So sitzen wir da: Ich habe meinen Rücken gegen die Seitenwand des Kühlschranks gelehnt und sehe auf das strahlend blaue Rechteck des Küchenfensters. Michaels Rücken ist gegen das Fenster gekehrt, und seine Augen betrachten die leeren Flaschen auf dem Kühlschrank, die Küchentür, einen Teil des Flurs und die Badezimmertür.

Dann umgibt uns das Radio mit leichter Morgenmusik, hebräischen Liedern, die mir meine Kindheit ins Gedächtnis rufen und Michael daran erinnern, daß es spät wird. Er erhebt sich wortlos, geht zum Spülstein und wäscht seine Tasse und seinen Teller ab. Er verläßt die Küche. Im Flur zieht er seine Hausschuhe aus und

die Straßenschuhe an. Zieht ein graues Jackett an. Nimmt seinen Hut vom Haken. Mit dem Hut auf dem Kopf und seiner alten, schwarzen Aktentasche unter dem Arm kommt er in die Küche zurück, um mich auf die Stirn zu küssen und auf Wiedersehen zu sagen. Ich solle nicht vergessen, mittags Petroleum zu kaufen: wir hätten fast nichts mehr. Er selber schreibt sich in sein Notizbuch, daß er zu den Wasserwerken gehen muß, um die Wasserrechnung zu bezahlen und einen Irrtum aufzuklären.
Michael verläßt das Haus, und Tränen schnüren mir die Kehle zu. Ich frage mich, woher diese Traurigkeit kommt. Aus welchem verfluchten Nest sie gekrochen kommt, um mir meinen ruhigen, blauen Morgen zu verderben. Wie ein Büroangestellter, der Ablage macht, sortiere ich einen Haufen bruchstückhafter Erinnerungen aus. Überprüfe jede Ziffer in einer langen Zahlenreihe. Irgendwo hat sich ein schwerwiegender Fehler eingeschlichen. Ist es eine Illusion? Irgendwo glaubte ich, einen schlimmen Fehler entdeckt zu haben. Das Radio spielt keine Lieder mehr. Es redet auf einmal über den Ausbruch von Unruhen in den Dörfern. Ich breche auf: acht Uhr. Die Zeit steht niemals still und läßt einen niemals stillstehen. Ich schnappe meine Handtasche. Dränge unnötigerweise Yair, der vor mir fertig ist. Hand in Hand laufen wir zu Sarah Zeldins Kindergarten.
In den Straßen Jerusalems liegt ein strahlender Morgen. Freudige Stimmen. Ein alter Kutscher räkelt sich auf dem Bock und singt, so laut er kann. Die Jungen der religiösen Taschkemoni-Schule tragen Baskenmützen schräg auf dem Kopf. Sie haben sich auf dem Bürgersteig auf der anderen Straßenseite aufgestellt und hänseln und provozieren den alten Kutscher. Der Kutscher winkt mit der Hand, als wolle er einen Gruß erwidern, lacht und fährt fort, laut zu singen. Mein Sohn beginnt mir zu erklären, daß auf der 3B-Busstrecke zwei Autotypen gefahren werden, Ford und Fargo. Der Ford habe einen viel stärkeren Motor, der Fargo sei schwach und langsam. Plötzlich kommt dem Jungen der Verdacht, daß ich seinen Erklärungen nicht mehr folge. Er testet mich. Ich bin vorbereitet. Ich habe jedes Wort gehört, Yair. Du bist ein sehr kluger Junge. Ich höre zu.

Ein klarer, blauer Morgen beherrscht Jerusalem. Sogar die grauen Steinmauern der Schneller-Kaserne geben sich alle Mühe, nicht so schwer auszusehen. Und auf den brachliegenden Grundstücken dichte, kräftige Vegetation: Dornengestrüpp, Winden, Spritzgurken und eine Unmenge anderer wild wachsender Pflanzen, deren Namen ich nicht kenne und die man gewöhnlich als Unkraut bezeichnet. Plötzlich bleibe ich schrekkensbleich stehen: »Habe ich die Küchentür abgeschlossen, ehe wir das Haus verließen, Yair?«
»Vati hat die Tür gestern abend abgeschlossen. Und heute hat sie noch keiner aufgemacht. Was ist heute los mit dir, Mami?«
Wir gehen an den schweren Eisentoren der Schneller-Kaserne vorüber. Ich habe noch nie einen Fuß hinter diese düsteren Mauern gesetzt. Als ich ein Kind war, war die britische Armee hier untergebracht, und Maschinengewehre ragten aus den Schießscharten. Vor vielen Jahren nannte man diese Festung das Syrische Waisenhaus, ein seltsamer Name, der mich auf seine Weise bedroht.
Ein blonder Posten steht vor den Toren und haucht seine Finger an, um sie zu wärmen. Als wir vorübergehen, schaut der junge Soldat auf meine Beine, auf die freie Stelle zwischen meinem Rock und den kurzen, weißen Socken. Ich entschließe mich, ihm zuzulächeln. Er wirft mir einen fiebernden Blick zu, eine Mischung aus Scham, Verlangen, Sehnsucht und Entschuldigung. Ich schaue auf die Uhr: Viertel nach acht. Viertel nach acht Uhr morgens, ein klarer, blauer Tag, und ich bin schon wieder müde. Ich möchte schlafen. Aber nur unter der Bedingung, daß mir Träume erspart bleiben.

Jeden Dienstag macht Michael auf dem Heimweg von der Universität in der Innenstadt halt, um bei der Agentur Kahana Karten für die zweite Kinovorstellung zu bestellen. Während wir weg sind, achtet Yoram, der Sohn von Kamnitzers über uns, auf das Kind. Einmal fand ich bei der Rückkehr vom Kino ein Blatt Papier in dem Roman, der auf meinem Nachttisch lag. Yoram hatte mir sein neuestes Gedicht dagelassen und wollte meine

Meinung dazu hören. Yorams Gedicht beschrieb einen Jungen und ein Mädchen, die in der Dämmerung durch einen Obstgarten gehen. Plötzlich reitet ein seltsamer Reiter vorüber, ein schwarzer Reiter auf einem schwarzen Hengst, mit einer Lanze aus schwarzem Feuer in der Hand. Während er vorbeigaloppiert, breitet sich ein dunkler Schleier über das Land und über die Liebenden. Am Fuß der Seite erklärte Yoram in Klammern, daß mit dem schwarzen Reiter die Nacht gemeint sei. Yoram traute mir nicht.
Als ich am nächsten Tag Yoram Kamnitzer auf der Treppe traf, sagte ich ihm, daß mir sein Gedicht gut gefallen habe und daß er es vielleicht an eine der Jugendzeitschriften senden solle. Yoram umklammerte das Treppengeländer. Im ersten Moment warf er mir einen angsterfüllten Blick zu, dann lachte er leise und gequält.
»Es ist alles gelogen, Frau Gonen«, murmelte er.
»Jetzt lügst du aber«, lächelte ich.
Er wandte sich um und stürzte die Treppe hinauf. Plötzlich hielt er an, schaute zurück und flüsterte eine erschrockene Entschuldigung, als habe er mich auf seinem Weg nach oben zur Seite gestoßen.

Sabbatabend. Abend in Jerusalem. Auf der Kuppe des Romema-Hügels gleißt der hohe Wasserturm im Sonnenuntergang. Nadeln aus Licht sickern durch die Blätter der Bäume, als stünde die Stadt in Flammen. Bodennebel breitet sich langsam nach Osten aus, gleitet mit blassen Fingern über Steinmauern und Eisengeländer. Seine Aufgabe ist es, zu besänftigen. Ringsum löst sich alles lautlos auf. Eine unstillbare Sehnsucht breitet sich unmerklich über die Stadt. Riesige Felsbrocken geben ihre Hitze frei und unterwerfen sich den kalten Fingern des Nebels. Eine leichte Brise weht durch die Höfe. Sie bewegt raschelnd die Papierfetzen, läßt wieder ab von ihnen, da sie kein Vergnügen daran findet. Nachbarn in Sabbatkleidung auf ihrem Weg zum Gebet. Die Liebkosung eines fernen Motors fällt purpurn auf die flüsternden Kiefern. Halt, Fahrer, halt nur einen Augenblick an. Dreh dich um und laß mich dein Gesicht sehen.

Auf unserem Tisch ein weißes Tischtuch. Ein Strauß gelber Ringelblumen in einer Vase. Eine Flasche Rotwein. Michael schneidet das Sabbatbrot. Yair singt drei Sabbatlieder, die er im Kindergarten gelernt hat. Ich trage gebackenen Fisch auf. Wir zünden keine Sabbatlichter an, denn Michael würde es für Heuchelei halten, wenn Leute, die sich gegen die Religion entschieden haben, so etwas täten.
Michael erzählt Yair eine Geschichte über die Unruhen von 1936. Yairs Haltung verrät gespannte Aufmerksamkeit. Auch ich höre die Stimme meines Mannes. Ein hübsches, kleines Mädchen in einem blauen Mantel ist ebenfalls da, und das Mädchen versucht, mir durch das geschlossene Fenster etwas zuzurufen und hämmert deshalb mit schwachen Fäusten gegen die Scheibe. Ihr Gesicht ist angstvoll. Sie ist der Verzweiflung nahe. Ihre Lippen sagen etwas und wiederholen es, und ich kann es nicht verstehen, und sie hat aufgehört zu reden, und ihr Gesicht ist immer noch hinter der Scheibe. Mein verstorbener Vater segnete jeden Freitagabend Wein und Brot. Auch die Sabbatlichter wurden immer angezündet. Mein Vater wußte nicht, wieviel Wahrheit in den religiösen Vorschriften steckte. Also hielt er sich an sie. Erst als mein Bruder Emanuel sich einer sozialistischen Jugendbewegung anschloß, wurden die Sabbatbräuche eingestellt. Unser Respekt vor der Tradition stand auf schwachen Füßen. Vater war ein unentschlossener Mann.
Am Fuß der Böschung in der deutschen Kolonie in Süd-Jerusalem klettert ein müder Zug den Berg hinauf. Die Lokomotive heult und keucht. Sie bricht in den Armen verlassener Bahnsteige zusammen. Die letzte Dampfwolke entweicht mit einem hilflosen Schnaufen. Ein letztes Mal heult die Lokomotive gegen die Stille an. Aber die Stille ist zu gewaltig. Die Lokomotive gibt auf, unterwirft sich, wird kalt. Sabbatabend. Eine unbestimmte Erwartung. Sogar die Vögel sind stumm. Seine Füße stehen vielleicht vor den Toren Jerusalems. In den Obstgärten von Siloam oder jenseits des Berges des Bösen Rats. Die Stadt wird dunkel.
»*Shabbath Shalom.* Einen guten Sabbat«, sage ich.

Mein Sohn und mein Mann lachen. Michael sagt:
»Wie festlich du heute abend aussiehst, Hannah. Und wie gut dir das neue grüne Kleid steht.«

Anfang September brachte man unsere hysterische Nachbarin, Frau Glick, in eine Anstalt. Ihre Anfälle waren immer häufiger geworden. Zwischen den Anfällen pflegte sie mit leerem Gesichtsausdruck im Hof und auf der Straße herumzuwandern. Sie war eine beleibte Frau von jener reifen, üppigen Schönheit, wie man sie mitunter bei kinderlosen Frauen in den späten Dreißigern findet. Ihre Kleider standen auf lässige Art offen, als sei sie gerade aufgestanden. Einmal griff sie Yoram, diesen sanften Jungen, im Hinterhof an, schlug ihm ins Gesicht, zerriß sein Hemd und nannte ihn einen Wüstling, Voyeur, Schlüssellochgucker. An einem Sabbatabend Anfang September schnappte sich Frau Glick die beiden Leuchter mit den brennenden Sabbatlichtern und warf sie ihrem Mann ins Gesicht. Herr Glick flüchtete sich in unsere Wohnung. Er ließ sich keuchend in einen Sessel fallen. Michael legte seine Pfeife weg, machte das Radio aus und ging zum Drogisten hinüber, um die Behörden zu verständigen. Nach einer Stunde trafen die weißgekleideten Wärter ein. Sie hielten die Patientin an beiden Seiten fest und dirigierten sie sanft zum Krankenwagen. Sie ging die Treppe hinunter, als läge sie in den Armen ihrer Liebhaber, und summte die ganze Zeit über ein fröhliches jiddisches Lied. Die übrigen Mieter verfolgten alles schweigend von ihren Wohnungstüren aus. Yoram Kamnitzer kam herunter und stellte sich neben mich. »Frau Gonen, Frau Gonen«, flüsterte er, und sein Gesicht war totenbleich. Ich wollte nach seinem Arm greifen, unterließ es aber auf halbem Wege und zog meine Hand zurück.
»Es ist Sabbat heute, es ist Sabbat heute«, kreischte Frau Glick, als sie den Krankenwagen erreicht hatte. Ihr Mann stand vor ihr und sagte mit gebrochener Stimme:
»Mach dir keine Sorgen, Duba, es ist nichts, es geht vorüber, es ist nur eine Laune, Duba, es wird schon wieder gut werden.«

Herr Glick trug einen zerknautschten Sabbatanzug an seinem kleinen Körper. Sein dünner Schnurrbart zitterte, als hätte er ein eigenes Leben.

Ehe der Krankenwagen abfuhr, bat man Herrn Glick, eine Erklärung zu unterschreiben. Es war ein umständliches, ausführliches Formular. Im Scheinwerferlicht des Krankenwagens las Michael Punkt für Punkt vor. Er unterschrieb sogar an zwei Stellen für Herrn Glick, damit dieser den Sabbat nicht zu entweihen brauchte. Michael stand ihm bei, bis die Straße geräumt war, und brachte ihn dann auf eine Tasse Kaffee in unsere Wohnung mit.
So kam es, daß Herr Glick einer unserer ständigen Besucher wurde.
»Ich höre von unseren Nachbarn, Dr. Gonen, daß sie Briefmarken sammeln. Durch einen glücklichen Zufall habe ich oben eine ganze Schachtel voll Briefmarken, die ich nicht brauche, und ich würde mich sehr freuen, sie Ihnen zum Geschenk machen zu dürfen. Ich bitte um Entschuldigung, Sie sind kein Doktor? Und wenn schon. Alle Israelis sind gleich vor den Augen des Allmächtigen, mit Ausnahme derer, die seinen Unwillen erregt haben. Doktor, Korporal, Künstler – wir alle haben vieles gemeinsam und unterscheiden uns nur geringfügig. Um auf den Ausgangspunkt zurückzukommen: Meine arme Frau Duba hat einen Bruder und eine Schwester, der eine in Antwerpen, die andere in Johannesburg, die viele Briefe schreiben und sie mit hübschen Marken bekleben. Gott hat es nicht für richtig gehalten, mich mit Kindern zu segnen, so daß die Briefmarken für mich wertlos sind. Ich würde mich freuen, sie Ihnen zum Geschenk machen zu dürfen, Dr. Gonen. Als Gegenleistung möchte ich Sie ganz bescheiden um Ihre Erlaubnis bitten, hin und wieder Ihre Wohnung aufsuchen zu dürfen, um einen Blick in die *Encyclopaedia Hebraica* zu werfen. Lassen Sie mich erklären. Ich bin zur Zeit dabei, mir Wissen anzueignen, und ich habe die Absicht, die *Encyclopaedia Hebraica* durchzulesen. Nicht auf einmal natürlich. Jedesmal ein paar Seiten. Was mich betrifft, so

gebe ich Ihnen mein Wort, daß ich Ihnen nicht zur Last fallen oder sie stören werde und daß ich keinen Schmutz ins Haus trage. Ich werde meine Schuhe gründlich abputzen, ehe ich hereinkomme.«

So wurde unser Nachbar einer unserer häufigsten Besucher. Außer den Briefmarken brachte er Michael die Wochenendbeilagen der religiösen Zeitung *Hatsofeh* mit, weil sie eine wissenschaftliche Spalte enthielten. Fortan kam ich in den Genuß eines Sonderrabatts in Glicks Kurzwarengeschäft in der David-Yelin-Straße. Reißverschlüsse, Gardinenhaken, Knöpfe, Schnallen und Stickgarn, das alles machte Herr Glick mir zum Geschenk. Und ich brachte es nicht fertig, seine Geschenke zurückzuweisen.

»All diese Jahre habe ich die Gebote unseres Glaubens in aller Strenge befolgt. Und jetzt, seit dem Unglück mit meiner armen Frau Duba befallen mich Zweifel. Ernsthafte Zweifel. Ich beabsichtige, mich weiterzubilden und die Enzyklopädie zu studieren. Ich bin bereits bei dem mit ›Atlas‹ überschriebenen Abschnitt angelangt und habe festgestellt, daß dieses Wort nicht nur ein Buch mit Landkarten bezeichnet, sondern auch der Name eines griechischen Titanen ist, der die ganze Welt auf seinen Schultern trägt. Ich habe in letzter Zeit eine Menge neuer Entdeckungen gemacht, und wem verdanke ich das alles? Der großzügigen Familie Gonen, die so nett zu mir war. Ich würde gern Freundlichkeit mit Freundlichkeit vergelten, und ich wüßte nicht, wie ich meine Dankbarkeit anders zum Ausdruck bringen sollte, wenn Sie dieses Riesen-Tierlotto nicht annehmen, das ich für Ihren Sohn Yair gekauft habe.«

Wir nahmen es an.

Dies waren unsere Freunde, die uns regelmäßig besuchten:

Meine beste Freundin Hadassah und ihr Mann Abba. Abba war ein Beamter im Ministerium für Handel und Industrie und der kommende Mann dort. Hadassah arbeitete als Telefonistin im gleichen Ministerium. Sie hatten vor, genügend Geld für den Kauf einer Wohnung in Rehavya anzusparen und erst dann ein

Kind auf die Welt zu bringen. Von ihnen erfuhr Michael Bruchstücke politischer Informationen, die in den Zeitungen nicht veröffentlicht wurden. Hadassah und ich tauschten Erinnerungen an unsere Schulzeit und die britische Mandatszeit aus. Höfliche Assistenten vom Fachbereich Geologie kamen vorbei und scherzten eine Weile mit Michael über die Unmöglichkeit, an der Universität voranzukommen, ohne daß einer der Alten starb. Man sollte Richtlinien festlegen, die faire Chancen für junge Akademiker garantierten.
Hin und wieder besuchte uns Liora vom Kibbuz Tirat Yaar allein oder mit Mann und Töchtern. Sie kamen zum Einkaufen oder Eis essen nach Jerusalem und schauten herein, um zu sehen, ob wir noch lebten. Was für hübsche Vorhänge, was für eine blitzsaubere Küche. Ob sie wohl gerade mal einen Blick ins Badezimmer werfen könnten? Sie wollten neue Wohnungen in ihrem Kibbuz bauen und suchten nach Ideen und Vergleichsmöglichkeiten. Im Namen des Kulturkomitees luden sie Michael zu einem Freitagabendvortrag über die geologische Struktur der Berge von Judäa ein. Sie bewunderten das Leben des Gelehrten. »Das akademische Leben ist so frei von lästiger Routine«, sagte Liora. »Ich erinnere mich noch an Michael, früher in der Jugendbewegung. Er war ein ernsthafter, zuverlässiger Bursche. Jetzt wird es nicht mehr lange dauern, und er ist der Stolz unserer Klasse. Wenn er den Vortrag in Tirat Yaar hält«, fügte sie hinzu, »müßt ihr alle kommen. Es war eine Einladung an alle. Wie viele gemeinsame Erinnerungen wir doch haben.«

Alle zehn Tage besuchte uns Herr Avraham Kadischmann. Er gehörte einer alten Jerusalemer Familie an, besaß eine bekannte Schuhfirma und war ein langjähriger Freund Tante Leahs. Er hatte vor unserer Heirat meine Familienverhältnisse überprüft und die Tanten noch vor unserem ersten Zusammentreffen davon in Kenntnis gesetzt, daß ich aus gutem Hause war.
Wenn er bei uns eintraf, legte er im Flur seinen Mantel ab und lächelte Michael an, als bringe er den Atem der großen Welt in unser Heim und als hätten wir seit seinem letzten Besuch nur dage-

sessen und darauf gewartet, daß er wiederkäme. Am liebsten trank er Kakao. Seine Unterhaltung mit Michael kreiste um die Regierung. Herr Kadischmann war aktives Mitglied der rechtsgerichteten Nationalen Partei in Jerusalem. Er und Michael stritten sich ständig über irgend etwas: den ermordeten Sozialistenführer Arlozoroff, die Zersplitterung in der antibritischen Untergrundbewegung, die Versenkung der *Altalena* auf Befehl der Regierung. Ich weiß nicht, was Michael an Herrn Kadischmanns Gesellschaft so schätzte. Vielleicht war es die gemeinsame Liebe zur Pfeife oder zum Schachspiel, oder Michael wehrte sich einfach dagegen, einen hoffnungslos einsamen, alten Mann im Stich zu lassen. Herr Kadischmann machte kleine Verse über unseren Sohn Yair wie:

Yair Gonen, der heut' noch so klein,
wird einmal ein Vorbild der Menschheit sein.
Möge er viele Jahre leben
und seinem Volk die Freiheit geben.

Oder:

Unser lieber Yair ist jetzt noch so klein,
eines Tages wird er die Klagemauer befrein.

Ich machte Tee, Kaffee und Kakao. Schob den Teewagen von der Küche ins Wohnzimmer. Das Wohnzimmer war vom Tabakgeruch vernebelt. Herr Glick, mein Mann und Herr Kadischmann saßen um den Tisch herum wie Kinder auf einer Geburtstagsparty. Herr Glick sah mich aus den Augenwinkeln an und wandte den Blick dann rasch wieder ab, als fürchte er, von mir eine Beleidigung zu hören. Die beiden anderen beugten sich über das Schachbrett. Ich schneide einen Kuchen auf und lege ein Stück auf jeden Teller. Die Gäste loben die Hausfrau. Auf meinem Gesicht liegt ein höfliches Lächeln, an dem ich keinen Anteil habe. Die Unterhaltung verläuft ungefähr so:
»Früher hieß es, wenn die Briten gehen, wird der Messias kommen«, beginnt Herr Glick zögernd. »Na gut, die Briten sind gegangen, und die Erlösung läßt noch auf sich warten.«
Herr Kadischmann:
»Weil das Land von kleinen Geistern regiert wird. Ihr Alterman

sagt an einer Stelle, daß Don Quijote tapfer kämpft, aber es ist immer Sancho, der gewinnt.«
Mein Mann:
»Es hat keinen Sinn, alles auf Helden und Bösewichter zu reduzieren. In der Politik gibt es objektive Faktoren und objektive Trends.«
Herr Glick:
»Statt den Nationen ein Licht zu sein, sind wir nur eine unter den Nationen geworden, und wer vermag zu sagen, ob das gut ist oder schlecht?«
Herr Kadischmann:
»Weil das Dritte Königreich Israel von engstirnigen Parteikulis regiert wird. Statt König Messias haben wir kleine Kibbuz-Kassenwarte. Vielleicht gelingt es der Generation unseres feinen, jungen Freundes Yair Gonen, wenn sie erst einmal herangewachsen ist, unserem Volk zur Selbstachtung zu verhelfen.«
Was mich angeht, so schiebe ich die Zuckerdose von einem Gast zum anderen und lasse geistesabwesend Bemerkungen wie diese fallen:
»Wo sollen all diese neumodischen Ideen nur hinführen?«
Oder hin und wieder:
»Man muß mit der Zeit gehen.«
Oder:
»Jedes Problem hat zwei Seiten.«
Ich sage diese Dinge, um nicht den ganzen Abend schweigend dazusitzen und unhöflich zu erscheinen. Der plötzliche Schmerz: Warum hat man mich hier ausgesetzt? Nautilus. Dragon, Inseln des Archipels. Komm, o komm doch, Rahamin Rahamimov, mein hübscher bucharischer Taxifahrer. Drück einmal fest auf die Hupe. Fräulein Yvonne Azulai ist reisefertig. Ist fertig und wartet. Muß sich nicht einmal umziehen. Kann auf der Stelle abfahren. Jetzt.

XXVIII

Die trübsinnige Monotonie der Tage. Ich kann nichts vergessen. Ich weigere mich, auch nur eine Krume den Fingern der kalten Zeit zu überlassen. Ich hasse es. Wie das Sofa, die Sessel und die Vorhänge sind auch die Tage zarte Variationen eines einfarbigen Themas. Ein hübsches, kluges kleines Mädchen in einem blauen Mantel, eine schäbige Kindergärtnerin mit Krampfadern und zwischen den beiden eine Glasscheibe, die trotz eifrigen Putzens immer trüber wird. Yvonne Azulai ist auf der Strecke geblieben. Sie wurde von einem gemeinen Betrüger in die Irre geführt. Meine beste Freundin Hadassah erzählte mir einmal, was geschah, als unser Rektor erfuhr, daß er krebskrank war. Als der Arzt ihm die Nachricht überbrachte, protestierte der Mann wütend: »Ich habe immer pünktlich meine Krankenkassenbeiträge gezahlt, und während des Krieges habe ich mich trotz meines Alters freiwillig zum Sanitätsdienst gemeldet. Und was ist mit der Gymnastik, die ich all die Jahre getrieben habe? Und der Diät? Mein Leben lang habe ich keine Zigarette angerührt. Und mein Buch über die Elemente der hebräischen Grammatik?«
Pathetische Klagen. Doch der Betrug ist nun einmal pathetisch und häßlich zugleich. Ich stelle keine übertriebenen Forderungen. Nur das Glas sollte durchsichtig bleiben. Das ist alles.

Yair wächst heran. Nächstes Jahr werden wir ihn zur Schule schicken. Yair ist ein Kind, das nie über Langeweile klagt. Michael sagt, er genüge sich in jeder Hinsicht selber.
Im Sandkasten im Garten spielen Yair und ich Tunnel bauen. Meine Hand buddelt sich seiner winzigen Hand entgegen, bis wir unter dem Sand zusammenstoßen. Dann hebt er seinen intelligenten Kopf und sagt leise: »Wir sind zusammengestoßen.«
Einmal stellte mir Yair eine Frage:
»Mami, stell dir einmal vor, ich wäre Aron und Aron wäre ich. Woher wüßtest du dann, welchen Jungen du lieb hast?«

Yair konnte ein bis zwei Stunden lang in seinem Zimmer spielen, ohne ein Geräusch zu machen. So daß mich plötzlich die Stille erschreckt. Ich stürze in panischer Angst in sein Zimmer. Ein Unfall. Elektrizität. Und er schaut ruhig und voll vorsichtiger Überraschung zu mir auf: »Was ist los, Mami?«
Ein sauberes und achtsames Kind; ein ausgeglichenes Kind. Zuweilen kommt er wund und zerschlagen nach Hause. Weigert sich, zu erklären. Schwarze Augen. Schließlich gibt er den Bitten und Drohungen nach und sagt:
»Es gab eine Schlägerei. Sie zankten sich. Ich auch. Es macht mir nichts aus, es tut nicht weh. Manchmal gibt es Streit, das ist nun mal so.«
Äußerlich ähnelt mein Sohn meinem Bruder Emanuel mit seinen starken Schultern, dem riesigen Kopf und den starren Bewegungen. Aber er hat nichts von meines Bruders offener, stürmischer Begeisterung. Wenn ich ihn küsse, zuckt er zurück, als habe er sich dazu erzogen, stumm zu leiden. Wenn ich etwas sage, das ihn zum Lachen bringen soll, mustert er mich mit einem forschenden, schrägen Blick, wachsam, wissend, ernsthaft. Als überlege er, warum ich mir gerade diesen besonderen Scherz ausgedacht habe. Er findet Gegenstände viel interessanter als Menschen oder Wörter. Federn, Hähne, Schrauben, Stöpsel, Schlüssel.

Die Monotonie der Tage. Michael geht zur Arbeit und kommt um drei Uhr zurück. Tante Jenia hat ihm eine neue Aktentasche gekauft, weil die alte, die ihm sein Vater zur Hochzeit schenkte, kaputtgegangen ist. Fältchen breiten sich über seine untere Gesichtshälfte aus. Sie geben ihm einen Ausdruck kühler, bitterer Ironie, die Michael fremd ist. Seine Doktorarbeit macht langsame, aber sichere Fortschritte. Jeden Abend widmet Michael die zwei Stunden zwischen den Neun- und Elf-Uhr-Nachrichten dieser Arbeit. Wenn wir keinen Besuch haben und es nichts Interessantes im Radio gibt, bitte ich Michael, mir ein paar Seiten daraus vorzulesen. Die Friedlichkeit seiner gleichförmigen Stimme. Seine Tischlampe. Seine Brille. Die entspannte Haltung seines Körpers im Sessel, während er über vulkanische Eruptionen, über die Abkühlung der kristallinen Kruste spricht. Diese Wörter kommen aus den Träumen, die ich träume, und in diese Träume sollen sie zurückkehren. Mein Mann ist ausgeglichen und beherrscht. Zuweilen fällt mir ein kleines, grauweißes Kätzchen ein, das wir Schneeball nannten. Die unbeholfenen Sprünge des Kätzchens, als es eine Motte unter der Decke fangen wollte.

Wir beginnen beide, unter verschiedenen kleinen Beschwerden zu leiden. Michael war seit seinem 14. Lebensjahr nicht einen Tag krank gewesen, und ich hatte allenfalls einmal eine leichte Erkältung. Doch jetzt wird Michael häufig von Sodbrennen geplagt, und Dr. Urbach hat ihm verboten, Gebratenes zu essen. Ich leide unter schmerzhaften Verkrampfungen der Kehle. Mehrfach ist mir schon für einige Stunden die Stimme weggeblieben.
Gelegentlich flammt ein kleiner Streit zwischen uns auf. Ihm folgt stiller Frieden. Eine Weile machen wir uns gegenseitig Vorwürfe, dann suchen wir plötzlich die Schuld bei uns selbst. Lächeln wie zwei Fremde, die sich zufällig auf einer schlecht beleuchteten Treppe begegnen; verlegen, aber sehr höflich. Wir haben einen Gasherd gekauft. Nächsten Sommer werden wir eine Waschmaschine haben. Der Vertrag ist bereits unterschrieben und die erste Rate gezahlt. Dank Herrn Kadischmann kommen wir in den Genuß eines beträchtlichen Rabatts. Wir haben Yairs Zimmer blau gestrichen. Michael hat noch mehr Bücherregale in seinem Arbeitszimmer, dem umgewandelten Balkon, untergebracht. Wir haben auch zwei Bücherregale in Yairs Zimmer aufgestellt.

Tante Jenia verbrachte das Neujahrsfest mit uns. Sie war vier Tage lang unser Gast, denn auf den Feiertag folgte direkt der Sabbat. Sie war älter geworden und härter. Ihr Gesicht hatte ständig einen Ausdruck wie nach einem häßlichen Schluchzen. Sie rauchte viel trotz heftiger Herzschmerzen. Das Los einer Ärztin ist hart in einem heißen, ruhelosen Land.

Michael und ich gingen mit Tante Jenia auf dem Herzlberg und dem Zionsberg spazieren. Wir besuchten auch den Hügel, auf dem die neue Universität entstehen sollte. Tante Jenia hatte aus Tel Aviv einen polnischen Roman mit einem braunen Umschlag mitgebracht, den sie nachts im Bett las.
»Warum schläfst du nicht, Tante Jenia? Du solltest das Beste aus deinem Urlaub machen und dir einen guten, gesunden Schlaf gönnen.«
»Du schläfst ja auch nicht, Hanka. In meinem Alter kann man sich das erlauben, in deinem nicht.«
»Ich könnte dir Pfefferminztee machen. Das entspannt, dann kannst du besser einschlafen.«
»Aber Schlaf bedeutet keine Entspannung für mich, Hanka. Trotzdem, vielen Dank.«

Als die Feiertage vorüber waren, fragte Tante Jenia:
»Wenn ihr euch schon entschlossen habt, in dieser abscheulichen Wohnung zu bleiben, warum bekommt ihr dann nicht noch ein Kind?«
Michael dachte einen Augenblick nach und lächelte:
»Wir dachten vielleicht, wenn ich meine Dissertation fertig habe...«
Ich sagte:
»Nein. Wir haben es uns nicht anders überlegt. Wir werden eine wunderschöne, neue Wohnung haben. Und wir werden auch ins Ausland fahren.«
Und Tante Jenia voll bitterer Trauer:
»Die Zeit fliegt, wißt ihr, die Zeit fliegt. Ihr beide lebt euer Leben, als stünde die Zeit still und wartete auf euch. Glaubt mir, die Zeit steht nicht still. Die Zeit wartet auf niemanden.«
14 Tage später, während des Laubhüttenfestes, feierte ich meinen 25. Geburtstag. Ich bin vier Jahre jünger als mein Mann. Wenn Michael 70 ist, werde ich 66 sein. Mein Mann kaufte mir ein Grammophon zum Geburtstag und drei klassische Platten – Bach, Beethoven, Schubert. Es sollte der Anfang einer Plattensammlung sein. Es würde mir gut tun, sagte Michael, Schallplat-

ten zu sammeln. Er habe irgendwo gelesen, daß Musik entspanne. Und das Sammeln selbst entspanne ebenfalls. Schließlich sammle auch er Pfeifen und Briefmarken für Yair. Brauche er auch Entspannung, wollte ich fragen. Aber ich wollte sein Lächeln nicht sehen. Deshalb fragte ich nicht.
Yoram Kamnitzer hörte von Yair, daß ich Geburtstag hatte. Er kam herunter, um das Bügelbrett für seine Mutter auszuleihen. Plötzlich streckte er unbeholfen die Hand aus und übergab mir ein in braunes Papier gewickeltes Päckchen. Ich öffnete es: ein Gedichtband von Jacob Fichmann. Ehe ich noch danke schön sagen konnte, war Yoram wieder auf dem Weg nach oben. Das Bügelbrett brachte am nächsten Tag seine kleine Schwester zurück.

Einen Tag vor dem Feiertag ging ich zum Friseur und ließ mir die Haare ganz kurz schneiden, wie die eines Jungen. Michael sagte: »Was ist nur in dich gefahren, Hannah? Ich verstehe nicht, was in dich gefahren ist.«
Meine Mutter schickte mir aus Nof Harim ein Geburtstagspaket. Es enthielt zwei grüne Tischdecken, die sie mit malvenfarbenen Alpenveilchen bestickt hatte. Es war eine sehr zarte Stikkerei.
In der Woche des Laubhüttenfestes besuchten wir den Biblischen Zoo.
Von unserem Haus bis zum Biblischen Zoo waren es nur zehn Minuten, doch man fühlte sich auf einem anderen Kontinent. Der Zoo ist in einem Wald am Hang eines felsigen Hügels angelegt. Am Fuß des Hügels ist Ödland. Rauhe Wadis, die sich ziellos dahinschlängeln. Der Wind strich durch die Kiefernspitzen. Ich sah dunkle Vögel in eine Wildnis aus Blau emporfliegen. Ich verfolgte sie mit den Augen. Einen Augenblick lang geriet ich völlig durcheinander. Ich bildete mir ein, daß nicht die Vögel hochflögen, sondern daß ich tiefer und tiefer fiele. Ein älterer Aufseher tippte mir besorgt auf die Schulter: hier entlang, meine Dame, hier entlang.
Michael erklärte seinem Sohn die Gewohnheiten der Nachttiere.

Er gebrauchte einfache Wörter und vermied Adjektive. Yair stellte eine Frage. Michael antwortete. Mir entgingen zwar die Wörter, aber ich hörte die Geräusche, das Geräusch des Windes und das Kreischen der Affen in den Käfigen. In dem blendend hellen Tageslicht waren die Affen in ihre lüsternen Spiele vertieft. Ihr Anblick ließ mich nicht unberührt. Eine ungehörige Freude stieg in mir auf, wie das Gefühl, das ich mitunter empfinde, wenn mich Fremde in meinen Träumen mißbrauchen. Ein alter Mann in einem grauen Mantel mit hochgeschlagenem Kragen stand vor den Affenkäfigen. Seine knochigen Hände ruhten auf einem geschnitzten Gehstock. Jung und aufrecht in meinem Sommerkleid gehe ich mit Absicht zwischen ihm und den Käfigen hindurch. Der Mann starrt mich an, als sei ich durchsichtig, und die Paarung der Affen setzt sich durch mein Fleisch hindurch fort. Was starren Sie mich so an, mein Herr? Warum fragen Sie, junge Frau? Sie beleidigen mich, mein Herr. Sie sind zu empfindlich, junge Frau. Sie gehen schon, mein Herr? Ich gehe nach Hause, junge Frau. Wo ist zu Hause, mein Herr? Warum fragen Sie? Sie haben kein Recht zu fragen. Ich habe meinen Platz, Sie haben ihren. Stimmt etwas nicht? Wofür halten Sie mich? Verzeihen Sie, mein Herr, ich habe Sie zu Unrecht verdächtigt. Meine liebe, müde junge Dame, Sie scheinen Selbstgespräche zu führen. Ich kann nicht verstehen, was Sie sagen. Sie scheinen sich nicht wohl zu fühlen. Ich höre ferne Musik, mein Herr. Ist es eine Kapelle, die in weiter Ferne spielt? Was jenseits der Bäume ist, junge Frau, vermag ich nicht zu sagen. Es ist nicht leicht, einer fremden, jungen Frau, die sich nicht wohl fühlt, Vertrauen zu schenken. Ich höre eine Melodie, mein Herr. Sie täuschen sich, mein Kind; es ist nur das verzückte Kreischen der Affen, unschickliche Geräusche. Nein, mein Herr, ich weigere mich, Ihnen zu glauben. Sie belügen mich. Ein Festzug marschiert jenseits des Waldes und der Häuser vorbei, in der Straße der Könige von Israel. Dort marschiert und singt unsere Jugend, dort sind stämmige Polizisten auf tänzelnden Pferden, eine Militärkapelle in leuchtendweißen Uniformen mit goldenen Tressen. Sie belügen mich, mein Herr. Sie wollen mich isolieren, bis ich leer bin. Ich gehöre noch nicht dazu und bin schon nicht mehr dieselbe. Ich werde Ihnen nicht erlauben, mein guter Herr, mich mit leisen Worten zu verführen. Und wenn magere, graue Wölfe leichtfüßig auf weichen Pfoten in ihren Käfigen Kreise ziehen, mit offenen Mäulern und feuchten Schnauzen, das Fell von Schmutz und Speichel verfilzt, dann sind bestimmt wir es, die sie bedrohen, wir sind das Ziel ihrer ganzen Wut, jetzt, ja, jetzt.

XXIX

Die trübsinnige Monotonie der Tage. Der Herbst steht vor der Tür. Nachmittags scheint die Sonne durch das westliche Fenster und zeichnet Muster aus Licht auf den Teppich und die Sesselbezüge. Mit jedem Rauschen der Baumspitzen draußen beginnen die Muster aus Licht sanft zu schwingen. Eine unruhige, komplexe Bewegung. Die obersten Zweige des Feigenbaumes stehen jeden Abend erneut in Flammen. Die Stimmen der draußen spielenden Kinder lassen eine ferne Wildheit ahnen. Der Herbst steht vor der Tür. Ich muß daran denken, daß mein Vater, als ich noch klein war, einmal sagte, die Menschen wirkten ruhiger und weiser im Herbst.

Ruhig und weise zu sein: wie langweilig.

Eines Abends besuchte uns Yardena, Michaels Freundin aus Studententagen. Sie brachte eine überwältigende Fröhlichkeit mit. Sie und Michael hatten um die gleiche Zeit angefangen zu studieren, und nun habe der fleißige Michael schon soviel erreicht, und sie, wie sie zu ihrer Schande gestehen müsse, schlage sich noch immer mit einem elenden Referat herum.

Yardena war groß und breithüftig und trug einen kurzen, engen Rock. Ihre Augen waren grün, und ihr Haar war blond und dicht. Sie wolle Michael um Hilfe bitten. Sie habe Schwierigkeiten mit ihrem Referat. Sie habe schon immer gewußt, wie klug Michael sei, vom ersten Tag ihrer Bekanntschaft an. Er müsse sie

retten. Yardena nannte Yair liebevoll »kleines Biest«, und mich redete sie mit »Süße« an.
»Süße, du hast doch nichts dagegen, wenn ich dir deinen Mann für eine halbe Stunde oder so entführe? Wenn er mir nicht auf der Stelle diesen Davis erklärt, springe ich vom Dach, das schwör' ich. Es macht mich verrückt.«
Während sie sprach, strich sie ihm über den Kopf, als gehöre er ihr. Mit einer großen, blassen Hand strich sie ihm über den Kopf, mit scharfkralligen Fingern, die mit zwei riesengroßen Ringen geschmückt waren.
Mein Gesicht verdüsterte sich. Im gleichen Augenblick schämte ich mich. Ich versuchte Yardena in ihrer eigenen Sprache zu antworten. Ich sagte:
»Nimm ihn dir. Er gehört mit Haut und Haaren dir. Und dein Davis auch.«
»Süße«, sagte Yardena, und ein grausames Lächeln huschte über ihr Gesicht, »Süße, sprich nicht so, oder es wird dir später leid tun. Du siehst mir nicht aus wie eine dieser kühnen Frauen, die du zu sein vorgibst.«
Michael entschloß sich zu lächeln, und als er lächelte, zitterten seine Mundwinkel. Er zündete seine Pfeife an und führte Yardena in sein Arbeitszimmer. Eine halbe oder ganze Stunde lang saß er mit ihr an seinem Schreibtisch. Seine Stimme war tief und ernst. Ihre Stimme erstickte unaufhörlich Kicherlaute. Ihre Köpfe, der eine blond, der andere gräulich, schienen auf Rauchwolken zu schweben, als ich den Teewagen hereinschob und ihnen Kaffee und Kuchen servierte.
»Süße«, sagte Yardena, »du scheinst es ja kein bißchen aufregend zu finden, daß du dir da ein kleines Genie geangelt hast. Wenn ich an deiner Stelle wäre, würde ich ihn mit Haut und Haaren auffressen. Aber du, Süße, scheinst mir nicht gerade gefräßig zu sein. Nein, hab keine Angst vor mir. Ich bin vielleicht ein Luder, aber Hunde, die bellen, beißen nicht. Wenn du uns jetzt entschuldigen würdest und uns mit der Lektion fortfahren ließest, damit wir dir dieses kluge, fleckenlose Lamm zurückgeben können. Das kleine Biest, euer Kind da – es steht einfach stumm in

der Ecke und starrt mich an wie ein kleiner Mann. Es hat denselben Blick wie sein Vater, schüchtern, aber scharf. Nimm dieses Kind aus meinem Blickfeld, bevor es mich wahnsinnig macht.«

Ich ging in die Küche. Am Fenster hingen blaue Vorhänge. Blumen waren auf die Vorhänge gedruckt. Auf dem Küchenbalkon hing ein großer Kupferkessel. In diesem Kupferkessel wusch ich unsere Wäsche, bis wir eine Waschmaschine haben würden. Nächsten Sommer. Auf der Brüstung standen eine welke Topfpflanze und eine rußige Petroleumlampe. In Jerusalem fällt oft der Strom aus. Warum habe ich mir nur die Haare kurz schneiden lassen, murmele ich. Yardena ist groß und aufregend, ihre Stimme ist warm und laut. Zeit für das Abendessen.
Ich stürzte zum Gemüsehändler. Der persische Gemüsehändler Elijah Mossiah wollte seinen Laden gerade schließen. Wäre ich zwei Minuten später gekommen, sagte er fröhlich, er wäre auf und davon gewesen. Ich kaufte ein paar Tomaten. Gurken. Petersilie. Grüne und rote Paprikaschoten. Der Gemüsehändler wollte sich totlachen über die hoffnungslose Fahrigkeit meiner Bewegungen. Ich nahm den Korb mit beiden Händen und rannte nach Hause. Plötzlich durchfuhr mich ein eisiger Schreck: kein Schlüssel.
Ich hatte vergessen, den Schlüssel mitzunehmen.
Aber wozu auch? Michael und sein Gast sind zu Hause. Die Tür ist nicht abgeschlossen. Und außerdem haben wir für Notfälle einen Ersatzschlüssel für die Wohnung bei Kamnitzers im nächsten Stock hinterlegt.
Meine Eile war überflüssig gewesen. Yardena stand bereits auf der Treppe und verabschiedete sich immer wieder von meinem Mann. Sie hatte ein wohlgeformtes Bein gegen die Stäbe des Treppengeländers gelehnt. Ein verwirrender Geruch von Schweiß und Parfüm erfüllte das Treppenhaus. Ich war außer Atem vom Laufen und von meiner Angst wegen des Schlüssels. Yardena sagte:
»Dein schüchterner Ehemann hat in einer halben Stunde ein

Problem gelöst, mit dem ich mich ein halbes Jahr herumgeschlagen habe. Ich weiß nicht, wie ich – euch beiden – danken soll.« Während sie sprach, streckte sie plötzlich zwei sorgsam manikürte Finger aus, um mir eine Hautschuppe oder ein Haar vom Kinn zu picken.
Michael nahm seine Lesebrille ab. Er lächelte still. Unvermittelt griff ich nach meines Mannes Arm und lehnte mich an ihn. Yardena lachte und verschwand. Wir gingen hinein. Michael drehte das Radio an. Ich machte einen Salat.

Der Regen ließ auf sich warten. Eine beißende Kälte überfiel die Stadt. Der elektrische Heizofen brannte den ganzen Tag in unserer Wohnung. Wieder einmal verschwand die Sonne hinter feuchtem Nebel. Mein Sohn zeichnete mit dem Finger Figuren auf die Fensterscheibe. Manchmal stelle ich mich hinter ihn und schaue zu, kann aber nichts erkennen.
Am Sabbatabend nahm Michael die Leiter und holte unsere Wintersachen herunter. Er räumte die Sommerkleider weg. Ich haßte meine Kleider vom letzten Jahr. Das Kleid mit der hohen Taille schien mir nun wie das einer alten Frau.
Nach dem Sabbat ging ich in die Stadt einkaufen. Hysterisch kaufte ich immer mehr Sachen. An einem einzigen Vormittag gab ich ein ganzes Monatsgehalt aus. Ich kaufte mir einen grünen Mantel, ein Paar pelzgefütterte Stiefel, Nappalederschuhe, drei Kleider mit langen Ärmeln und eine sportliche, orangefarbene Wolljacke mit Reißverschluß. Für Yair kaufte ich einen warmen Matrosenanzug aus Shetlandwolle.
Als ich anschließend die Yafo-Straße in westlicher Richtung hinunterlief, kam ich an dem Elektrogeschäft vorbei, das vor Jahren meinem Vater gehört hatte. Im Laden legte ich meine Pakete ab. Ich stand blind vor einem fremden Mann. Der Mann fragte, was ich wünsche. Seine Stimme war geduldig, und ich war ihm dafür von Herzen dankbar. Auch als er sich gezwungen sah, seine Frage zu wiederholen, hob der Mann nicht die Stimme. In den dunklen Tiefen des Ladens konnte ich den Eingang zu dem niedrigen Hinterzimmer erkennen, zu dem zwei Stufen hinabführ-

ten. In diesem Zimmer machte mein Vater einfache Reparaturarbeiten. Dort saß ich und las Kinderbücher, die für Jungen gedacht waren, wenn ich meinen Vater im Geschäft besuchte. In diesem Zimmer machte sich mein Vater zweimal täglich eine Tasse Tee, um zehn Uhr morgens und um fünf Uhr nachmittags. 19 Jahre lang hatte mein Vater dort zweimal täglich seinen Tee zubereitet, um zehn und um fünf, sommers wie winters.
Ein häßliches, kleines Mädchen mit einer kahlköpfigen Puppe in der Hand kam aus dem Hinterzimmer. Seine Augen waren rot vom Weinen.
»Was kann ich für Sie tun?« fragte der fremde Mann zum dritten Mal. In seiner Stimme war keine Überraschung. Was ich möchte, ist ein guter elektrischer Rasierapparat, um meinem Mann die Schrecken des Rasierens zu ersparen. Mein Mann rasiert sich wie ein junger Bursche; er bearbeitet seine Haut mit dem Rasiermesser, bis das Blut fließt, läßt aber unter dem Kinn Stoppeln stehen. Der beste und teuerste elektrische Rasierapparat, der zu haben ist. Ich möchte ihm eine Riesenüberraschung bereiten.
Als ich das Geld zählte, das mir noch geblieben war, leuchtete das Gesicht des häßlichen Mädchens plötzlich auf: es glaubte, mich erkannt zu haben. War ich nicht Dr. Koppermann von der Klinik in Katamon? Nein, mein Schatz, du hast dich geirrt. Mein Name ist Fräulein Azulai, und ich spiele in der Tennismannschaft. Vielen Dank und guten Tag euch beiden. Ihr solltet Feuer anmachen. Es ist kalt hier drin. Der Laden ist feucht.

Michael war schockiert über die vielen Pakete, die ich mitgebracht hatte.
»Was ist nur in dich gefahren, Hannah? Ich verstehe nicht, was in dich gefahren ist.«
Ich sagte:
»Sicher erinnerst du dich an die Geschichte vom Aschenbrödel. Der Prinz wählte sie aus, weil sie die winzigsten Füße im Königreich hatte, und sie wollte ihn haben, um ihre Stiefmutter und die häßlichen Schwestern zu ärgern. Meinst du nicht auch, daß die Entscheidung des Prinzen und des Aschenbrödels, zusammen zu

leben, eitle und kindische Gründe hatte? Winzige Füße. Ich sage dir, Michael, dieser Prinz war ein Narr und Aschenbrödel muß den Verstand verloren haben. Vielleicht ist das der Grund dafür, daß sie so gut zueinander paßten und glücklich waren bis an ihr Lebensende.«

»Das ist zu tiefschürfend für mich«, beklagte sich Michael mit einem trockenen Lächeln. »Sie ist zu tiefschürfend für mich, deine Parabel. Literatur ist nicht mein Fach. Ich bin nicht gut im Interpretieren von Symbolen. Bitte wiederhole noch einmal, was du sagen wolltest, aber sage es in einfachen Worten. Falls es wirklich wichtig ist.«

»Nein, mein lieber Michael, es war nicht wirklich wichtig. Ich bin nicht ganz sicher, was ich eigentlich zu erklären versuchte. Ich bin nicht sicher. Ich kaufte diese neuen Kleider, um glücklich zu sein und sie zu genießen, und ich kaufte einen elektrischen Rasierapparat für dich, um dich glücklich zu machen.«

»Wer sagt, daß ich nicht glücklich bin?« fragte Michael.

»Und was ist mit dir, Hannah, bist du nicht glücklich? Was ist nur in dich gefahren, Hannah? Ich verstehe nicht, was in dich gefahren ist.«

»Es gibt einen hübschen Kinderreim«, sagte ich, »in dem ein Mädchen fragt: ›Kleiner Clown, kleiner Clown, willst du mit mir tanzen?‹ und jemand erwidert: ›Der hübsche kleine Clown tanzt mit jedermann.‹ Findest du, daß dies eine gute Antwort auf die Frage des Mädchens ist, Michael?«

Michael wollte etwas sagen. Überlegte es sich anders. Schwieg. Er packte die Pakete aus. Legte jedes Ding an seinen Platz. Er ging hinüber in sein Arbeitszimmer, kam kurz darauf wieder zögernd zurück. Meinetwegen, sagte er, müsse er jetzt einen seiner Freunde, Kadischmann vielleicht, um ein Darlehen bitten, damit wir über den Monat kämen. Und wozu, das versuche er zu verstehen. Aus welchem Grund? Es müsse doch irgendwo zwischen Himmel und Erde einen Grund geben.

»Mit dem Wort ›Grund‹ sollte man sehr vorsichtig umgehen. Hast du mir das vor knapp sechs Jahren nicht selber gesagt, Michael?«

XXX

Herbst in Jerusalem. Der Regen läßt auf sich warten. Die Farbe des Himmels ist tiefblau, ähnlich den Farben der ruhigen See. Eine trockene Kälte beißt ins Fleisch. Wandernde Wolken jagen ostwärts. Frühmorgens kommen die Wolken herunter und ziehen durch die Straßen wie ein stummer Reiterzug. Sie bersten und verdunkeln die eiskalten steinernen Torbögen. Am frühen Nachmittag läßt sich der Nebel über der Stadt nieder. Um fünf oder Viertel nach fünf herrscht Dunkelheit. Es gibt nicht viele Straßenlaternen in Jerusalem. Ihr Licht ist gelb und schwach. In den Gassen und Höfen tanzen welke Blätter. Ein Nachruf in blumiger Prosa klebt in unserer Straße: »Nahum Hanun, Vater der bucharischen Gemeinde, ist in der Fülle seiner Jahre in die Ewigkeit eingegangen.« Ich fand mich in Gedanken mit dem Namen Nahum Hanun beschäftigt. Mit der Fülle der Jahre. Und dem Tod.
Herr Kadischmann erschien, dunkel, aufgeregt und in einen russischen Pelzmantel gehüllt. Er sagte:
»Es wird zum Krieg kommen. Diesmal werden wir Jerusalem, Hebron, Bethlehem und Nablus erobern. Der Allmächtige handelte gerecht, indem er zwar unseren sogenannten Führern den gesunden Menschenverstand verweigerte, dafür aber den Verstand unserer Feinde verwirrte. Was er sozusagen mit der einen Hand nimmt, gleicht er mit der anderen wieder aus. Die Torheit der Araber wird bewirken, was die Weisheit der Juden nicht zuwege brachte. Ein großer Krieg wird stattfinden, und die Heiligen Stätten werden wieder uns gehören.«
»Seit dem Tag der Tempelzerstörung«, wiederholte Michael einen Lieblingsausspruch seines Vaters, »seit dem Tag der Tempelzerstörung wurde Männern wie Ihnen oder mir die Gabe der Prophetie verliehen. Wenn Sie meine Meinung hören wollen, in dem Krieg, den wir führen werden, wird es nicht um Hebron oder Nablus gehen, sondern um Gaza und Rafah.«

Ich lachte und sagte:
»Meine Herren, Sie haben beide den Verstand verloren.«

Steinübersäte Höfe sind mit einem Teppich toter Kiefernnadeln bedeckt. Der Herbst ist hartnäckig und zäh. Der Wind kehrt welke Blätter von einem verlassenen Hof zum anderen. Im Meqor-Barukh-Viertel spielt das verrostete Wellblech auf den Balkonen im Morgengrauen eine Melodie. Die Bewegung abstrakter Zeit ähnelt einer in einem Reagenzglas siedenden Substanz: rein, glänzend und tödlich. In der Nacht zum 10. Oktober hörte ich gegen Morgen in der Ferne das Dröhnen schwerer Motoren. Es war ein leises Donnern, das gewaltsam eine erwachende Kraft zu ersticken schien. Panzer sprangen hinter den Mauern der nahegelegenen Schneller-Kaserne an. Ihre Ketten rasselten dumpf. Ich stellte sie mir als dreckige, wütende Jagdhunde vor, die wild an ihren Leinen zerren, die sie zurückhalten.
Auch der Wind spielt mit. Der Wind nimmt Abfall auf, wirbelt ihn herum und schleudert ihn gegen die alten Fensterläden. Er greift Fetzen gelblichen Zeitungspapiers auf und formt geisterhafte Gebilde in der Dunkelheit. Er zieht an den Straßenlaternen und läßt bleiche Schatten tanzen. Passanten laufen vornübergebeugt gegen die rauhe Bö. Hin und wieder fängt sich der Wind in einer verlassenen Tür und schlägt sie auf und zu, bis in der Ferne splitterndes Glas klirrt. Unser Heizofen brennt den ganzen Tag. Sogar nachts lassen wir ihn an. Die Stimmen der Rundfunksprecher sind ernst und feierlich. Eine bittere, anhaltende Zurückhaltung, die jederzeit in rasende Wut umschlagen kann.
Mitte Oktober wurde unser persischer Gemüsehändler, Herr Elijah Mossiah, eingezogen. Seine Tochter Levana übernahm das Geschäft während seiner Abwesenheit. Ihr Gesicht war blaß und ihre Stimme sehr sanft. Levana war ein scheues Mädchen. Ihre schüchternen Bemühungen, zu gefallen, gefielen mir. Sie war so nervös, daß sie an ihren blonden Zöpfen kaute. Eine rührende Geste. Nachts träumte ich von Michael Strogoff. Er stand vor kahlgeschorenen Tatarenführern, auf deren Gesichtern ein Ausdruck brutaler Grausamkeit lag. Er ertrug stumm seine Fol-

tern und gab sein Geheimnis nicht preis. Sein Mund war fest geschlossen und wunderbar. Bläulicher Stahl leuchtete in seinen Augen.

Beim Mittagessen kommentierte Michael die Rundfunknachrichten: es gebe eine bekannte Regel, die – wenn ihn sein Gedächtnis nicht trüge – der deutsche Eiserne Kanzler Bismarck aufgestellt habe. Dieser Regel zufolge solle man, wenn einem verbündete feindliche Truppen gegenüberstehen, sich zuerst gegen den stärksten Feind wenden und ihn schlagen. So würde es diesmal sein, erklärte mein Mann voller Überzeugung. Zunächst würden wir Jordanien und den Irak zu Tode erschrecken, dann plötzlich kehrtmachen und Ägypten vernichtend schlagen.
Ich starrte meinen Mann an, als habe er plötzlich begonnen, Sanskrit zu sprechen.

XXXI

Herbst in Jerusalem.
Jeden Morgen kehre ich die toten Blätter vom Küchenbalkon. Neue Blätter fallen und nehmen ihren Platz ein. Sie fallen zu Staub zwischen meinen Fingern. Sie knistern trocken.
Der Regen ließ auf sich warten. Ein- oder zweimal glaubte ich, die ersten Tropfen würden fallen. Ich stürzte hinunter, um die Wäsche von der Leine zu nehmen. Aber kein Regen kam. Nur ein feuchter Wind, der mir über die Haut strich. Ich war erkältet und hatte Halsschmerzen. Morgens waren die Schmerzen am schlimmsten. Eine gewisse Spannung machte sich in der Stadt bemerkbar. Eine neue Stille umgab vertraute Dinge.
Hausfrauen in den Geschäften erzählten, daß die Arabische Legion um Jerusalem herum Artillerie aufstelle. Konserven, Kerzen und Petroleumlampen verschwanden aus den Geschäften. Ich kaufte ein Riesenpaket Biskuits.

Im Sanhedriya-Viertel schossen nachts die Wachen. Artillerieeinheiten wurden im Tel-Arza-Wald stationiert. Ich beobachtete Reservisten, die auf einem Feld hinter dem Biblischen Zoo Tarnnetze spannten. Meine beste Freundin Hadassah kam vorbei und berichtete, daß ihrem Mann zufolge das Kabinett bis in den Morgen hinein getagt habe und die Minister erregt schienen, als sie aus dem Konferenzsaal kamen. Nachts trafen Züge voller Soldaten in Jerusalem ein. Im Café Allenby in der King-George-Straße sah ich vier hübsche französische Offiziere. Sie trugen Schirmmützen, und auf ihren Achselstücken leuchteten purpurrote Streifen. Ich hatte so etwas bisher nur in Filmen gesehen.
Als ich meine Einkäufe nach Hause schleppte, kam ich in der David-Yelin-Straße an drei Fallschirmjägern in gesprenkelten Kampfanzügen vorbei. Über ihren Schultern hingen Maschinenpistolen. Sie warteten an der Haltestelle des fünfzehner Busses. Einer von ihnen, dunkel und mager, rief »Schatz« hinter mir her. Seine Kameraden stimmten in sein Lachen ein. Ich berauschte mich an ihrem Gelächter.

In den frühen Morgenstunden des Mittwoch fegte eine eisige Brise durch das Haus, die kälteste, die wir in jenem Winter erlebt hatten. Ich stand barfuß auf und deckte Yair zu. Ich genoß die beißende Kälte unter meinen Fußsohlen. Michael seufzte schwer im Schlaf. Tisch und Sessel waren Schattenblöcke. Ich stand am Fenster. Ich dachte sehnsüchtig an die Diphterie, die ich mit neun Jahren gehabt hatte. Die Macht, mich von meinen Träumen über die Grenze tragen zu lassen, die Schlafen vom Wachen trennt. Die kühle Meisterschaft. Das Spiel der Formen auf einer Fläche, deren Farbskala von hell- bis dunkelgrau reicht.
Ich stand zitternd vor Freude und Erwartung am Fenster. Durch die Läden hindurch beobachtete ich die in rötliche Wolken getauchte Sonne, die die feine Schicht hellen Nebels zu durchdringen versuchte. Kurz darauf brach die Sonne durch. Sie entflammte die Baumspitzen und tauchte die auf den rückwärtigen Balkons hängenden Zinnwannen in rote Glut. Ich war hingeris-

sen. Barfuß stand ich im Nachthemd da und preßte die Stirn gegen das Glas. Eisblumen blühten auf der Fensterscheibe. Eine Frau in einem Morgenrock leerte ihren Abfalleimer aus. Ihr Haar war wie meines ungekämmt.
Der Wecker rasselte.
Michael warf die Decke zurück. Seine Augenlider waren verklebt. Sein Gesicht sah zerknittert aus. Er sprach mit rauher Stimme zu sich selbst.
»Es ist kalt. Was für ein abscheulicher Tag.«
Dann, als sich seine Augen öffneten, fiel sein Blick voller Verwunderung auf mich.
»Hast du den Verstand verloren, Hannah?«
Ich wandte mich um, konnte aber nicht sprechen. Ich hatte wieder die Stimme verloren. Ich versuchte, ihm das zu sagen, doch aus meiner Kehle drang nur quälender Schmerz. Michael griff nach meinem Arm und zog mich mit Gewalt auf das Bett.
»Du hast den Verstand verloren, Hannah«, wiederholte er entsetzt. »Du bist krank.«
Seine Lippen berührten sanft meine Stirn, und er fügte hinzu: »Deine Hände sind wie Eis, und deine Stirn brennt. Du bist krank, Hannah.«
Unter der Decke zitterte ich weiterhin heftig. Doch gleichzeitig glühte ich auch vor brennender Erregung, wie ich sie seit meiner Kindheit nicht mehr empfunden hatte. Ein Fieber der Freude hatte mich ergriffen. Ich lachte und lachte, ohne einen Laut hervorzubringen.
Michael zog sich an. Er band seine karierte Krawatte um und befestigte sie mit einer kleinen Nadel. Er ging in die Küche und wärmte mir eine Tasse Milch. Er süßte sie mit zwei Löffeln Honig. Ich konnte nicht schlucken. Meine Kehle brannte. Der Schmerz war neu. Ich kostete den neuen Schmerz aus, während er stärker wurde.
Michael stellte die Milch auf einen Stuhl neben mein Bett. Meine Lippen lächelten ihn an. Ich kam mir vor wie ein Eichhörnchen, das einem schmutzigen Bären Tannenzapfen zuwirft. Der neue Schmerz gehörte mir, und ich probierte ihn aus.

Michael rasierte sich. Er stellte das Radio lauter, damit er trotz des summenden Rasierapparats die Nachrichten hören konnte. Dann blies er in den Rasierapparat, um ihn zu säubern, und drehte das Radio aus. Er ging zur Drogerie hinüber, um unseren Arzt anzurufen, Dr. Urbach aus der Alfandari-Straße. Wieder zurückgekehrt, zog er rasch Yair an und schickte ihn in den Kindergarten. Seine Bewegungen waren präzise wie die eines gutgedrillten Soldaten. Er sagte:
»Es ist schrecklich kalt draußen. Bitte steh nicht auf. Ich habe auch Hadassah angerufen. Sie versprach, ihre Putzhilfe herüberzuschicken, sie soll nach dir sehen und das Essen kochen. Dr. Urbach versprach, um neun oder halb zehn vorbeizukommen. Hannah, bitte versuche noch einmal, deine Milch zu trinken, ehe sie kalt wird.«
Mein Mann stand steif wie ein junger Kellner vor mir und hielt die Tasse fest in der Hand. Ich schob die Tasse weg und ergriff Michaels andere Hand. Ich küßte seine Finger. Ich wollte nicht aufhören, innerlich zu lachen. Michael schlug mir vor, ein Aspirin zu nehmen. Ich schüttelte den Kopf. Er zuckte mit den Achseln – eine einstudierte Bewegung. Jetzt war er in Hut und Mantel. Im Hinausgehen sagte er:
»Vergiß nicht, Hannah, du sollst im Bett bleiben, bis Dr. Urbach kommt. Ich versuche, früh zu Hause zu sein. Du darfst nicht reden. Du hast dich erkältet, Hannah, das ist alles. Es ist kalt in diesem Haus. Ich stelle den Heizofen näher ans Bett.«

Kaum war die Tür hinter meinem Mann ins Schloß gefallen, sprang ich barfuß aus dem Bett und stürzte wieder ans Fenster. Ich war ein wildes, ungehorsames Kind. Ich strapazierte meine Stimmbänder singend und schreiend wie ein Trunkenbold. Schmerz und Vergnügen entzündeten sich aneinander. Der Schmerz war köstlich und berauschend. Ich füllte meine Lungen mit Luft. Ich brüllte, ich heulte, ich ahmte Vögel und Tiere nach, wie Emanuel und ich es als Kinder so gern getan hatten. Aber noch immer war kein Ton zu hören. Es war reine Zauberei. Ich wurde einfach davongetragen von den heftigen Strömen der

Freude und des Schmerzes. Mir war kalt, aber meine Stirn brannte. Barfuß und nackt stand ich im Bad wie ein Kind an einem drückendheißen Tag. Ich drehte den Wasserhahn voll auf. Ich suhlte mich in dem eisigen Wasser. Ich spritzte das Wasser überall hin, auf die Wandkacheln, an die Decke, auf die Handtücher und auf Michaels Bademantel, der an einem Haken an der Rückseite der Tür hing. Ich füllte meinen Mund bis zum Rand mit Wasser und sprühte Strahl auf Strahl auf mein im Spiegel reflektiertes Gesicht. Ich lief blau an vor Kälte. Der warme Schmerz breitete sich über meinen Rücken aus, kroch die Wirbelsäule hinunter. Meine Brustwarzen wurden steif. Meine Zehen wurden zu Stein. Nur mein Kopf brannte, und ich hörte nicht auf zu singen, ohne einen Ton herauszubringen. Eine heftige Sehnsucht breitete sich tief in den Höhlungen meines Körpers aus, in meinen empfindsamsten Gelenken und Vertiefungen, die mir gehörten, auch wenn ich sie niemals zu Gesicht bekomme bis zum Tag meines Todes. Ich hatte einen Körper, und er gehörte mir, und er zuckte und bebte und war lebendig. Wie eine Verrückte wanderte ich von Zimmer zu Zimmer, zur Küche, zum Flur, und das Wasser rann unaufhörlich zu Boden. Nackt und naß fiel ich aufs Bett und umarmte die Kissen und Decken mit meinen Armen und Knien. Unzählige freundliche Menschen streckten mir sanft die Hände entgegen und wollten mich anfassen. Als ihre Finger meine Haut berührten, versank ich in einem Flammenmeer. Stumm faßten die Zwillinge nach meinen Armen und banden sie hinter meinem Rücken zusammen. Der Dichter Saul beugte sich über mich und betörte mich mit seinem Schnurrbart und seinem warmen Duft. Auch Rahamin Rahamimov, der schöne Taxifahrer, kam und packte mich stürmisch um die Taille. In der Ekstase des Tanzes hob er meinen Körper hoch in die Luft. Die ferne Musik lärmte und brüllte, Hände drückten meinen Körper. Kneteten. Hämmerten. Sondierten. Ich lachte und schrie mit ganzer Kraft. Tonlos. Die Soldaten drängten sich zusammen und schlossen einen Kreis um mich in ihren gesprenkelten Kampfanzügen. Ein wilder, männlicher Geruch ging in Wellen von ihnen aus. Ich gehörte ganz ihnen. Ich war Yvonne Azulai. Yvonne Azulai, das Gegenteil von Hannah Gonen. Ich war kalt, überflutet. Menschen sind fürs Wasser geboren, sie sind dazu geboren, kalt und ungestüm in den Tiefen, auf den Ebenen, auf verschneiten, endlosen Steppen und unter den Sternen zu treiben. Menschen sind für den Schnee geboren. Zu sein und nicht zu ruhen, zu rufen und nicht zu flüstern, zu berühren und nicht zu beobachten, zu treiben und nicht sich zu sehnen. Ich bestehe aus Eis, meine Stadt ist aus Eis, und auch meine Untertanen sollen aus Eis sein. Alle. Die Prinzessin hat gesprochen. Ein Hagelsturm wird über Danzig niedergehen und die ganze Stadt vernichten, gewaltsam, kristallen und hell. Nieder, rebellische Untertanen, nieder, reibt eure Nasen im Schnee. Ihr sollt alle hell sein, ihr sollt alle weiß sein, denn ich bin eine weiße Prinzessin. Wir müssen alle weiß und hell und kalt sein, sonst droht uns Zerfall. Die ganze Stadt wird zu Kristall werden. Kein Blatt soll fallen, kein Vogel aufsteigen, keine Frau zittern. Ich habe gesprochen.

Es war Nacht in Danzig. Tel Arza und seine Wälder standen im Schnee. Eine riesige Steppe erstreckte sich über Mahane Yehuda, Agrippa, Sheikh Bader, Rehavya, Bet Hakerem, Qiryat Shemuel, Talppiyot, Givat Shaul bis zu den Hängen von Kfar Lifta. Steppennebel und Dunkelheit. Das war mein Danzig. Ein Inselchen wuchs mitten in dem kleinen See am Ende der Mamillah-Straße. Auf ihm stand die Statue der Prinzessin. Im Stein war ich.

Hinter den Mauern der Schneller-Kaserne indessen wurde eine Verschwörung ausgebrütet. Unterdrückte Rebellion lag in der Luft. Die beiden dunklen Zerstörer *Dragon* und *Tigress* lichteten die Anker. Ihre edlen Buge schnitten durch die Eiskruste. Ein eingemummter Matrose stand im Korb hoch oben auf dem schwingenden Mast. Sein Körper war aus Schnee wie der Hochkommissar, den Halil, Hannah und Aziz im kalten Winter 1941 aus Schnee gemacht hatten.

Panzer rollten schwer in der Dunkelheit den eisigen Hang der Geula-Straße zum Mea-Shearim-Viertel hinunter. Vor den To-

ren der Schneller-Kaserne verschwor sich flüsternd eine Gruppe Offiziere in rauhen Anoraks. Nicht ich hatte diese Aktivitäten angeordnet. Meine Befehle lauteten, zu Eis zu erstarren. Dies war eine Verschwörung. Dringende Befehle wurden in gespanntem Flüsterton weitergegeben. Leichte Schneeflocken trieben in der schwarzen Luft. Das kurze, scharfe Knallen von Artilleriefeuer ertönte. Und an den Spitzen buschiger Schnurrbärte funkelten Eiszapfen.
Massiv und wirkungsvoll drangen die Panzer in die Randgebiete meiner schlafenden Stadt vor. Ich war allein. Für die Zwillinge war der Augenblick gekommen, sich in den russischen Bezirk zu schleichen. Sie kamen barfuß und stumm. Geräuschlos krochen sie das letzte Stück Weg. Um den Posten, den ich zur Bewachung des Gefängnisses aufgestellt hatte, von hinten zu erstechen. Der ganze Abschaum der Stadt war unterwegs, und ein gewaltiger Schrei kroch aus ihren Kehlen. Fluten ergossen sich in die engen Straßen. Das schwere Atmen drohenden Unheils.
Unterdessen waren auch die letzten Widerstandsnester ausgehoben. Schlüsselstellungen erobert. Mein treuer Strogoff war festgenommen. Aber in den weiter draußen liegenden Vororten war die Disziplin der Aufständischen weniger straff. Stämmige, betrunkene Soldaten, loyal und aufrührerisch, drangen in die Wohnungen von Bürgern und Kaufleuten ein. Ihre Augen waren blutunterlaufen. Hände in Lederhandschuhen vergewaltigten und plünderten. Böse Mächte überrannten die Stadt. Den Dichter Saul kerkerte man im Keller des Funkhauses in der Melisanda-Straße ein. Er wurde vom Pöbel beschimpft. Ich konnte es nicht ertragen. Ich weinte.
Geschütz-Lafetten rollten auf leisen Gummirädern jenseits der höhergelegenen Vororte. Ich sah einen barhäuptigen Rebell hinaufklettern und stumm die Fahne auf dem Terra-Sancta-Gebäude auswechseln. Seine Locken waren zerzaust. Er war ein hübscher, triumphierender Rebell.
Die befreiten Gefangenen lachten ein gellendes Lachen. Sie zerstreuten sich in ihren Gefängnisuniformen in der Stadt. Messer wurden gezogen. Sie verteilten sich in die Vororte, um eine grau-

same Rechnung zu begleichen. An ihrer Stelle sperrte man bedeutende Gelehrte ein. Noch halb im Schlaf, verwirrt und empört, protestierten sie in meinem Namen. Erwähnten ihre guten Verbindungen. Bestanden auf ihrer Würde. Schon krochen einige von ihnen zu Kreuze und beteuerten, daß sie mich seit langem haßten. Gewehrkolben in ihren Rücken trieben sie voran oder brachten sie zum Schweigen. Eine neue, nichtswürdige Macht regierte die Stadt.
Die Panzer umzingeln den Palast der Prinzessin nach einem heimlich vorbereiteten Plan. Sie schnitten tiefe Narben in den weichen Schnee. Die Prinzessin stand am Fenster und rief mit aller Kraft nach Strogoff und Kapitän Nemo, aber ihre Stimme versagte, und nur ihre Lippen bewegten sich mechanisch, als versuche sie, die jubelnden Truppen zu unterhalten. Was in den Offizieren meiner Leibwache vorging, konnte ich nicht erraten. Vielleicht gehörten auch sie der Verschwörung an. Sie schauten immerzu auf ihre Uhren. Warteten sie einen vorher vereinbarten Zeitpunkt ab?
Dragon und *Tigress* lagen vor den Toren des Palastes. Ihre Geschütze drehten sich langsam in den schweren Halterungen. Wie die Finger eines Ungeheuers zeigten die Rohre auf mein Fenster. Auf mich. Ich fühle mich nicht wohl, versuchte die Prinzessin zu flüstern. Im Osten, jenseits des Zionsbergs, in Richtung der Wüste Juda, bemerkte sie ein rötliches Flackern. Die ersten Funken einer Feier, die nicht ihr zu Ehren stattfand. Eifrig beugten sich die beiden Mörder über sie. Die Prinzessin sah Mitleid, Verlangen und Spott in ihren Augen. Sie waren beide so jung. Dunkelhäutig und gefährlich schön. Stolz und stumm versuchte ich, ihnen aufrecht ins Gesicht zu sehen, aber auch mein Körper ließ mich im Stich. In ihrem dünnen Nachthemd lag die Prinzessin auf den eisigen Fliesen. Sie war ihren heißen Blicken ausgesetzt. Zwilling lachte Zwilling zu. Ihre Zähne leuchteten weiß. Ein Schauder, der nichts Gutes verhieß, rann durch ihre Körper. Wie das gequälte Lächeln Halbwüchsiger, die beobachten, wie der Wind sich im Rock einer Frau verfängt.
In den Randgebieten der Stadt patrouillierte ein gepanzerter Wa-

gen mit Lautsprecher. Eine klare, ruhige Stimme verlas eine Zusammenfassung der Befehle des neuen Regimes. Sie drohten mit Schnellverfahren und gnadenlosen Hinrichtungen. Wer Widerstand leiste, werde wie ein Hund abgeknallt. Die Herrschaft der wahnsinnigen Eisprinzessin sei ein für allemal vorbei. Nicht einmal der weiße Wal würde entkommen. Eine neue Ära habe in der Stadt begonnen.
Ich höre nur halb hin. Die Hände der Mörder greifen bereits nach mir. Beide stöhnen heiser auf wie gefesselte Tiere. Ihre Augen blitzen vor Lust. Der Schauer des Schmerzes zittert, strömt, siedet meinen Rücken hinunter bis in die Zehenspitzen und jagt mir sengende Funken und wollüstige Schauer über den Rücken, zum Hals, zu den Schultern, überall hin. Der Schrei entlädt sich stumm nach innen. Meines Mannes Finger berühren halb mein Gesicht. Er möchte, daß ich die Augen öffne. Sieht er denn nicht, wie weit offen sie sind? Er möchte, daß ich ihm zuhöre. Wer könnte aufmerksamer sein als ich? Er schüttelt immer wieder meine Schultern. Berührt meine Stirn mit den Lippen. Ich gehöre noch immer dem Eis, doch eine fremde Macht greift bereits nach mir.

XXXII

Unser Hausarzt Dr. Urbach aus der Alfandari-Straße war winzig und feingliedrig wie eine Porzellanfigur. Er hatte hohe Bakkenknochen und einen traurigen, sympathischen Ausdruck in den Augen. Während seiner Untersuchungen pflegte er eine kleine Rede zu halten.
»In einer Woche werden wir wieder in Ordnung sein. Völlig in Ordnung. Wir haben uns bloß erkältet und getan, was wir nicht hätten tun sollen. Der Körper versucht, gesund zu werden, der Geist verzögert die Heilung vielleicht. Die Beziehung zwischen Geist und Körper ist nicht wie der Fahrer im Automobil, son-

dern eher wie die Vitamine in der Nahrung sozusagen. Meine liebe Frau Gonen, denken Sie daran, daß Sie Mutter sind. Bitte auch das kleine Kind zu berücksichtigen. Herr Gonen, wir brauchen absolute Ruhe für den Körper und auch für die Nerven und den Geist. Das ist das Wichtigste. Wir können außerdem dreimal täglich ein Aspirin nehmen. Für den Hals ist Honig gut. Und das Zimmer, in dem wir schlafen, warm halten. Und keine Diskussion mit der Dame. Nur ja, ja und noch einmal ja sagen. Wir brauchen Ruhe. Entspannung. Reden verursacht nur Komplikationen und seelischen Kummer. Bitte sowenig wie möglich reden. Nur neutrale und einfache Wörter benutzen. Wir sind nicht ruhig, überhaupt nicht ruhig. Sie können mich sofort anrufen, wenn es Komplikationen gibt. Sollten sich jedoch Anzeichen von Hysterie zeigen, müssen wir unbedingt ruhig bleiben und in Geduld abwarten. Nicht das Drama vergrößern. Ein passives Publikum tötet das Drama wie Antibiotika den Virus töten. Wir brauchen absolute Ruhe, innere Ruhe. Ich wünsche Ihnen gute Besserung. Bitte.«

Gegen Abend fühlte ich mich besser. Michael brachte Yair ins Zimmer, um mir von weitem gute Nacht zu sagen. Ich zwang mich, »gute Nacht euch beiden« zu flüstern. Michael legte seinen Finger auf die Lippen: »Du darfst nicht reden. Streng' deine Stimme nicht an.«
Er gab Yair sein Abendessen und brachte ihn ins Bett. Dann kam er in unser Zimmer zurück. Er machte das Radio an. Ein aufgeregter Nachrichtensprecher sprach von einem Ultimatum, das der Präsident der Vereinigten Staaten gestellt habe. Der Präsident habe alle Parteien aufgerufen, sich zurückzuhalten und Zwischenfälle zu vermeiden. Unbestätigte Meldungen über irakische Truppen, die in Jordanien einmarschierten. Ein politischer Kommentator ist skeptisch. Die Regierung bittet um Wachsamkeit und Ruhe. Militärexperten hüllen sich in Schweigen. Guy Mollets Kabinett berief zwei Sondersitzungen ein. Eine bekannte Schauspielerin beging Selbstmord. Für Jerusalem ist erneut mit Frost zu rechnen.

Michael sagte:
»Simcha, Hadassahs Putzhilfe, kommt morgen wieder vorbei. Und ich werde mir den Tag freinehmen. Ich will mit dir reden, Hannah, aber antworte mir nicht, du darfst nicht reden.«
»Es fällt mir nicht schwer, Michael. Es tut nicht weh«, flüsterte ich.
Michael erhob sich aus dem Sessel und setzte sich ans Fußende meines Betts. Er schlug den Zipfel des Bettbezugs sorgfältig zurück und setzte sich auf die Matratze. Er nickte einige Male bedächtig vor sich hin, als sei es ihm endlich gelungen, im Kopf eine schwierige Gliederung zu lösen, deren Richtigkeit er nun überprüfen müsse. Er sah mich eine Weile an. Dann begrub er sein Gesicht in den Händen. Schließlich sagte er mehr zu sich selbst als zu mir:
»Ich bin furchtbar erschrocken, Hannah, als ich heute mittag heimkam und dich so vorfand.«
Michael zuckte, als er das sagte, als habe er sich mit seinen Worten verletzt. Er erhob sich, zog die Decken glatt, knipste meine Nachttischlampe an und machte das Deckenlicht aus. Er nahm meine Hand in die seine. Er stellte meine Armbanduhr, die morgens stehengeblieben war. Er zog die Uhr auf. Seine Finger waren warm, die Nägel flach. Im Inneren seiner Finger gab es Sehnen, Fleisch, Nerven, Muskeln, Knochen und Adern. Als ich Literatur studierte, mußte ich ein Gedicht von Ibn Gabirol auswendig lernen, in dem es heißt, daß wir aus verfaulten Säften bestehen. Wie rein ist im Vergleich dazu chemisches Gift: helle, weiße Kristalle. Die Erde ist nur eine grüne Kruste, die einen unterdrückten Vulkan bedeckt. Ich hielt die Finger meines Mannes zwischen meinen Händen. Die Geste erzeugte ein Lächeln auf Michaels Gesicht, als habe er meine Vergebung erfleht und erhalten. Ich brach in Tränen aus. Michael streichelte meine Wangen. Biß sich auf die Lippen. Beschloß, nichts zu sagen. Er streichelte mich genauso, wie er häufig Yairs Kopf streichelte. Der Vergleich machte mich traurig, ohne daß ich den Grund dafür nennen könnte, vielleicht ohne jeden Grund.
»Wenn es dir bessergeht, fahren wir irgendwohin, weit weg«,

sagte Michael. »Vielleicht ins Kibbuz Nof Harim. Wir könnten den Jungen dort bei deiner Mutter und deinem Bruder lassen und zusammen in ein Sanatorium gehen. Nach Eilat vielleicht. Oder Nahariya. Gute Nacht, Hannah. Ich mache das Licht aus und stelle den Heizofen auf den Flur. Ich scheine irgendeinen Fehler gemacht zu haben. Und ich weiß nicht, welchen. Ich meine, was hätte ich tun sollen, um dies zu verhindern, oder was hätte ich nicht tun sollen, um zu vermeiden, daß du in diesen Zustand gerätst? In der Schule in Holon habe ich einen Turnlehrer namens Yehiam Peled, der immer ›Blöder Ganz‹ zu mir sagte, weil ich so langsam reagierte. Ich war sehr gut in Englisch und Mathe, aber im Turnen war ich der blöde Ganz. Jeder hat seine starken und seine schwachen Seiten. Wie banal! Und außerdem gehört es nicht zur Sache. Was ich sagen wollte, Hannah, ist, daß ich für meinen Teil froh bin, mit dir verheiratet zu sein und nicht mit einer anderen. Und ich versuche alles zu tun, was ich kann, um deinen Bedürfnissen gerecht zu werden. Bitte, Hannah, jag mir nie wieder solche Angst ein wie heute mittag, als ich nach Hause kam und dich so vorfand. Bitte, Hannah. Schließlich bin ich nicht aus Eisen. Da, ich bin schon wieder banal. Gute Nacht. Morgen bringe ich die Wäsche in die Wäscherei. Wenn du in der Nacht etwas brauchst, ruf nicht, denk' an deinen Hals. Du kannst an die Wand klopfen. Ich sitze im Arbeitszimmer und bin sofort da. Ich habe dir eine Thermosflasche mit heißem Tee hier auf den Stuhl gestellt. Und hier ist eine Schlaftablette. Nimm sie nicht, wenn du irgendwie ohne sie einschlafen kannst. Es ist viel besser für dich, ohne Tablette zu schlafen. Bitte, Hannah, ich flehe dich an. Es kommt nicht oft vor, daß ich dich um etwas bitte. Zum dritten Mal also – was bin ich doch auf einmal für ein alter Langweiler – gute Nacht, Hannah.«
Am nächsten Morgen fragte Yair:
»Mami, wär' ich wirklich ein Herzog, wenn Vati König wäre?«
Ich lachte und flüsterte heiser:
»Hätt' Großmama Flügel und könnte fliegen, wär' sie ein Adler hoch oben am Himmel.«

Yair verstummte. Vielleicht versuchte er, sich den Effekt des Verses vorzustellen. Indem er ihn in die Bildersprache übertrug. Die Vorstellung von sich wies. Schließlich erklärte er ruhig:
»Nein. Großmama mit Flügeln ist Großmama, kein Adler. Du sagst einfach Sachen, ohne darüber nachzudenken. Wie du neulich über Rotkäppchen gesagt hast, daß sie die Großmutter aus dem Bauch des Wolfs holten. Ein Wolfsbauch ist kein Lagerraum. Und Wölfe kauen, wenn sie essen. Für dich ist alles möglich. Vati paßt auf, was er sagt. Er redet nicht, was ihm gerade einfällt. Er redet nur mit dem Verstand.«
Michael, durch das Pfeifen des auf dem Gasherd brodelnden Wasserkessels hindurch:
»Yair, sofort in die Küche mit dir, bitte. Setz dich hin und fang an zu essen. Mami geht es nicht gut. Laß sie bitte in Ruhe. Ich habe dich gewarnt.«
Hadassahs Hilfe Simcha hängt das Bettzeug zum Lüften aus dem Fenster. Ich saß im Sessel. Mein Haar war ungekämmt. Michael ging mit einer Einkaufsliste, die ich ihm gemacht hatte, zum Lebensmittelhändler: Brot, Käse, Oliven, saure Sahne. Er hatte sich einen Tag freigenommen. Yair stand im Flur vor dem Spiegel, zerzauste sein Haar, kämmte es und zerzauste es wieder. Schließlich schnitt er sich selber im Spiegel Gesichter.
Simcha klopft die Matratze aus. Ich schaue hin und sehe einen Strom goldener Staubteilchen einen Sonnenstrahl hinauf zur Fensterecke hin tanzen. Eine köstliche Schlaffheit hat sich meines Körpers bemächtigt. Kein Leiden, kein Verlangen. Ein träger, verschwommener Gedanke: bald einen wunderschönen, großen Perserteppich kaufen.
Es läutet an der Tür. Yair macht auf. Der Postbote weigert sich, ihm den eingeschriebenen Brief auszuhändigen, weil er eine Unterschrift braucht. Unterdessen kommt Michael mit dem Einkaufskorb in der Hand die Treppe herauf. Er nimmt den Einberufungsbescheid von dem Postboten entgegen und unterschreibt die Empfangsbestätigung. Sein Gesicht ist ernst und feierlich, als er das Zimmer betritt.
Wann verliert dieser Mann endlich einmal seine Selbstbeherr-

schung? Wenn er nur einmal in Panik geriete. Vor Freude schreien, den Kopf verlieren würde.

Michael erklärte kurz und bündig, daß ein Krieg wohl kaum länger als drei Wochen dauern würde. »Natürlich handelt es sich um einen begrenzten, lokalen Krieg. Die Zeiten haben sich geändert. Es wird kein zweites 1948 geben. Das Gleichgewicht zwischen den Großmächten ist sehr unbeständig. Da sich Amerika zur Zeit mitten im Wahlkampf befindet und die Russen in Ungarn zu tun haben, ist das eine günstige Gelegenheit. Nein, dieser Krieg wird sich nicht hinziehen, bestimmt nicht. Übrigens bin ich bei der Nachrichtentruppe. Ich bin kein Pilot und kein Fallschirmjäger. Warum weinst du also? Ich bin in ein paar Tagen wieder zurück, und ich bringe dir eine echte, arabische Kaffeekanne mit. Das war ein Scherz – warum weinst du denn? Wenn ich zurück bin, machen wir Ferien, wie versprochen. Wir fahren nach Obergaliläa. Oder nach Eilat. Was machst du denn, trauerst du schon um mich. Ich bin wieder zurück, noch ehe ich richtig gegangen bin. Vielleicht habe ich mich überhaupt geirrt. Es kann sich genausogut um allgemeine Manöver handeln, keine Spur von einem Krieg. Wenn es möglich ist, schreibe ich dir unterwegs einen Brief. Ich möchte dich aber nicht enttäuschen: Ich warne dich lieber im voraus, daß ich kein großer Briefschreiber bin. Jetzt ziehe ich rasch meine Uniform an und packe meinen Rucksack. Soll ich Nof Harim anrufen und deine Mutter bitten, herzukommen und auf dich aufzupassen, solange ich weg bin?
Ich fühle mich so seltsam in Khaki. Ich habe kein bißchen zugenommen in all den Jahren. Weißt du noch, Hannah, wie mein Vater aussah, als er seine Milizuniform über den Pyjama zog und mit Yair spielte? Oh, es tut mir wirklich leid. Es war dumm von mir, gerade jetzt davon anzufangen. Jetzt habe ich uns beide verletzt. Wir sollten nicht in jedem einzelnen Wort nach Vorbedeutungen suchen. Wörter sind nur Wörter, nichts weiter. Hier, ich lege dir 100 Pfund in die Schublade. Und ich habe dir meine Armeenummer und die Nummer meiner Einheit aufgeschrieben.

Ich habe den Zettel unter die Vase gelegt. Die Wasser-, Strom- und Gasrechnung habe ich Anfang des Monats bezahlt. Der Krieg wird überhaupt nicht lange dauern. Das ist zumindest meine begründete Meinung. Siehst du, die Amerikaner... ist ja egal. Hannah, schau mich nicht so an. Du machst es nur noch schlimmer für dich. Und für mich. Hadassahs Simcha wird hier aushelfen, bis ich zurück bin. Ich rufe Hadassah an. Ich rufe auch Sarah Zeldin an. Jetzt siehst du mich schon wieder so an. Es ist nicht meine Schuld, Hannah. Denk daran, ich bin kein Pilot und kein Fallschirmjäger. Was hast du mit meinem Pullover gemacht? Danke. Ach ja, ich glaube, ich nehme auch einen Schal mit. Es kann kalt werden nachts. Sag mir ehrlich, Hannah, wie sehe ich aus in Uniform? Sehe ich nicht wie ein kostümierter Professor aus? Korporal Blöder Ganz, Nachrichtencorps. Ich scherze nur, Hannah. Du solltest lachen, nicht wieder weinen. Hör auf, so zu weinen. Ich fahre nicht in Urlaub, weißt du. Weine nicht. Es hilft nichts. Ich... ich werde an dich denken. Ich schreibe dir, vorausgesetzt, die Feldpost funktioniert. Ich passe auf mich auf. Du auch... Nein, Hannah, das ist nicht der richtige Augenblick, um über Gefühle zu reden. Beteuerungen helfen uns nicht weiter. Gefühle tun nur weh. Und ich... ich bin weder Pilot noch Fallschirmjäger. Das hab ich schon ein paarmal gesagt. Wenn ich wiederkomme, hoffe ich dich wohlauf und glücklich vorzufinden. Ich möchte hoffen, daß du nicht schlecht über mich denkst, während ich weit weg bin. Ich werde zärtlich an dich denken. Auf diese Weise sind wir nicht ganz und gar getrennt voneinander. Und... na ja.«

Als existierte ich nur in seiner Vorstellung. Wie kann jemand erwarten, mehr als nur ein Stück Vorstellung eines anderen zu sein? Ich bin wirklich, Michael. Ich bin nicht nur ein Produkt deiner Vorstellung.

XXXIII

Hadassahs Simcha spült in der Küche Geschirr. Sie summt Shoshana-Damari-Lieder vor sich hin: *Ich bin eine liebende Hündin, ein zärtliches Reh. Ein Stern am Himmel prangt, Schakale heulen im Wald, komm zurück, Hephzibah wartet auf dich.*
Ich liege mit einem Roman von John Steinbeck, den mir meine beste Freundin Hadassah gestern abend mitgebracht hat, im Bett. Ich lese nicht. Meine eisigen Füße schmiegen sich gegen eine Wärmflasche. Ich bin ruhig und hellwach. Yair ist in den Kindergarten gegangen. Von Michael habe ich keine Nachricht, es ist auch noch zu früh. Der Petroleumhändler zieht mit seinem Karren die Straße hinunter und läutet mit seiner Glocke. Jerusalem ist wach. Eine Fliege stürzt sich gegen die Fensterscheibe. Eine Fliege, kein Zeichen und kein Omen. Nur eine Fliege. Ich habe keinen Durst. Mir fällt auf, daß das Buch in meiner Hand zerlesen ist. Sein Einband wird von Tesafilm zusammengehalten. Die Vase steht an ihrem üblichen Platz. Unter ihr liegt das Blatt Papier, auf das Michael seine Armeenummer und die Nummer seiner Einheit geschrieben hat. Nautilus liegt ruhig tief unter der Eiskruste der Beringstraße. Herr Glick sitzt in seinem Laden und liest eine religiöse Zeitung. Ein kalter Herbstwind bläst durch die Stadt. Ruhe.

Um neun Uhr gab der Rundfunk bekannt:
»Gestern abend drangen die israelischen Verteidigungskräfte in den Sinai ein, eroberten Kuntilla und Ras-en-Naqeb und besetzten Stellungen in der Nähe von Nahel, 60 Kilometer östlich vom Suezkanal. Ein Kriegsberichterstatter erklärt. Während man vom politischen Standpunkt... Wiederholte Provokationen. Flagrante Verletzungen der Freiheit der Schiffahrt. Die moralische Rechtfertigung. Terrorismus und Sabotage. Wehrlose Frauen und Kinder. Wachsende Spannung. Unschuldige Bürger. Aufgeklärte öffentliche Meinung zu Hause und im Ausland. Im wesentlichen eine defensive Kampfhandlung. Bewahren Sie

Ruhe. Bleiben Sie zu Hause. Verdunkelung. Keine Hamsterkäufe. Leisten Sie den Anweisungen Folge. Die Öffentlichkeit wird gebeten. Keine Panik. Das ganze Land ist die Front. Die ganze Nation ist eine Armee. Sobald Sie die Vorwarnung hören. Bisher ist alles wie geplant verlaufen.«
Um Viertel nach neun:
»Das Waffenstillstandsabkommen ist tot und begraben und wird nie wieder aufleben. Unsere Truppen überrennen. Feindlicher Widerstand gibt nach.«
Bis halb elf spielte das Radio Marschlieder aus meiner Jugend: *Von Dan bis Beersheba vergessen wir nie. Glaube mir, der Tag wird kommen.*
Warum sollte ich dir glauben? Und wenn ihr nie vergeßt, wen interessiert das schon?
Um halb elf:
»Die Wüste Sinai, historische Wiege der israelitischen Nation.«
Im Gegensatz zu Jerusalem. Ich gebe mir alle Mühe, stolz und interessiert zu sein. Ich frage mich, ob Michael daran gedacht hat, seine Tabletten gegen Sodbrennen mitzunehmen. Stets sauber, stets adrett. Na gut, er hatte seine fünf Jahre vertanzt; jetzt wird er »seinem Täubchen Lebewohl sagen müssen«.

Eine menschenleere Gasse in Neu Beit Yisrael am Rande Jerusalems hat jetzt eine neue Atmosphäre. Die Gasse ist mit Steinen gepflastert. Die Pflastersteine haben Sprünge, sind aber glatt poliert. Schwere Torbögen stehen zwischen der Gasse und den tiefen Wolken. Die Gasse ist eine Sackgasse. Die Zeit verdichtet sich und sammelt sich in den Höhlungen der Steine. Ein schläfriger Wachtposten, ein älterer Bürger, den man zur zivilen Verteidigung eingezogen hat, steht gegen eine Mauer gelehnt. Verdunkelte Häuser. Das gedämpfte Läuten einer fernen Glocke. Von den Hügeln kommt der Wind herüber. Er teilt sich und strömt durch die gewundene Gasse und rührt auf seinem Weg an den mit rostigen Riegeln gesicherten eisernen Fensterläden und Türen. Ein religiöser Junge steht an einem Fenster, seine Schläfenlocken fließen die blassen Wangen hinab. Er hält einen Apfel in

der Hand. Er starrt die Vögel auf den Espenzweigen im Hof an. Der Junge rührt sich nicht. Der alte Wachtposten versucht, durch das Glas hindurch seinen Blick zu erhaschen. In seiner tiefen Einsamkeit lächelt er dem Jungen zu. Nichts rührt sich. Der Junge gehört mir. Blaugraues Licht fängt sich im gerollten Blattwerk der Espe. Die Hügel weit draußen und hier tiefe, ruhige, verwehte Glockenklänge. Die Stille hat sich auf Vögeln und streunenden Katzen niedergelassen. Große Wagen werden kommen, werden vorüberrollen, werden weit wegfahren. Wäre ich doch aus Stein. Hart und ruhig. Kalt und gegenwärtig.
Vielleicht hat sich auch der britische Hochkommissar geirrt. Im Palast des Hochkommissars auf dem Berg des Bösen Rats im Südosten Jerusalems zieht sich eine geheime Sitzung bis in die Morgenstunden hin. Der blasse Tag erwacht in den Fenstern, aber die Lichter brennen noch immer. Stenographen arbeiten im Zweistundenwechsel. Die Wachen sind müde und unruhig.
Michael Strogoff, die geheime Botschaft fest ins Gedächtnis eingeprägt, eilt entschlossen und einsam in des Hochkommissars Diensten durch die Nacht. Der kalte, starke Michael Strogoff, umgeben von grausamen Wilden. Das grelle Aufblitzen der Dolche. Ein plötzliches Lachen. Wortlos. Wie Aziz und Yehuda Gottlieb aus der Ussishkin-Straße, als sie auf dem leeren Baugelände miteinander kämpften. Ich bin der Schiedsrichter. Ich bin der Preis. Die Gesichter der beiden sind verzerrt. Ihre Augen sind erfüllt von dumpfem Haß. Sie zielen auf den Bauch, weil er am weichesten ist. Sie schlagen wild aufeinander ein. Sie treten. Sie beißen. Einer von ihnen dreht sich um und läuft davon. Mitten im Laufen macht er kehrt und verfolgt den anderen. Hebt einen schweren Stein auf, wirft und verfehlt ihn knapp. Sein Gegner spuckt voll leidenschaftlicher Wut. Auf einer dornigen Rolle rostigen Stacheldrahts wälzen sich die beiden ineinanderverhakt und knirschen mit den Zähnen. Zerkratzen sich gegenseitig. Bluten. Versuchen die Kehle oder die Geschlechtsteile des anderen zu packen. Fluchen zwischen zusammengepreßten Lippen. Wie auf Kommando brechen beide plötzlich erschöpft zusammen. Einen Augenblick lang liegen die Feinde sich gegenseitig in den

Armen wie ein Liebespaar. Wie ein keuchendes Liebespaar liegen Aziz und Yehuda Gottlieb da und schnappen nach Luft. Im nächsten Moment durchströmt sie schon wieder dunkle Energie. Schädel schlägt gegen Schädel. Klaue in die Augen. Faust gegen Kinn. Knie in die Leistengegend. Die Rücken aufgerissen von den Stacheln des rostigen Drahts. Die Lippen fest zusammengepreßt. Tonlos. Kein Schrei, kein Seufzer ist zu hören. Friedlich und ruhig. Doch beide weinen lautlos. Weinen im Gleichklang. Ihre Wangen sind naß. Ich bin der Schiedsrichter, und ich bin der Preis. Ich lache böse. Ich durste danach, Blut zu sehen, wilde Schreie zu hören. In Emek Refaim wird ein Güterzug pfeifen. Der Sturm und die Wut werden stumm verschmelzen. Und die Tränen.

Der Regen wird sehr spät kommen. Ein Regen, der nicht aus Wörtern besteht, wird auf die britischen Panzerspähwagen prasseln. Im Zwielicht stehlen sich Terroristen durch die Gasse, schlüpfen in Mousrara unter dem Torbogen hindurch. Schlüpfen hindurch und pressen sich in der Dunkelheit eng an die Steinmauer, bringen die einsame Laterne zum Schweigen, befestigen eine Zündschnur am Sprengkörper, und der Sprengkörper ist noch kaltes Eisen, ein elektrischer Funke wird überspringen, und der Vulkan ist tief unter der Oberfläche von Staub und Schiefer und Granit verborgen. Es ist kalt.

Der Regen wird kommen.

Sanfte Nebel werden durch das bewaldete Tal des Kreuzes ziehen. Auf dem Skopusberg wird ein Vogel schreien. Ein stürmischer Wind wird die Kiefernspitzen beugen. Die Erde wird nicht schweigen, die Erde wird aufbegehren. Im Osten ist die Wüste. Vom Rande von Talppiyot aus kann man Orte sehen, die der Regen nie erreicht, die Berge von Moab und jenseits von ihnen das Tote Meer. Sturzbäche von Regen werden sich auf Arnona gegenüber dem grauen Dorf Sur Baher ergießen. Wilde Ströme werden die Minarette bedrohen. Und in Bethlehem schließen sich die Spieler in das Kaffeehaus ein, Backgammonbretter werden aufgeklappt, und aus allen Ecken tönt die klagende Musik von Radio Amman. Eingeschlossen und stumm sitzen die Män-

ner beim Spiel. Wüstengewänder und buschige Schnurrbärte. Siedendheißer Kaffee. Rauch. Zwillinge in Kommandouniform, bewaffnet mit Maschinenpistolen.
Nach dem Regen heller Hagel. Feine, scharfe Kristalle. Die alten Trödler in Mahane Yehuda drängen sich zitternd im Schutz der überhängenden Balkone zusammen. In den Hügeln von Abu Ghosh, in Kiryat Yearim, in Neve Ilan, in Tirat Yaar, dichte Wälder, verschlungene Kiefern, in weißen Nebel gehüllt. Dort suchen die vor dem Gesetz Flüchtigen Zuflucht. Schweigend stampfen bittere Deserteure sumpfige Wege entlang, ziehen weiter durch den Regen.
Tief hängt der Himmel über der Nordsee, *Dragon* und *Tigress* patrouillierten Seite an Seite inmitten gewaltiger Eisberge und suchen das Seeungeheuer Moby Dick oder Nautilus auf dem Radarschirm. Ahoi, ahoi, schreit der eingemummte Matrose von der Mastspitze. Ahoi, Kapitän, unidentifiziertes Objekt im Nebel gesichtet, sechs Meilen Ost, vier Knoten, zwei Grad vom Hafen des Nordlichts gibt der Funker metallisch an das alliierte Hauptquartier im weit entfernten Unterwasserversteck weiter. Auch Palästina wird dunkel werden, denn Regen und Nebel breiten sich über den Bergen von Hebron aus bis nach Talppiyot, nach Augusta Victoria, zum Rand der Wüste, den der Regen nie überschreitet, zum Palast des Hochkommissars.
Allein an dem dunkelnden Fenster steht groß und gebrechlich der britische Hochkommissar, ein hagerer Mann, die Hände hinter dem Rücken verschränkt, eine Pfeife zwischen den Zähnen, die Augen blau und trübe. In zwei Kelche gießt er einen klaren, scharfen Trank, ein Glas für sich und das andere für den kleingewachsenen, untersetzten Michael Strogoff, der seinen Weg in der Dunkelheit erkämpfen soll durch Feindesland, das Barbarenarmeen blockieren, bis zur Küste dann über das Weltmeer zu der geheimnisumwobenen Insel, wo mit Adleraugen den Horizont absuchend Ingenieur Cyrus Smith auf ihn wartet mit einem starken Fernrohr in der Hand und immer entschlossen und zuversichtlich. Wir hatten geglaubt, wir seien allein hier auf der Wüsteninsel. Unsere Sinne haben uns getäuscht. Wir sind

nicht allein auf der Insel. Böse Menschen lauern in den Tiefen des Berges. Wir haben die ganze Insel gründlich und systematisch durchsucht und konnten nicht feststellen, wer es ist, der uns in der Dunkelheit beobachtet mit bleichem Lachen im Gesicht, eine lautlose Anwesenheit, die uns unmerklich hinter unseren Rücken beobachtet und nur ihre Fußstapfen in der Morgendämmerung auf dem schwammigen Pfad hinterläßt. Lauernd und im Hinterhalt liegend, im dunklen Schatten, im Nebel, im Regen, im Sturm, im dunklen Wald, unter der Erdoberfläche lauernd, sich sprungbereit hinter den Klostermauern verbergend, im Dorf En Kerem ein fremder Mann, erbarmungslos lauernd im Hinterhalt liegend. Laßt ihn lebendig werden und mich zähnefletschend zu Boden werfen und sich in meinen Körper drängen, er wird murren und ich kreischen; als Antwort in der Verzückung des Entsetzens und der Magie, des Entsetzens und Schauderns werde ich schreien, brennen und saugen wie ein Vampir; ein wahnsinnig herumwirbelndes, betrunkenes Schiff in der Nacht werde ich sein, wenn er mich nimmt, singend und sprudelnd und gleitend; ich werde überflutet sein, ich werde eine schaumbetupfte, im Regen durch die Nacht gleitende Stute sein, die herabstürzenden Regengüsse werden Jerusalem überfluten, der Himmel wird sich senken, Wolken die Erde berühren, und der wilde Wind wird die Stadt verwüsten.

XXXIV

»Guten Morgen, Frau Gonen.«
»Guten Morgen, Dr. Urbach.«
»Fühlen wir uns immer noch so elend, Frau Gonen?«
»Das Fieber ist weg, Doktor. Ich hoffe, daß ich mich in ein paar Tagen wieder normal fühle.«
»Normal, Frau Gonen, ist ein relativer Begriff sozusagen. Ist Herr Gonen nicht zu Hause?«

»Mein Mann ist eingezogen worden, Doktor. Mein Mann ist anscheinend im Sinai. Ich habe noch keine Nachricht von meinem Mann.«

»Dies sind bedeutsame Tage, Frau Gonen, schicksalsschwere Tage. In Zeiten wie diesen fällt es schwer, die Gedanken nicht auf die Heilige Schrift zu lenken. Ist unser Hals noch entzündet? Schauen wir hinein und sehen nach. Es war schlimm, sehr schlimm, liebe Dame, was Sie da getan haben, als Sie mitten im Winter kaltes Wasser über sich gossen. Als könne die Seele Frieden finden, indem man dem Körper Leid zufügt. Entschuldigen Sie bitte, welches Fach hat Dr. Gonen noch gewählt? Biologie? Ah, Geologie. Entschuldigen Sie, bitte. Wir haben uns geirrt. Na ja, heute sind die Nachrichten über den Krieg optimistisch. Die Engländer und auch die Franzosen werden mit uns gegen die Moslems kämpfen. Im Radio heute morgen war sogar von ›den Alliierten‹ die Rede. Fast wie in Europa. Nichtsdestoweniger, Frau Gonen, dieser Krieg hat auch etwas von Faust. Sehen Sie, das kleine Gretchen war näher an der Wahrheit als irgend jemand sonst. Und wie treu Gretchen war und kein bißchen naiv, wie sie gewöhnlich dargestellt wird. Bitte, Frau Gonen, geben Sie mir jetzt Ihren Arm, ich muß Ihren Blutdruck messen. Eine einfache Untersuchung. Kein bißchen schmerzhaft. Manche Juden leiden unter einem schweren Intelligenzfehler; wir sind nicht in der Lage, diejenigen zu hassen, die uns hassen. Irgendeine geistige Störung. Na ja, gestern erklomm die israelische Armee mit Panzern den Sinaiberg. Fast apokalytisch, würde ich sagen, aber nur fast. Jetzt muß ich Sie wirklich sehr um Entschuldigung bitten, aber ich muß Ihnen eine recht intime Frage stellen. Haben Sie in letzter Zeit irgendwelche Unregelmäßigkeiten bei Ihrer Monatsregel beobachtet, Frau Gonen? Nein? Das ist ein gutes Zeichen. Ein sehr gutes Zeichen. Es ist ein Zeichen dafür, daß der Körper noch nicht begonnen hat, an dem Drama teilzunehmen. Ihr Mann ist also Geologe, kein Anthropologe. Wir haben uns ein wenig geirrt. Jetzt müssen wir noch ein paar Tage stilliegen. Und gründlich ausruhen. Uns nicht mit unnötigen Gedanken an den Rand der Erschöpfung bringen. Schlaf ist das beste Heilmittel.

Schlaf ist gewissermaßen der natürliche Zustand des Menschen. Und das Kopfweh darf uns nicht erschrecken. Gegen die Migräne werden wir uns mit Aspirin wappnen. Migräne ist keine selbständige Krankheit. Und die Menschen sterben übrigens nicht so leicht, wie wir es uns in extremen Augenblicken vorstellen mögen. Ich wünschen Ihnen gute Besserung.«

Dr. Urbach ging, und Simcha, Hadassahs Hilfe, kam. Sie zog ihren Mantel aus und wärmte sich die Hände am Feuer. Sie fragte: »Wie geht es Ihnen heute, gnädige Frau?« Ich fragte: »Was gibt es Neues bei meiner Freundin Hadassah?« Simcha hatte morgens in der Zeitung gelesen, daß die Araber geschlagen und wir siegreich seien. »Gut«, sagte sie, »das haben sie wirklich verdient; man kann sich nicht alles schweigend gefallen lassen.«
Simcha ging in die Küche. Sie wärmte mir etwas Milch auf. Dann öffnete sie ein Fenster im Arbeitszimmer, um frische Luft hereinzulassen. Beißendkalte Luft strömte herein. Simcha polierte die Fenster mit altem Zeitungspapier. Sie staubte die Möbel ab. Sie ging einkaufen. Als sie zurückkam, hatte sie Neuigkeiten über ein arabisches Kriegsschiff zu berichten, das lichterloh im Meer bei Haifa brannte. Sollte sie mit dem Bügeln beginnen?
Mein ganzer Körper fühlte sich gut heute. Ich war krank. Ich brauche mich nicht zu konzentrieren. Lichterloh im Meer brennen – das alles ist vor langer Zeit schon einmal geschehen. Dies war nicht das erste Mal.
»Ihr Gesicht ist sehr blaß heute, gnädige Frau«, bemerkte Simcha besorgt. »Der Herr sagte, ehe er wegging, ich solle nicht soviel reden mit der gnädigen Frau wegen ihrer Gesundheit.«
»Reden Sie nur mit mir, Simcha«, bat ich sie. »Erzählen Sie mir von sich. Reden Sie weiter. Hören Sie nicht auf.«
»Ich bin noch nicht verheiratet, gnädige Frau, aber ich bin verlobt. Wenn mein Verlobter Bechor von der Armee zurückkommt, kaufen wir uns eine dieser neuen Wohnungen in Bet Mazmil. Wir werden im Frühjahr heiraten. Mein Verlobter Bechor hat einen Haufen Geld zurückgelegt. Er arbeitet als Taxi-

fahrer bei den ›Kesher‹-Taxis. Er ist ein bißchen schüchtern, aber gebildet. Mir ist etwas aufgefallen, daß nämlich die meisten meiner Freundinnen Männer wie ihre Pas heiraten. Bechor ist auch wie mein Pa. Es ist wie eine Regel, in der Zeitschrift ›Die Frau‹ habe ich einmal was darüber gelesen: der Ehemann ist immer wie der Vater. Ich glaube, wenn man jemanden liebt, möchte man, daß er wenigstens ein bißchen Ähnlichkeit mit jemandem hat, den man schon vorher geliebt hat. Das ist ja lustig, ich warte und warte, daß das Eisen heiß wird, und habe glatt vergessen, daß der Strom gesperrt ist in Jerusalem.«

Ich dachte für mich:
In einer Geschichte von Somerset Maugham oder Stefan Zweig spielt ein junger Mann aus einer Kleinstadt Roulette in einem internationalen Kasino. Seit Beginn des Abends hat er zwei Drittel seines Geldes verloren. Die Summe, die er nach sorgfältiger Berechnung noch übrig hat, würde gerade für die Hotelrechnung und eine Eisenbahnkarte reichen, so daß er die Stadt in allen Ehren verlassen könnte. Es ist zwei Uhr morgens. Kann der junge Mann jetzt aufstehen und gehen? Das hell erleuchtete Roulette dreht sich noch immer, und die Kronleuchter funkeln. Vielleicht wartet der entscheidende Gewinn gerade nach der nächsten Umdrehung auf ihn? Der Sohn des Scheichs von Hadramaut auf der anderen Seite des Spieltischs hat gerade glatte 10 000 auf einen Schlag kassiert. Nein, er kann jetzt nicht aufstehen und gehen. Um so weniger, als die ältliche englische Lady, die ihn den ganzen Abend über eulenäugig durch ihren Kneifer musterte, ihm sicherlich einen Blick voll kalter Ironie zuwerfen würde. Und draußen in der Dunkelheit fällt Schnee so weit das Auge reicht. Und das undeutliche Geräusch der stürmischen See draußen. Nein, der junge Mann kann nicht aufstehen und gehen. Er kauft für sein letztes Geld Chips. Schließt fest die Augen und öffnet sie wieder. Öffnet sie und blinzelt unvermittelt, als blende ihn das Licht. Und draußen in der Dunkelheit das dumpfe Brausen der See und der leise fallende Schnee.

Wir sind nun über sechs Jahre verheiratet. Wenn du aus beruflichen Gründen nach Tel Aviv mußt, kommst du jedesmal am gleichen Abend wieder. Seit unserem Hochzeitstag waren wir nie länger als zwei Nächte getrennt. Seit sechs Jahren sind wir verheiratet und leben in dieser Wohnung, und ich habe immer noch nicht gelernt, wie man die Fensterläden am Balkon öffnet und schließt, weil du das immer machst. Seit man dich eingezogen hat, stehen die Läden Tag und Nacht offen. Ich habe über dich nachgedacht. Du wußtest im voraus, daß du für einen Krieg eingezogen wurdest und nicht für ein Manöver. Daß der Krieg in Ägypten stattfinden würde und nicht im Osten. Daß der Krieg kurz sein würde. All diese Schlußfolgerungen hast du aufgrund eines wohlgeordneten inneren Mechanismus gezogen, mit dessen Hilfe du ständig überaus vernünftige Ideen produzierst. Ich muß dir eine Gleichung aufgeben, von deren Lösung ich abhänge wie ein Mensch, der am Rande eines Abgrunds steht, von der Stärke des Geländers abhängt.
Heute morgen saß ich im Sessel und änderte die Knöpfe auf den Ärmelaufschlägen deines dunklen Anzugs, um ihn modischer zu machen. Beim Nähen fragte ich mich, was das für eine undurchdringliche Glasglocke ist, die sich über uns gestülpt hat und unser Leben von Gegenständen, Orten, Leuten, Meinungen trennt? Sicher, Michael, wir haben Freunde, Gäste, Kollegen, Nachbarn, Verwandte. Aber wenn sie in unserem Wohnzimmer sitzen und mit uns reden, sind ihre Worte wegen des Glases, das nicht einmal durchsichtig ist, immer undeutlich. Nur ihr Gesichtsausdruck verrät mir etwas von dem, was sie sagen wollen. Mitunter lösen sich ihre Gestalten auf: vage Massen ohne Konturen. Gegenstände, Orte, Leute, Meinungen, ich brauche sie und kann nicht leben ohne sie. Was ist mit dir, Michael, bist du zufrieden oder nicht? Wie kann ich das herausfinden? Manchmal scheinst du traurig zu sein. Bist du zufrieden oder nicht? Was ist, wenn ich sterben sollte? Was ist, wenn du sterben solltest? Ich taste mich nur durch eine Einleitung, ein Vorspiel, lerne und probe noch immer eine schwierige Rolle, die ich künftig spielen muß. Packen. Vorbereiten. Üben. Wann beginnt die Reise, Michael?

Ich habe das ewige Warten satt. Du ruhst deine Arme auf dem Steuerrad aus. Döst du oder denkst du nach? Ich weiß es nicht. Du bist immer so ruhig und beherrscht. Brich auf, Michael, fahr los; ich warte seit Jahren darauf.

XXXV

Simcha holte Yair vom Kindergarten ab. Seine Finger waren blau vor Kälte. Unterwegs waren sie dem Postboten begegnet, der ihnen eine Militärpostkarte aus dem Sinai überreicht hatte: Mein Bruder Emanuel schreibt, daß es ihm gutgehe und daß er große Wunder tue und sehe. Er werde uns eine weitere Karte aus Kairo schicken, der Hauptstadt Ägyptens. Er hoffe, daß alles in Ordnung sei bei uns in Jerusalem. Er habe Michael nicht getroffen: die Wüste sei unvorstellbar groß. Unser Negev komme einem dagegen wie eine winzige Sandkuhle vor. Ob ich mich noch an den Ausflug erinnerte, den wir mit Vater nach Jericho machten, als wir klein waren? Das nächste Mal würden wir bis zum Jordan vorstoßen, und dann könnten wir hinunter nach Jericho fahren und Binsenmatten kaufen. »Gib Yair einen Kuß von mir«, schloß er. »Ich hoffe, er wird ein Mann, der tüchtig kämpfen kann. Ein Gruß und Kuß noch schnell von Eurem Emanuel.«
Von Michael keine Zeile.
Eine Vorstellung:
Beim Schein des Funksprechgeräts verraten seine starren Züge müde Verantwortung. Seine Schultern sind gebeugt. Die Lippen fest zusammengepreßt. Er kauert über dem Gerät. Gebückt. Den Rücken zweifellos dem Halbmond zugewandt, der bleich und schmal hinter ihm aufgeht.

An jenem Abend kamen zwei Besucher, um sich nach meinem Befinden zu erkundigen.

Nachmittags waren sich Herr Kadischmann und Herr Glick in der Haturim-Straße begegnet. Herr Kadischmann hatte von Herrn Glick erfahren, daß Frau Gonen krank war und man Herrn Gonen eingezogen hatte. Sofort hatten beide beschlossen, vorbeizuschauen und ihre Hilfe anzubieten. Also hatten sie mich aufgesucht: Wenn ein Mann alleine gekommen wäre, hätte dies nur Anlaß zu unwillkommenem Klatsch gegeben.
Herr Glick sagte:
»Es muß sehr schwer für Sie sein, Frau Gonen. Schlimme Zeiten sind das, das Wetter ist kalt, und Sie sind ganz allein.«
Herr Kadischmann hatte unterdessen mit seinen langen, fleischigen Fingern die Tasse Tee neben meinem Bett befühlt.
»Kalt«, verkündete er düster, »eiskalt. Erlauben Sie mir bitte, gnädige Frau, in Ihre Küche einzudringen, eindringen in Anführungszeichen natürlich, und Ihnen eine frische Tasse Tee zu machen?«
»Auf gar keinen Fall«, sagte ich. »Ich darf aufstehen. Ich ziehe rasch meinen Morgenrock über und mache Ihnen beide eine Tasse Kaffee oder Kakao.«
»Gott behüte. Frau Gonen, Gott behüte!« Herr Glick war bestürzt und blinzelte, als hätte ich sein Gefühl für Anstand beleidigt. Sein Mund zuckte nervös. Wie ein Hase bei einem ungewohnten Geräusch zuckt.
Herr Kadischmann zeigte sich interessiert:
»Was schreibt unser Freund von der Front?«
»Ich habe noch keine Post von ihm«, sagte ich lächelnd.
»Die Kampfhandlungen sind vorüber«, warf Herr Kadischmann hastig ein und strahlte vor Glück. »Die Kampfhandlungen sind vorüber, und nicht ein Feind mehr ist übrig in der Wüste Horeb.«
»Wären Sie so nett, das Licht anzuschalten?« fragte ich. »Dort zu Ihrer Linken. Warum sollen wir hier im Dunkeln sitzen?«
Herr Glick rollte seine Unterlippe zwischen Daumen und Zeigefinger. Seine Augen schienen den Weg des elektrischen Stroms vom Schalter bis zur Glühbirne an der Decke zu verfolgen. Vielleicht kam er sich überflüssig vor. Er fragte:

»Kann ich Ihnen irgendwie behilflich sein?«
»Vielen herzlichen Dank, mein lieber Herr Glick, aber ich brauche keine Hilfe.«
Plötzlich kam mir die Idee, hinzuzufügen:
»Sie haben es auch nicht einfach, Herr Glick, ohne Ihre Frau und ... so ganz allein.«
Herr Kadischmann blieb eine Weile neben dem Lichtschalter stehen, als habe er am Ergebnis seiner Tätigkeit gezweifelt und wolle nicht an den vollen Erfolg glauben. Dann kam er zurück und setzte sich. Er wirkte dabei schwerfällig wie jene prähistorischen Lebewesen mit den riesenhaften Körpern und winzigen Schädeln. Ich bemerkte etwas Mongolisches in Herrn Kadischmanns Gesicht: breite, flache Backenknochen, die Züge grob und zugleich erstaunlich feingeschnitten. Ein Tatarengesicht. Michael Strogoffs raffinierter Widersacher. Ich lächelte ihm zu.
»Frau Gonen«, begann Herr Kadischmann, nachdem er sich schwerfällig hingesetzt hatte. »Frau Gonen, in diesen historischen Tagen habe ich mir ausgiebig Gedanken darüber gemacht, warum die Lehren Vladimir Jabotinskys soviel Erfolg haben, obgleich seine Schüler völlig in Vergessenheit geraten sind. Ihr Erfolg ist wirklich außerordentlich.«
Er schien mit einer heimlichen, inneren Erleichterung zu sprechen. Mir gefiel, was er sagte: Es gibt Rückschläge und Leid, aber nach langem Leid folgt der verdiente Lohn. So übersetzte ich es im Geiste aus seiner Tatarensprache in meine eigene. Um ihn nicht mit meiner Schweigsamkeit zu kränken, sagte ich:
»Die Zeit wird es lehren.«
»Das tut sie bereits«, sagte Herr Kadischmann mit einem triumphierenden Ausdruck auf seinem fremdländischen Gesicht. »Die Botschaft dieser historischen Tage ist klar und unzweideutig.« Inzwischen war es Herrn Glick gelungen, die Antwort auf eine Frage zu formulieren, die ich, die Fragestellerin, schon längst wieder vergessen hatte:
»Meine arme, liebe Duba, sie wird mit Elektroschocks behandelt. Sie sagen, es bestehe noch Hoffnung. Man dürfe nicht verzweifeln, sagen sie. Wenn Gott will...«

Seine großen Hände zerdrückten und kneteten einen zerbeulten Hut. Sein dünner Schnurrbart zitterte wie ein winziges lebendes Tier. Seine Stimme war besorgt und bat um eine Nachsicht, die er nicht verdiente. Verzweiflung ist eine Todsünde.
»Es wird schon wieder gut werden«, sagte ich.
Herr Glick:
»Amen. Amen selah. Ach, was ein Elend. Und wofür das alles?«
Herr Kadischmann:
»Von nun an wird der Staat Israel sich verändern. Diesmal gehört die Hand, die die Axt schwingt, in Bialiks Worten, uns. Jetzt ist die heidnische Welt an der Reihe, loszuheulen und zu fragen, ob es Gerechtigkeit gibt auf der Welt, und wenn ja, wann sie sich zeigen wird. Israel ist kein ›verlorenes Schaf‹ mehr; wir sind kein Mutterschaf mehr unter 70 Wölfen und kein Lamm, das zur Schlachtbank geführt wird. Wir haben genug durchgemacht. ›Unter Wölfen sei ein Wolf‹. Es ist alles so eingetroffen, wie Jabotinsky es in seinem prophetischen Roman *Präludium für Delilah* vorausgesagt hat. Haben Sie Jabotinskys *Präludium für Delilah* gelesen, Frau Gonen? Er ist es wert, gelesen zu werden. Besonders jetzt, da unsere Armee die aufgeriebenen Truppen Pharaos verfolgt und sich das Meer nicht teilt für die flüchtenden Ägypter.«
»Aber warum sitzen Sie denn beide in Ihren Mänteln da? Ich werde aufstehen und den Heizofen anmachen. Ich mache etwas zu trinken. Bitte ziehen Sie doch Ihre Mäntel aus.«
Herr Glick erhob sich hastig, als sei ihm ein Verweis erteilt worden:
»Nein, bitte, Frau Gonen, stehen Sie nicht auf. Es ist überhaupt nicht nötig. Wir haben einfach vorbeigeschaut, um zu sehen, wie es Ihnen geht. Wir müssen gleich wieder weg. Bitte, stehen Sie nicht auf. Sie brauchen nicht zu heizen.«
Herr Kadischmann:
»Auch ich muß mich verabschieden. Ich habe nur schnell auf dem Weg zu einer Ausschußsitzung hereingeschaut, um zu sehen, ob ich Ihnen irgendwie helfen kann.«

»Helfen, Herr Kadischmann?«
»Falls Sie etwas brauchen. Vielleicht ist etwas Geschäftliches zu erledigen, oder...«
»Danke für Ihre guten Absichten, Herr Kadischmann. Sie gehören der aussterbenden Rasse der wahren Gentlemen an.«
Seine Saurierzüge hellten sich auf. »Ich komme morgen oder übermorgen wieder vorbei, um zu hören, was unser teurer Freund in seinem Brief zu sagen hat«, versprach er.
»Bitte tun Sie das, Herr Kadischmann«, sagte ich spöttisch. Das waren Michaels Freunde. Seine Wahl war wirklich erstaunlich.
Herr Kadischmann nickte begeistert. »Da Sie eben so freundlich waren, mich ausdrücklich einzuladen, komme ich ganz bestimmt vorbei.«
»Ich wünsche Ihnen eine rasche und völlige Genesung«, sagte Herr Glick. »Und wenn ich irgend etwas für Sie tun kann, einkaufen oder andere Gänge erledigen... brauchen Sie vielleicht irgend etwas?«
»Das ist sehr freundlich von Ihnen, Herr Glick«, erwiderte ich. Er starrte angespannt auf seinen zerbeulten Hut. Kein Wort fiel. Die beiden älteren Herren standen jetzt am anderen Ende des Raumes und bewegten sich langsam auf die Tür zu, wobei sie sich bemühten, einen möglichst großen Abstand zwischen sich und meinem Bett herzustellen. Herr Glick erspähte einen weißen Faden auf dem Rücken von Herrn Kadischmanns Mantel und entfernte ihn. Draußen erhob sich eine Brise und erstarb wieder. Aus der Küche kam das Geräusch des Kühlschrankmotors, der plötzlich wieder ins Leben zurückgekehrt zu sein schien. Und wieder durchströmte mich dieses ruhige, klare Gefühl, daß ich bald tot sein würde. Was für ein düsterer Gedanke. Eine ausgeglichene Frau steht dem Gedanken an den Tod nicht gleichgültig gegenüber. Der Tod und ich sind uns gleichgültig. Nahe und doch fern. Entfernte Bekannte, die sich kaum zunikken. Ich hatte das Gefühl, auf der Stelle etwas sagen zu müssen. Ich hatte das Gefühl, daß ich mich nicht von meinen Freunden verabschieden und sie jetzt gehen lassen sollte. Vielleicht würde

heute nacht der erste Regen fallen. Gewiß war ich noch keine alte Frau. Ich konnte immer noch attraktiv sein. Ich muß sofort aufstehen. Meinen Morgenmantel anziehen. Ich muß Kaffee und Kakao kochen, Kuchen servieren, Konservation machen, mich interessiert zeigen, interessiert sein; auch ich bin gebildet, auch ich habe Ansichten und Ideen; irgend etwas drückt mir die Kehle zu.

»Sind Sie sehr in Eile?« fragte ich.

»Ich muß mich leider verabschieden«, sagte Herr Kadischmann.

»Herrn Glick steht es frei, zu bleiben, wenn er es wünscht.«

Herr Glick wickelte einen dicken Schal um seinen Hals.

Geht noch nicht, alte Freunde. Sie darf nicht allein gelassen werden. Setzt euch in die Sessel. Zieht eure Mäntel aus. Macht es euch gemütlich. Wir werden über Politik und Philosophie diskutieren. Wir werden Ansichten über Religion und Rechtschaffenheit austauschen. Wir werden gewandt und freundlich sprechen. Wir werden zusammen trinken. Geht nicht. Sie fürchtet sich davor, allein im Haus zurückzubleiben. Bleibt. Geht nicht.

»Ich wünsche Ihnen rasche Genesung, Frau Gonen, und eine sehr gute Nacht.«

»Sie gehen so schnell wieder. Sie finden mich sicher langweilig.«

»Gütiger Himmel. Das dürfen Sie nicht denken.« Ihre aufgeregten Stimmen vermischten sich.

Beide Männer, einsam und nicht mehr jung, hatten nur schwache Ausdrucksmöglichkeiten, und keiner von beiden war es gewohnt, Krankenbesuche zu machen.

»Die Straße ist menschenleer«, sagte ich.

»Ich wünsche Ihnen gute Besserung«, erwiderte Herr Kadischmann.

Er drückte seinen Hut in die Stirn, als klappe er unvermittelt ein Dachfenster zu.

Herr Glick sagte im Gehen:

»Bitte machen Sie sich keine Gedanken, Frau Gonen. Es hat keinen Sinn, sich Sorgen zu machen. Alles wird wieder gut. Alles, wirklich alles wird sich zum Besten kehren, wie man so sagt. Ja. Sie lächeln; wie schön, Sie lächeln zu sehen.«

Die Gäste gingen.
Sofort schaltete ich das Radio ein. Zog das Bettzeug glatt. Ob ich eine ansteckende Krankheit habe? Warum vergaßen die beiden alten Freunde, mir die Hand zu geben, als sie kamen, und dann wieder, als sie gingen?
Das Radio verkündete, daß die Eroberung der Halbinsel nunmehr abgeschlossen sei. Der Verteidigungsminister erklärte, daß die Insel Jotbath, allgemein als Tiran bekannt, in den Besitz des Dritten Königreichs Israel zurückgekehrt sei. Hannah Gonen wird zu Yvonne Azulai zurückkehren. Doch unser Ziel sei der Frieden, erklärte der Minister in seinem einzigartigen rhetorischen Stil. Wenn nur die nationalen Elemente im arabischen Lager die finsteren Rachegelüste überwinden würden, wäre der lang ersehnte Frieden da.
Meine Zwillinge, zum Beispiel.
Im Vorort Sanhedriya beugten sich die Zypressen und richteten sich wieder auf, sie richteten sich auf und beugten sich vor der Brise. Es ist meine bescheidene Meinung, daß alle Flexibilität Hexerei ist. Sie fließt, ist aber gleichzeitig kalt und ruhig. Vor ein paar Jahren, an einem Wintertag im Terra-Sancta-College, notierte ich mir ein paar Bemerkungen des Professors für hebräische Literatur, die voller Trauer waren: Von Abraham Mapu bis Perez Smolenskin machte die Bewegung der hebräischen Aufklärung eine schmerzhafte Veränderung durch. Eine Krise der Enttäuschung und Desillusionierung. Wenn sich Träume zerschlagen, beugen sich sensible Menschen nicht, sondern zerbrechen daran. »Deine Zerstörer und diejenigen, die dich verwüstet haben, sollen aus dir hervorgehen.« Der Sinn dieses Jesaja-Verses ist ein doppelter, sagte der Professor: Zunächst einmal nährte die Bewegung der hebräischen Aufklärung an ihrem eigenen Busen jene Ideen, die in der Folge zu ihrer Zerstörung führten. Später »gingen« viele gute Männer »aus ihr hervor«, die sich dann von der Bewegung abwandten. Der Kritiker Abraham Uri Kov-

ner war eine tragische Figur. Er war wie der Skorpion, der sich, wenn die Flammen ihn umzingeln, mit seinem Stachel in den eigenen Rücken sticht. In den siebziger und achtziger Jahren des vorigen Jahrhunderts hatte man das bedrückende Gefühl, sich in einem Teufelskreis zu bewegen. Hätte es nicht ein paar Träumer und Kämpfer gegeben, Realisten, die gegen die Realität rebellierten, wir hätten keine Renaissance erlebt und wären praktisch dem Untergang geweiht gewesen. Doch es sind immer die Träumer, die Großes erreichen, schloß der Professor. Ich habe es nicht vergessen. Was für eine ungeheure Mühsal des Übersetzens mir bevorsteht! Auch das muß ich in meine eigene Sprache übersetzen. Ich will nicht sterben. Frau Hannah Grynbaum-Gonen: die Initialen HG bedeuten auf hebräisch »Fest«; wenn nur ihr ganzes Leben ein einziges langes Fest sein könnte. Mein Freund, der nette Bibliothekar vom Terra Sancta, der ein Samtkäppchen zu tragen pflegte und Grüße und Scherze mit mir tauschte, ist schon lange tot. Nur die Worte sind geblieben. Ich habe die Worte satt. Was für ein billiger Zauber.

XXXVI

Am nächsten Morgen verkündete das Radio, daß die Neunte Brigade die Küstenartillerie bei Sharm esh-Sheikh erobert habe. Die lang anhaltende Blockade unserer Schiffahrt sei zerschlagen. Neue Horizonte würden sich fortan für uns öffnen.

Auch Dr. Urbach hatte an diesem Morgen eine Ankündigung zu machen. Er lächelte sein trauriges, sympathisches Lächeln und schüttelte seine winzigen Schultern, als wolle er seiner Verachtung dessen, was er zu sagen hatte, Ausdruck verleihen:

»Wir dürfen jetzt ein bißchen laufen und ein bißchen arbeiten. Vorausgesetzt, wir vermeiden jede geistige Anstrengung und schonen unsere Kehle. Und vorausgesetzt, wir kommen mit der objektiven Wirklichkeit zu Rande. Ich wünsche Ihnen rasche Genesung.«

Zum ersten Mal seit Michaels Abreise stand ich auf und verließ das Haus. Es war eine Veränderung. Als sei ein schriller, durchdringender Ton plötzlich verstummt. Als sei ein Motor, der den ganzen Tag über draußen geheult hatte, gegen Abend plötzlich abgestellt worden. Der Ton war tagsüber nicht aufgefallen. Erst als er verstummte, machte er sich bemerkbar. Eine plötzliche Stille. Er hatte existiert und war nun verstummt. Er war verstummt, also hatte er existiert.

Ich entließ die Hilfe. Ich schrieb einen beruhigenden Brief an meine Mutter und Schwägerin in Nof Harim. Ich buk einen Käsekuchen. Um die Mittagszeit rief ich das militärische Auskunftsbüro von Jerusalem an. Ich fragte, wo Michaels Einheit zur Zeit stationiert sei. Die Antwort war höflich entschuldigend: der größte Teil der Armee sei immer noch unterwegs. Die Feldpost sei unzuverlässig. Es gebe keinen Grund zur Beunruhigung. Der Name Michael Gonen tauche auf keiner ihrer Listen auf.
Meine Mühe war überflüssig gewesen. Als ich vom Drogisten zurückkam, lag ein Brief von Michael im Kasten. Der Datumsstempel zeigte, daß die Auslieferung des Briefes sich verzögert hatte. Michael erkundigte sich zunächst besorgt nach meiner Gesundheit, nach dem Kind und dem Haus. Dann berichtete er, daß es ihm gutgehe, abgesehen von dem Sodbrennen, das sich aufgrund des schlechten Essens verschlimmert habe, und abgesehen davon, daß er gleich am ersten Tag seine Lesebrille zerbrochen habe. Michael hielt sich an die Bestimmungen der Militärzensur und verschwieg den Standort seiner Einheit, doch brachte er geschickt den indirekten Hinweis unter, daß seine Einheit nicht an den Kämpfen beteiligt, sondern im Landesinnern mit Sicherheitsaufgaben betraut sei. Schließlich erinnerte er mich daran, daß Yair diesen Donnerstag einen Termin beim Zahnarzt habe. Donnerstag, das war morgen.
Am nächsten Tag brachte ich Yair zum Strauss-Ärztezentrum, wo sich die ärztliche Zahnklinik befand. Yoram Kamnitzer, der Sohn unserer Nachbarn, begleitete uns ein Stück, da sein Ju-

gendclub in der Nähe der Klinik lag. Yoram erklärte unbeholfen, es habe ihm sehr leid getan, von meiner Krankheit zu hören, und er sei froh, mich wieder wohlauf zu sehen.
Wir blieben an einem Stand stehen, der heiße Maiskolben feilbot, und ich fragte Yair und Yoram, ob ich welche kaufen solle. Yoram fand es richtig, abzulehnen. Seine Ablehnung war schwach und kaum hörbar. Ich war unfreundlich zu ihm. Ich fragte ihn, warum er heute so verträumt und geistesabwesend sei. Hatte er sich etwa in eine seiner Klassenkameradinnen verliebt?
Meine Frage brachte große Schweißperlen auf Yorams Stirn. Er wollte sich das Gesicht abwischen, konnte aber nicht, weil seine Hände von dem Mais, den ich gekauft hatte, schmutzig und klebrig waren. Ich sah ihn fest an, um ihn noch tiefer in Verlegenheit zu stürzen. Demütigung und Verzweiflung brachten einen Ausbruch nervöser Kühnheit hervor. Er wandte mir ein düsteres, gequältes Gesicht zu und murmelte:
»Ich habe mit meinen Klassenkameradinnen nichts zu tun, Frau Gonen, auch mit keinem anderen Mädchen. Es tut mir leid. Ich möchte nicht unhöflich sein, aber Sie hätten mir diese Frage wirklich nicht stellen sollen. Ich frage ja auch nicht. Liebe und so was ist... privat.«
Es war Spätherbst in Jerusalem. Der Himmel war nicht bewölkt, aber auch nicht klar. Seine Farbe war herbstlich: blaugrau wie die Straße und die alten steinernen Gebäude. Der Farbton paßte gut. Wieder einmal überkam mich das Gefühl, als sei dies keineswegs das erste Mal. Als sei ich schon einmal hier gewesen.
Ich sagte:
»Es tut mir leid, Yoram. Ich habe nicht daran gedacht, daß du auf eine religiöse Schule gehst. Ich war neugierig. Es gibt keinen Grund, weshalb du deine Geheimnisse mit mir teilen sollst. Du bist 17 und ich bin 27. Ich komme dir natürlich wie eine alte Hexe vor.«
Der Junge durchlitt jetzt noch schlimmere Qualen als vorher. Und das war beabsichtigt. Er sah weg. In seiner Aufregung stieß er gegen Yair und rannte ihn beinahe um. Er wollte etwas sagen,

fand nicht die richtigen Worte und gab den Versuch schließlich auf.
»Alt – Sie? Im Gegenteil, Frau Gonen, im Gegenteil... Was ich sagen wollte ist... Sie interessieren sich für mein Problem, und... mit Ihnen kann ich manchmal... Nein. Wenn ich versuche, es in Worte zu fassen, kommt alles verkehrt heraus. Was ich meinte ist...«
»Beruhige dich, Yoram. Du mußt es nicht sagen.«
Er gehörte mir. Ganz und gar mir. Er war in meiner Gewalt. Ich konnte jeden beliebigen Ausdruck auf sein Gesicht malen. Wie auf ein Blatt Papier. Es war Jahre her, daß ich zum letzten Mal Gefallen an diesem grausamen Spiel gefunden hatte. Ich zog die Schraube fester an und genoß in vorsichtigen Zügen das Lachen, das in mir hochstieg.
»Nein, Yoram, du mußt es nicht sagen. Du kannst mir einen Brief schreiben. Außerdem hast du schon fast alles gesagt. Hat dir übrigens schon mal jemand gesagt, daß du wunderschöne Augen hast? Wenn du mehr Selbstvertrauen hättest, wärst du ein richtiger Herzensbrecher. Wenn ich keine alte Hexe wäre, sondern so jung wie du, ich wüßte nicht, wie ich dir widerstehen sollte. Du bist ein reizender Junge.«
Nicht einen Moment wandte ich meine kalten Augen von seinem Gesicht ab. Ich saugte das Erstaunen, das Verlangen, das Leiden, die wahnwitzige Hoffnung auf. Ich war berauscht.
Yoram stammelte:
»Bitte, Frau Gonen...«
»Hannah. Du kannst mich Hannah nennen.«
»Ich... ich empfinde Respekt für Sie und... nein, Respekt ist nicht das richtige Wort... Achtung und... Interesse.«
»Warum entschuldigst du dich, Yoram? Ich mag dich. Es ist keine Sünde, wenn einen jemand mag.«
»Ich werde es bereuen, Frau Gonen, Hannah... ich sage nichts mehr oder ich werde es später bereuen. Es tut mir leid, Frau Gonen.«
»Sprich weiter, Yoram. Ich bin nicht so sicher, daß du es bereuen wirst.«

In diesem Augenblick griff Yair ein. Den Mund bis zum Rand mit Mais vollgestopft, rief er:
»Bereuen – das tun die Briten. Im Unabhängigkeitskrieg waren sie auf der arabischen Seite, und jetzt bereuen sie es schon.«
Yoram sagte:
»Hier muß ich abbiegen, Frau Gonen. Ich nehme alles, was ich gerade gesagt habe, zurück und bitte Sie um Verzeihung.«
»Warte einen Moment, Yoram. Ich möchte dich um etwas bitten.«
Yair:
»Als wir in Holon waren, als Großpapa Salman noch lebte, erzählte er mir, die Briten seien kaltblütig wie Schlangen.«
»Ja, Frau Gonen. Was kann ich für Sie tun?«
»Mami, was bedeutet das, Schlangen sind kaltblütig?«
»Es bedeutet, daß ihr Blut nicht warm ist. Worum ich dich bitten wollte ...«
»Aber warum ist Schlangenblut nicht warm? Und warum haben Menschen warmes Blut, außer den Briten?«
»Sagen Sie, daß Sie mir nicht böse sind, Frau Gonen. Vielleicht habe ich etwas Dummes gesagt.«
»In einigen Tieren pumpt das Herz das Blut und wärmt es. Ich kann es nicht genau erklären. Quäl dich nicht, Yoram. Als ich so alt war wie du, hatte ich viel Kraft zu lieben. Ich möchte mich wieder einmal mit dir unterhalten. Heute oder morgen. Sei mal einen Moment still, Yair, hör auf zu nörgeln. Wie oft hat dir dein Vater gesagt, du sollst nicht dazwischenreden, wenn Leute sich unterhalten? Heute oder morgen. Darum wollte ich dich bitten. Ich möchte mich mit dir unterhalten. Ich möchte dir einen Rat geben.«
»Ich habe nicht dazwischengeredet. Vielleicht nur, nachdem Yoram mich unterbrochen hatte, als ich gerade geredet hatte.«
»Quäl dich nicht unnötig bis dahin. Auf Wiedersehen, Yoram. Ich bin dir nicht böse, und ärgere dich nicht über dich selbst. Yair, ich habe deine Frage beantwortet. Es ist nun einmal so. Ich kann nicht alles auf der Welt erklären. Wie, warum, wo, wann. ›Hätt' Großmama Flügel und könnte fliegen, wär sie ein Adler

hoch oben am Himmel‹. Wenn dein Vater zurückkommt, wird er dir alles erklären, denn er ist klüger als ich und weiß alles.«
»Vati weiß nicht alles, aber wenn Vati etwas nicht weiß, sagt er, daß er es nicht weiß. Er sagt nicht, er weiß es, kann es aber nicht erklären. Das ist unmöglich. Wenn man etwas weiß, kann man es auch erklären. Ende.«
»Gott sei Dank, Yair.«

Yair warf den zerkauten Maiskolben weg. Wischte seine Hände sorgfältig an seinem Taschentuch ab. Er sah davon ab, beleidigt zu sein. Er sagte nichts. Selbst als ich ihn in plötzlicher Panik fragte, ob wir das Gas abgestellt hätten, ehe wir das Haus verließen, sagte er kein Wort. Ich haßte seinen eigensinnigen Stolz. Als wir die Klinik erreichten, setzte ich ihn gewaltsam in den Stuhl des Zahnarztes, obwohl er nicht versucht hatte, Widerstand zu leisten. Seit Michael ihm erklärt hatte, wie die Fäulnis die Zahnwurzeln angreift, hatte er sich immer verständnisvoll und überaus kooperativ gezeigt. Die Zahnärzte wunderten sich jedesmal über ihn. Überdies erweckten der Bohrer und die anderen zahnärztlichen Instrumente eine lebhafte Neugier in dem Kind, die ich abstoßend fand: Ein fünfjähriges Kind, das von der Zahnfäule fasziniert war, mußte einmal eine abscheuliche Person werden. Ich haßte mich selbst für diesen Gedanken, konnte mich aber nicht dagegen wehren.
Während sich der Zahnarzt mit Yairs Zähnen beschäftigte, saß ich auf einem niedrigen Stuhl im Flur und dachte darüber nach, was ich Yoram Kamnitzer sagen wollte.
Zunächst einmal würde ich ihm das Geständnis entreißen, das an ihm zehrte. Ich wußte, das würde mir nicht schwerfallen, und so würde ich mich endlich wieder an den Kräften berauschen, die ich noch nicht ganz verloren hatte, wenn auch die Zeit sie mit bleichen, präzisen Fingern angriff, verwüstete, verdarb und zerstörte.
Dann, wenn ich die ersehnte Herrschaft über ihn errungen hätte, wollte ich Yoram dazu bringen, ein Leben am Abgrund zu füh-

ren. Ihn vielleicht dazu ermutigen, Dichter zu werden statt Bibellehrer. Ihn auf die andere Seite schleudern. Einen letzten Michael Strogoff zum letzten Mal dem Willen, der Mission einer entthronten Prinzessin unterwerfen.
Ich wollte ihm lediglich ein paar freundliche, allgemein gefaßte Worte sagen, denn er war ein sanfter Junge, in dem ich weder die magische Kraft der Flexibilität noch den Strom einer tief verborgenen Energie gefunden hatte.

Aus meinen Plänen wurde nichts. Der Junge hielt sein gequältes Versprechen nicht, mich zu besuchen. Ich muß eine Panik in ihm hervorgerufen haben, die stärker war als er.
Am Ende jenes Monats veröffentlichte ein obskures Magazin ein Liebesgedicht von Yoram. Im Gegensatz zu seinen früheren Gedichten wagte er es diesmal, Teile eines Frauenkörpers zu benennen. Die Frau war Potiphars Weib, und sie stellte Teile ihres Körpers zur Schau, um den rechtschaffenen Joseph zu umgarnen.
Herr und Frau Kamnitzer wurden sofort zu einer Besprechung mit dem Direktor der religiösen Oberschule gerufen. Man beschloß, nicht viel Aufhebens zu machen, wenn Yoram sein Abschlußjahr an der Bildungsanstalt eines religiösen Kibbuz im Süden beenden würde. Ich fand die Einzelheiten erst später heraus. Auch das gewagte Gedicht über die Heimsuchung des rechtschaffenen Joseph las ich erst später. Ich erhielt es mit der Post, in einem einfachen Umschlag, auf dem mein Name in Großbuchstaben stand. Es war ein blumiges, schwülstiges Gedicht: der Aufschrei eines gequälten Körpers durch den Schleier der Mutlosigkeit.
Ich gestand meine Niederlage ein. Yoram würde also die Universität besuchen. Er würde schließlich Bibelkunde und Hebräisch unterrichten. Er würde kein Dichter werden. Er verstünde sich vielleicht darauf, pedantische Gelegenheitsverse zu machen, auf den bunten Grußkarten zum Beispiel, die er uns alljährlich zum Neujahrsfest schicken würde. Wir, die Familie Gonen, würden mit einer Neujahrskarte an Yoram und seine junge Familie ant-

worten. Die Zeit wäre allgegenwärtig; eine hohe, kalte, transparente Gegenwart, die Yoram und mir feindlich gesinnt war, nichts Gutes verheißend.
Eigentlich hatte Frau Glick bereits all alles entschieden, unsere hysterische Nachbarin, die Yoram kurz vor ihrer Einlieferung im Hof angegriffen hatte. Sie hatte sein Hemd zerrissen, ihm ins Gesicht geschlagen und ihn einen Wüstling, Voyeur, Schlüssellochgucker genannt.
Doch es war meine Niederlage. Dies war mein letzter Versuch. Die bedrohliche Gegenwart war stärker als ich. Fortan würde ich mich flußabwärts treiben lassen, von der Strömung getragen, in passiver Ruhe.

XXXVII

Am darauffolgenden Abend, als ich gerade Yair badete und ihm die Haare wusch, stand eine hohlwangige, staubige Figur im Türrahmen. Wegen des laufenden Wassers und Yairs Gerede hatte ich ihn nicht kommen hören. Er stand in Strümpfen in der Badezimmertür. Vielleicht hatte er bereits einige Minuten dort gestanden und mich stumm angestarrt, ehe ich ihn bemerkte und erschreckt und überrascht einen leisen Schrei ausstieß. Er hatte seine Schuhe im Flur ausgezogen, um keinen Schmutz in die Wohnung zu tragen.
»Michael«, wollte ich mit einem zärtlichen Lächeln sagen. Doch der Name schoß mir mit einem Schluchzer aus der Kehle.
»Yair. Hannah. Guten Abend euch beiden. Es ist schön, euch wohlauf zu sehen. Ich bin wieder da.«
»Vati, hast du Araber getötet?«
»Nein, mein Junge. Im Gegenteil. Die jüdische Armee hat mich fast getötet. Ich erzähl dir alles später. Hannah, trockne lieber den Jungen ab und zieh ihm was an, ehe er sich den Tod holt. Das Wasser ist eiskalt.«

Das Reservebataillon, in dem Michael diente, war noch nicht aufgelöst worden, doch man hatte Michael vorzeitig entlassen, weil man versehentlich zwei Funker zuviel eingezogen hatte, weil seine zerbrochene Brille ihn für das Funkgerät untauglich machte, weil ohnehin das ganze Bataillon in ein paar Tagen aufgelöst werden sollte und auch, weil er ein bißchen krank war.
»Du und krank.« Ich hob die Stimme, als wolle ich ihm Vorwürfe machen.
»Ich sagte, ein bißchen. Du brauchst nicht zu schreien, Hannah. Du siehst, daß ich herumlaufe, rede und atme. Nur ein bißchen krank. Irgendeine Magenverstimmung offensichtlich.« »Es war nur der Schreck, Michael. Ich höre sofort auf. Ich habe bereits aufgehört. Da. Keine Tränen. Es ist vorbei. Ich habe dich vermißt. Als du gingst, war ich krank und schlecht gelaunt. Ich bin jetzt nicht krank, und ich werde versuchen, netter zu dir zu sein. Ich will dich. Wasch dich, und ich bringe inzwischen Yair ins Bett. Ich mache dir ein königliches Abendessen. Mit einer weißen Tischdecke. Einer Flasche Wein. Und das ist nur der Anfang. Da, wie dumm von mir, ich habe die Überraschung verdorben.«
»Ich glaube nicht, daß ich heute abend Wein trinken sollte«, sagte Michael entschuldigend, und ein ruhiges Lächeln breitete sich in seinem Gesicht aus. »Ich fühle mich nicht so gut.«
Nachdem er sich gewaschen hatte, packte Michael seinen Rucksack aus, warf seine schmutzige Wäsche in den Wäschekorb, räumte alles auf seinen Platz. Er wickelte sich in eine dicke Decke ein. Seine Zähne klapperten. Er bat mich, ihm zu verzeihen, daß er mir gleich den ersten Abend zu Hause mit seinen Beschwerden verdarb.
Sein Gesicht sah fremd aus. Ohne seine Brille bereitete es ihm Schwierigkeiten, die Zeitung zu lesen. Er machte das Licht aus und drehte das Gesicht zur Wand. Nachts wachte ich mehrmals auf, weil ich glaubte, Michael stöhnen, vielleicht auch nur aufstoßen zu hören. Ich fragte ihn, ob ich ihm ein Glas Tee machen solle. Er bedankte sich und lehnte ab. Ich stand auf und machte Tee. Ich sagte ihm, er solle trinken. Er gehorchte und stürzte ihn

hinunter. Wieder stieß er einen Laut aus, der weder Stöhnen noch Aufstoßen war. Er schien unter starker Übelkeit zu leiden.
»Tut es weh, Michael?«
»Nein, es tut nicht weh. Geh schlafen, Hannah. Wir reden morgen darüber.«

Am nächsten Morgen schickte ich Yair in den Kindergarten und bestellte Dr. Urbach. Der Arzt kam auf Zehenspitzen herein, lächelte nachdenklich und erklärte, wir müßten zu einer dringenden Untersuchung ins Krankenhaus. Er schloß mit seiner üblichen Versicherung:
»Menschen sterben nicht so leicht, wie wir vielleicht in extremen Augenblicken annehmen möchten. Ich wünsche Ihnen gute Besserung.« Im Taxi auf dem Weg zum Shaare-Zedek-Krankenhaus versuchte Michael, meine Angst mit einem Scherz zu vertreiben:
»Ich fühle mich wie ein Kriegsheld in einem sowjetischen Film. Beinahe.«
Dann, nach einer Pause, bat er mich, seine Tante Jenia in Tel Aviv anzurufen, falls sich sein Zustand verschlechtere, und ihr zu sagen, daß er krank sei.

Ich erinnere mich noch genau. Als ich 13 war, bekam mein Vater, Yosef Grynbaum, seine letzte Krankheit. Er starb an einem bösartigen Tumor. In den Wochen vor seinem Tod verfielen seine Züge zusehends. Die Haut wurde runzelig und fahl, die Wangen hohl, die Haare fielen büschelweise aus, die Zähne verfaulten; Stunde um Stunde schien er mehr zusammenzuschrumpfen. Am erschreckendsten war es, mitanzusehen, wie sein Mund nach innen sank, was den Eindruck eines fortwährenden, schlauen Lächelns hervorrief. Als sei seine Krankheit ein alltäglicher Scherz, der gut angekommen ist. Tatsächlich klammerte sich mein Vater während seiner letzten Tage an eine Art forcierte Heiterkeit. Er erzählte uns, daß das Problem eines Lebens nach dem Tod schon seine Neugier geweckt habe, als er

noch ein junger Mann in Krakau war. Einmal habe er sogar einen Brief in deutscher Sprache an Professor Martin Buber geschrieben und ihn um Auskunft gebeten. Und einmal habe er eine Entgegnung zu diesem Thema in der Rubrik Leserbriefe einer führenden Zeitung veröffentlicht. Aber nun würde er ja in wenigen Tagen Gelegenheit haben, das Geheimnis eines Lebens nach dem Tod auf zuverlässige und maßgebliche Weise zu entschlüsseln. Vater besaß eine handschriftliche, auf deutsch geschriebene Antwort Professor Bubers, in der es hieße, wir lebten in unseren Kindern fort und in unseren Werken. »Ich kann mich nicht irgendwelcher Werke rühmen«, grinste sein eingesunkener Mund, »aber ich habe Kinder. Hannah, fühlst du dich als Fortführung meiner Seele oder meines Körpers?«
Und sogleich fügte er hinzu:
»Das war nur ein Scherz. Deine persönlichen Gefühle sind deine Sache. Schon die Alten vor langer Zeit mußten eingestehen, daß sie auf Fragen wie diese keine Antwort wußten.«

Vater starb zu Hause. Die Ärzte fanden es nicht richtig, ihn in ein Krankenhaus zu bringen, weil es keine Hoffnung mehr gab und er das wußte, und sie wußten, daß er es wußte. Die Ärzte gaben ihm Medikamente, um seine Schmerzen zu lindern, und wunderten sich über die Gelassenheit, die er an seinen letzten Tagen zur Schau trug. Vater hatte sich sein ganzes Leben lang auf den Tag seines Todes vorbereitet. Er verbrachte seinen letzten Vormittag, in seinem braunen Morgenrock im Sessel sitzend, mit der Lösung des Preisrätsels in der englischsprachigen Zeitung *Palestine Post*. Mittags ging er zum Briefkasten, um die fertige Lösung einzuschicken. Als er wiederkam, zog er sich in sein Zimmer zurück und machte die Tür hinter sich zu, ließ sie aber unverschlossen. Er wandte dem Zimmer den Rücken zu, stützte sich auf die Fensterbank und starb. Es war seine Absicht, seinen Lieben diesen unangenehmen Anblick zu ersparen. Mein Bruder Emanuel war damals bereits Mitglied einer Untergrundgruppe in einem weit von Jerusalem entfernten Kibbuz. Mutter und ich waren beim Frisör. An jenem Morgen waren von der Front unbestätigte Meldungen über eine dramatische Wende im Kriegsablauf eingetroffen, die Schlacht von Stalingrad. In seinem Testament hinterließ mir Vater 3000 Pfund für meinen Hochzeitstag. Die Hälfte der Summe sollte ich Emanuel geben, falls er das Kibbuzleben aufgäbe. Vater war ein sparsamer Mann gewesen. Er hinterließ auch eine Akte mit etwa einem Dutzend Briefen bedeutender Männer, die geruht hatten, seine Fragen zu einer Anzahl theoretischer Probleme zu beantworten. Zwei oder drei davon waren Originalhandschriften weltberühmter Persönlichkeiten. Vater hinterließ außerdem ein vollgeschriebenes Notizbuch. Zunächst vermutete ich, daß er die Gewohnheit hatte, seine Gedanken und Beobachtungen heimlich aufzuschreiben. Später wurde mir klar, daß dies Bemerkungen waren, die er im Laufe der Jahre von bedeutenden Männern gehört hatte. Einmal hatte er sich zum Beispiel mit dem berühmten Menahem Ussischkin unterhalten, mit dem er im Zug von Jerusalem nach Tel Aviv im gleichen Abteil saß, und hatte ihn sagen hören: »Obwohl man bei jeder Handlung Zweifel hegen muß, sollte man dennoch handeln, als gäbe es keine Zweifel.« Ich fand diese Worte in Vaters Notizbuch vermerkt, Quelle, Datum und nähere Umstände waren in Klammern hinzugefügt. Vater war ein aufmerksamer Mann, der Hinweise und Vorzeichen stets gierig aufnahm. Er hielt es nicht für unter seiner Würde, sich sein Leben lang vor starken Mächten zu beugen, deren Natur ihm verborgen blieb. Ich liebte ihn mehr als irgend jemanden sonst auf der Welt.

Michael blieb drei Tage im Shaare-Zedek-Krankenhaus. Man stellte Anfangssymptome einer Magenerkrankung fest. Dank Dr. Urbachs Wachsamkeit wurde die Krankheit bereits im Frühstadium erkannt. Fortan würde er bestimmte Nahrungsmittel nicht mehr essen dürfen. In einer Woche würde er wieder seiner gewohnten Arbeit nachgehen können.
Bei einem unserer Besuche im Krankenhaus löste Michael sein Versprechen ein und erzählte Yair vom Krieg. Er sprach von Patrouillen, Hinterhalten und Alarmeinsätzen. Nein, Fragen über

die eigentlichen Kämpfe könne er nicht beantworten: »Leider hat Vati nicht den ägyptischen Zerstörer in der Bucht von Haifa erbeutet und auch nicht Gaza besucht. Er ist auch nicht in der Nähe des Suezkanals mit dem Fallschirm abgesprungen. Vati ist kein Pilot und auch kein Fallschirmjäger.«
Yair zeigte sich verständnisvoll:
»Du warst nicht ganz fit. Deshalb haben sie dich zurückgelassen.«
»Wer, glaubst du denn, ist fit für den Krieg, Yair?«
»Ich.«
»Du?«
»Wenn ich groß bin. Ich werde ein großer, starker Soldat sein. Ich bin stärker als viele größere Jungen auf dem Spielplatz. Es ist nicht gut, wenn man schwach ist. Genau wie auf unserem Spielplatz. Ende.«
Michael sagte:
»Du mußt vernünftig sein, Yair.«
Yair dachte schweigend über diese Feststellung nach. Verglich, unterschied, stellte Verbindungen her. Er war ernst. Nachdenklich. Schließlich verkündete er das Urteil:
»Vernünftig ist nicht das Gegenteil von stark.«
Ich sagte:
»Starke, vernünftige Männer habe ich am liebsten. Ich möchte einmal einen starken, vernünftigen Mann kennenlernen.«
Michael antwortete natürlich mit einem Lächeln. Und Schweigen.

Unsere Freunde scheuten keine Mühe. Wir hatten häufig Besuch. Herrn Glick. Herrn Kadischmann. Die Geologen. Meine beste Freundin Hadassah und ihr Mann Abba. Und schließlich Yardena, Michaels blonde Freundin. Sie brachte einen Offizier der UN-Hilfstruppen mit. Er war ein kanadischer Riese, von dem ich die Augen nicht lassen konnte, obwohl mich Yardena dabei erwischte, wie ich ihn anstarrte, und mir zweimal zulächelte. Sie beugte sich übers Bett, küßte Michaels magere Hand, als läge er im Sterben, und sagte:

»Reiß dich zusammen, Micha. Es paßt nicht zu dir, dieses ganze Kranksein. Du überrascht mich. Ob du es glaubst oder nicht, ich habe mein Referat bereits abgegeben und mich sogar für das Abschlußexamen angemeldet. Langsam, aber sicher, so bin ich. Du bist doch ein Engel, Micha, und hilfst mir ein bißchen bei der Arbeit fürs Examen?«
»Aber sicher«, erwiderte Michael lachend. »Natürlich mache ich das. Ich freue mich für dich, Yardena.«
Yardena sagte:
»Micha, du bist großartig. Ich kenne niemanden, der so klug und süß ist wie du. Werd' jetzt wieder gesund, sei ein guter Junge.«

Michael wurde gesund und nahm seine Arbeit wieder auf. Nach langer Pause arbeitete er auch wieder an seiner Dissertation. Erneut bewegt sich die Silhouette nachts hinter der Milchglasscheibe, die sein Arbeitszimmer von dem Raum, in dem ich schlafe, trennt. Um zehn Uhr mache ich ihm ein Glas Tee ohne Zitrone. Um elf unterbricht er kurz seine Arbeit, um die Spätnachrichten zu hören. Danach tanzende, sich windende Schatten auf der Wand mit jeder seiner nächtlichen Bewegungen: er öffnet eine Schublade. Blättert eine Seite um. Legt den Kopf auf die Arme. Greift nach einem Buch.
Michaels Brille kam von der Reparatur zurück. Seine Tante Leah schickte ihm eine neue Pfeife. Mein Bruder Emanuel schickte eine Kiste Äpfel aus Nof Harim. Meine Mutter strickte mir einen dicken, roten Schal. Und unser persischer Gemüsehändler, Herr Elijah Mossiah, kam aus der Armee zurück.
Mitte November fiel endlich der langerwartete Regen. Wegen des Krieges kam er spät dieses Jahr. Er fiel ungestüm und heftig. Die Stadt schloß die Fensterläden. Alles triefte vor Nässe. In den Abflußrohren gurgelte es düster. Unser Hinterhof war naß und verlassen. Heftiger Wind rüttelte nachts an den Fensterläden. Der uralte Feigenbaum stand kahl und nackt vor unserem Küchenbalkon. Die Kiefern hingegen wurden frisch und grün. Sie flüsterten genüßlich. Ließen mich keinen Augenblick allein. Je-

des Auto, das auf der Straße vorbeifuhr, zischte langgezogen über den überschwemmten Asphalt.
Zweimal die Woche besuche ich Englischkurse für Fortgeschrittene, die vom Verband Arbeitender Mütter veranstaltet werden.
In der Pause zwischen den Regenschauern läßt Yair Kriegsschiffe und Zerstörer auf der Pfütze vor unserem Haus schwimmen. Er hat jetzt ein seltsames Verlangen nach der See. Wenn der Regen uns zwingt, zu Hause zu bleiben, dienen Teppich und Sessel als Ozean und Hafen. Die Dominosteine sind seine Flotte. Große Seeschlachten werden in unserem Wohnzimmer geschlagen. Ein ägyptischer Zerstörer geht auf dem Meer in Flammen auf. Kanonen speien Feuer. Ein Kapitän trifft eine Entscheidung.
Mitunter, wenn ich mit den Vorbereitungen für das Abendessen früh genug fertig bin, spiele ich mit. Meine Puderdose ist ein U-Boot. Ich bin ein Feind. Einmal drückte ich Yair plötzlich in einer liebevollen Umarmung an mich. Ich bedeckte seinen Kopf mit rauhen Küssen, denn für einen Augenblick erschien mir Yair wie ein richtiger Seekapitän. Die Folge war, daß ich sofort aus dem Spiel und dem Raum verbannt wurde. Wieder einmal zeigte mein Sohn seinen eigensinnigen Stolz: Ich konnte nur solange an seinem Spiel teilhaben, wie ich mich zurückhaltend und sachlich verhielt.
Vielleicht irrte ich mich. Yair zeigt Anzeichen einer kalten Autorität. Das hat er nicht von Michael. Auch nicht von mir. Die Leistungsfähigkeit seines Gedächtnisses versetzt mich immer wieder in Erstaunen. Er erinnert sich noch an Hassan Salames Bande und deren Überfall auf Holon von Tel Arish aus, so wie er es vor anderthalb Jahren von seinem Großvater gehört hatte, als Yehezel noch lebte.
In wenigen Monaten wird Yair vom Kindergarten in die Schule überwechseln. Michael und ich haben beschlossen, ihn in die Bet-Hakerem-Schule zu schicken und nicht in die religiöse Jungenschule Taschkemoni, die in unserer Nähe liegt. Michael ist fest entschlossen, seinen Sohn fortschrittlich zu erziehen.
Unsere Nachbarn vom dritten Stock, die Kamnitzers, behandeln

mich mit höflicher Feindseligkeit. Sie lassen sich zwar noch dazu herab, meinen Gruß zu erwidern, schicken aber ihre kleine Tochter nicht mehr herunter, um das Bügeleisen oder eine Backform auszuleihen.
Herr Glick besucht uns regelmäßig alle fünf Tage. Seine Studien der *Encyclopaedia Hebraica* sind bis zu dem Abschnitt über Belgien fortgeschritten. Der Bruder seiner armen Frau Duba ist Diamantenhändler in Antwerpen. Frau Glick selbst geht es gut. Die Ärzte haben versprochen, sie im April oder Mai nach Hause zu schicken. Die Dankbarkeit unseres Nachbarn kennt keine Grenzen. Außer den Wochenendbeilagen der religiösen Zeitung *Hatsofeh* schenkt er uns kleine Päckchen mit Nadeln, Büroklammern, Etiketten, ausländischen Briefmarken.
Michael ist es endlich gelungen, in Yair ein aktives Interesse am Briefmarkensammeln zu wecken. Jeden Samstag vormittag widmen sie sich der Sammlung. Yair weicht die Marken in Wasser ein, schält sie sorgfältig vom Papier ab, legt sie zum Trocknen auf ein großes Stück Löschpapier, das Herr Glick ihm geschenkt hat. Michael sortiert die trockenen Marken und klebt sie in das Album. Unterdessen lege ich eine Platte auf, mache es mir mit untergeschlagenen, müden Füßen in einem Sessel bequem, stricke und höre Musik. Entspanne mich. Durch das Fenster kann ich eine Nachbarin dabei beobachten, wie sie das Bettzeug zum Lüften über die Balkonbrüstung hängt. Ich denke nichts und fühle nichts. Die Zeit ist auf machtvolle Art gegenwärtig. Ich ignoriere sie absichtlich, um sie zu verwirren. Ich behandle sie so, wie ich als junges Mädchen auf unverschämte Blicke zudringlicher Männer reagierte: Ich wende die Augen nicht ab und drehe mich nicht um. Ich lächle voll kalter Verachtung. Vermeide es, in Panik oder in Verlegenheit zu geraten. Als sagte ich: »Na und?«

Ich weiß, ich gebe es zu: Das ist eine erbärmliche Verteidigung. Aber auch der Betrug ist erbärmlich und häßlich. Ich stelle keine übertriebenen Forderungen: nur das Glas sollte durchsichtig bleiben. Ein kluges, hübsches kleines Mädchen in einem blauen

Mantel. Eine runzlige Kindergärtnerin mit Krampfadern auf den Schenkeln. Dazwischen treibt Yvonne Azulai auf einem Meer ohne Küsten. Das Glas sollte durchsichtig bleiben. Nichts weiter.

XXXVIII

Im Winter gibt es in Jerusalem helle, sonnengetränkte Sonnabende, an denen der Himmel eine Färbung annimmt, die nicht himmelblau ist, sondern von einem tiefen, dunklen, konzentrierten Blau, als sei das Meer in die Höhe gestiegen und habe sich umgekehrt über die Stadt gestülpt. Es ist eine helle, strahlende Reinheit, mit Schwärmen sorgenfreier Vögel betupft, in Licht getränkt. Ferne Gegenstände, Hügel, Gebäude, Wälder scheinen unaufhörlich zu flimmern. Das Phänomen werde von verdampfender Feuchtigkeit verursacht, erklärte mir Michael. An solchen Samstagen frühstücken wir in der Regel zeitig und machen einen langen Spaziergang. Wir lassen die religiöse Nachbarschaft hinter uns und wandern weit hinaus bis nach Talpiyot, En Kerem oder Malha, bis nach Givat Shaul. Um die Mittagszeit lassen wir uns in einem der Wälder nieder und picknikken. Bei Einbruch der Dunkelheit fahren wir mit dem ersten Bus nach dem Sabbat nach Hause. Solche Tage sind friedlich. Mitunter stelle ich mir vor, Jerusalem liege offen vor mir und all seine verborgenen Plätze seien hell erleuchtet. Ich vergesse nicht, daß das blaue Licht eine flüchtige Version ist. Daß die Vögel wegfliegen werden. Aber ich habe inzwischen gelernt, es zu ignorieren. Mich treiben zu lassen. Keinen Widerstand zu leisten.
Bei einem unserer Sabbatausflüge begegneten wir zufällig dem alten Professor, bei dem ich hebräische Literatur studiert hatte, als ich noch jünger war. Unter rührenden Anstrengungen gelang es dem Gelehrten, sich an mich zu erinnern und den richtigen Namen zu meinem Gesicht zu finden. Er fragte:

»Welch heimliche Überraschung planen Sie für uns, gnädige Frau? Einen Gedichtband?«
Ich bestritt diese Annahme.
Der Professor überlegte einen Augenblick, lächelte dann freundlich und bemerkte:
»Was ist unser Jerusalem doch für eine wundervolle Stadt! Nicht ohne Grund war es das Ziel der Sehnsucht zahlloser Generationen in den dunklen Tiefen der Diaspora.«
Ich stimmte ihm zu. Wir trennten uns mit einem Händedruck. Michael wünschte dem alten Mann alles Gute. Der Professor verbeugte sich leicht und schwenkte seinen Hut in der Luft. Die Begegnung machte mich glücklich.

Wir pflückten Sträuße wilder Blumen: Hahnenfuß, Narzissen, Alpenveilchen, Anemonen. Auf unserem Weg durchqueren wir verlassenes Land. Rasten im Schatten eines feuchten, grauen Felsens. Schauen weit in die Küstenebene hinunter, zu den Bergen von Hebron hinüber, zur Wüste Juda. Mitunter spielen wir Verstecken oder Fangen. Rutschen aus und lachen. Michael ist heiter und unbeschwert. Gelegentlich zeigt er sogar Begeisterung. Er sagt zum Beispiel:
»Jerusalem ist die größte Stadt der Welt. Sobald man zwei oder drei Straßen überquert, befindet man sich auf einem anderen Kontinent, in einer anderen Generation, sogar in einer anderen Klimazone.«
Oder:
»Wie schön das ist, Hannah, und wie schön du hier bist, mein trauriges Mädchen aus Jerusalem.«

Yair interessiert sich besonders für zwei Themen: die Kampfhandlungen im Unabhängigkeitskrieg und das Netz der öffentlichen Buslinien. Michael ist eine Fundgrube an Wissen, was das erste Thema anbetrifft. Er deutet mit der Hand, identifiziert bestimmte Stellen in der Landschaft, zeichnet Pläne in den Staub, demonstriert mit Hilfe von Zweigen und Steinen: die Araber standen hier, wir hier. Sie versuchten, hier durchzubrechen. Wir fielen ihnen dort in den Rücken.

Michael hält es auch für richtig, dem Jungen falsche Lageeinschätzungen, strategische Irrtümer, Fehlschläge zu erklären. Auch ich höre zu und lerne. Wie wenig ich doch über die Schlacht um Jerusalem wußte. Die Villa, die Rashid Shahada, dem Vater der Zwillinge, gehörte, überließ man der Gesundheitsorganisation, die sie in eine Klinik für prä- und postnatale Diagnostik umwandelte. Auf dem leeren Grundstück wurden Wohnungen gebaut. Die Deutschen und die Griechen verließen die deutsche und die griechische Kolonie. Neue Leute zogen an ihrer Stelle ein. Neue Männer, Frauen und Kinder zogen nach Jerusalem. Das würde nicht die letzte Schlacht um Jerusalem sein. So hörte ich unseren Freund Herrn Kadischmann sagen. Auch ich spüre geheime Kräfte, die rastlos Pläne schmieden, anschwellen und emporsteigen und durch die Oberfläche brechen.
Ich staune über Michaels Fähigkeit, Yair komplizierte Dinge in einer sehr einfachen Sprache zu erklären, fast ohne Adjektive zu benutzen. Ich staune ebenfalls über die ernsten, intelligenten Fragen, die Yair mitunter stellt.
Yair stellt sich den Krieg als ein außerordentlich komplexes Spiel vor, das eine ganze faszinierende Welt von Systemen und logischen Zusammenhängen offenbart. Mein Mann und mein Sohn sehen die Zeit als eine Folge gleichartiger Quadrate auf einem Blatt Millimeterpapier, die die Struktur für Linien und Formen hergeben.
Es war nie nötig gewesen, Yair die widerstreitenden Motive des Krieges zu erklären. Sie verstanden sich von selbst: Eroberung und Vorherrschaft. Die Fragen des Jungen kreisten lediglich um die Ereignisfolge: Araber, Juden, Hügel, Tal, Ruinen, Schützengräben, Panzer, Bewegung, Überraschung.
Auch das Netz der Autobusgesellschaft faszinierte unseren Sohn wegen der komplexen Wechselbeziehungen der Linien, die verschiedene Zielorte miteinander verbinden. Das Geflecht der Routen verschaffte ihm ein kaltblütiges Vergnügen: die Entfernungen zwischen den Haltestellen, das sich Überschneiden der zahlreichen Linien, das Zusammenlaufen im Stadtzentrum, die Zersplitterung in den Außenbezirken.

Über dieses Thema konnte Yair uns beide belehren. Michael sagte ihm eine große Zukunft bei der Streckenplanung der Autobusgesellschaft voraus. Er beeilte sich zu betonen, daß er natürlich nur scherze.
Yair kannte die Typen der auf den einzelnen Strecken verkehrenden Autobusse. Es machte ihm Spaß, zu erklären, aus welchen Gründen die verschiedenen Marken eingesetzt wurden: hier ein steiler Hügel, dort eine scharfe Kurve oder eine schlechte Fahrbahn. Der Stil, den das Kind bei seinen Erläuterungen benutzte, war dem seines Vaters sehr ähnlich. Beide gebrauchten häufig Wörter wie »also«, »während«, »abschließend« und auch »entfernte Möglichkeit«.
Ich gab mir Mühe, beiden ruhig und aufmerksam zuzuhören.
Eine Vision:
Mein Sohn und mein Mann hocken über einer riesigen, auf einem großen Schreibtisch ausgebreiteten Karte. Verschiedene, über die Karte verstreute Markierungen. Bunte Nadeln nach einem Plan gesteckt, den die beiden untereinander abgesprochen haben und der mir wie das totale Chaos erscheint. Sie diskutieren höflich in deutscher Sprache. Sie tragen beide graue Anzüge und nüchterne, von Silbernadeln gehaltene Krawatten. Ich stehe dabei in einem durchsichtigen, schäbigen Nachthemd. Sie sind ganz in ihre Aufgabe vertieft. In weißes Licht getaucht, aber keine Schatten werfend. Ihre Haltung verrät Konzentration und vorsichtige Verantwortung. Ich unterbreche sie mit einer Bemerkung oder Bitte. Sie sind beide freundlich und leutselig, nicht irritiert. Sie stehen mir zu Diensten. Sind mir nur zu gern behilflich. Ob ich vielleicht fünf Minuten warten könne?

Mitunter sehen unsere Samstagsausflüge auch ganz anders aus. Wir laufen durch die elegantesten Viertel der Stadt, Rehavya oder Bet Hakerem. Wir suchen uns ein Haus aus. Besichtigen halbfertige Gebäude. Diskutieren Vor- und Nachteile verschiedener Wohnungstypen. Teilen die Räume unter uns auf. Bestimmen, wo wir alles unterbringen: Yairs Spielsachen kommen

hierhin. Das wird das Arbeitszimmer. Das Sofa hier. Die Bücherregale. Die Sessel. Der Teppich.
Michael sagt:
»Wir sollten anfangen zu sparen, Hannah. Wir können nicht immer von der Hand in den Mund leben.«
Yair schlägt vor:
»Wir könnten ein bißchen Geld für den Plattenspieler und die Schallplatten bekommen. Das Radio macht genug Musik. Und außerdem habe ich die Nase voll davon.«
Ich:
»Ich möchte nach Europa fahren. Ein Telefon haben. Ein kleines Auto kaufen, damit wir an den Wochenenden ans Meer fahren können. Als ich ein Kind war, hatten wir einen arabischen Nachbarn namens Rashid Shahada. Er war ein sehr reicher Araber. Wahrscheinlich leben sie jetzt in einem Flüchtlingslager. Sie hatten ein Haus in Katamon. Es war eine Villa, die um einen Innenhof herum gebaut war. Das Haus umschloß den Hof von allen Seiten. Man konnte draußen sitzen und sich dennoch allein und abgeschieden fühlen. Ich möchte so ein Haus haben. In einem Viertel mit Felsen und Kiefern. Warte einen Moment, Michael, ich bin noch nicht fertig mit meiner Liste. Ich möchte auch eine Haushaltshilfe haben. Und einen großen Garten.«
»Und einen livrierten Chauffeur«, lächelte Michael.
»Und ein privates Unterseeboot.« Yair trottete mit kurzen, loyalen Schritten hinter ihm her.
»Und einen Prinz-Dichter-Boxer-Pilot-Ehemann«, fügte Michael hinzu.
Yairs Stirn legte sich in Falten wie die seines Vaters, wenn er sich komplizierte Dinge ausdachte. Er schwieg einen Augenblick und schrie dann:
»Und ich möchte einen kleinen Bruder. Aron ist genauso alt wie ich und hat schon zwei Brüder. Ich habe einen Bruder verdient.«
Michael sagte:
»Eine Wohnung hier in Rehavya oder in Bet Hakerem kostet heutzutage ein kleines Vermögen. Aber wenn wir systematisch

sparen würden, könnten wir uns etwas von Tante Jenia leihen, etwas vom Hilfsfonds der Universität, etwas von Herrn Kadischmann. Es ist nicht ganz in den Wolken.«
»Nein«, sagte ich, »es ist nicht ganz in den Wolken. Aber was ist mit uns?«
»Was mit uns ist?«
»Wir sind in den Wolken, Michael. Nicht nur ich. Auch du. Du bist nicht nur in den Wolken, du bist im Weltraum. Alle, außer Yair, unserem kleinen Realisten.«
»Hannah, du bist pessimistisch.«
»Ich bin müde, Michael. Laß uns heimgehen. Mir ist gerade die Bügelwäsche eingefallen. Ich habe Berge davon, die gebügelt sein wollen. Und morgen kommen die Anstreicher.«
»Vati, was ist ein Realist?«
»Das ist ein Wort mit vielen Bedeutungen, mein Junge. Mami meint jemanden, der sich immer vernünftig verhält und nicht in einer Traumwelt lebt.«
»Aber ich habe auch Träume nachts.«
Ich fragte leise lachend:
»Was für Träume hast du denn, Yair?«
»Träume.«
»Was für welche?«
»Irgendwelche.«
»Zum Beispiel?«
»Eben Träume.«

Abends bügelte ich die Wäsche. Am nächsten Tag wurde die ganze Wohnung gestrichen. Meine beste Freundin Hadassah überließ mir wieder für ein paar Tage ihre Hilfe Simcha. In der Mitte der Woche fing es erneut an zu regnen. Die Abflußrohre rumorten. Ihre Musik war traurig und böse. Der Strom fiel häufig für längere Zeit aus. Die Straße war schlammig.
Nachdem die Wohnung gestrichen und geputzt war, nahm ich 45 Pfund aus Michaels Brieftasche. Ich ging zwischen zwei Wolkenbrüchen in die Stadt. Ich kaufte Kristalleuchter für alle Lampen. Jetzt würde ich glitzerndes geschliffenes Glas in meinem

Wohnzimmer haben. Kristall. Mir gefiel das Wort »Kristall«. Und mir gefiel das Kristall.

XXXIX

Die Tage gleichen sich, und ich gleiche mir. Es gibt etwas, das nicht gleich ist. Ich weiß seinen Namen nicht. Mein Mann und ich sind wie zwei Fremde, die sich zufällig beim Verlassen einer Klinik treffen, in der sie sich einer körperlich unangenehmen Behandlung unterziehen mußten. Beide verlegen, des anderen Gedanken erratend, sich einer unbehaglich, befremdlichen Intimität bewußt, erschöpft auf der Suche nach dem richtigen Ton, in dem man sich jetzt anreden könnte.

Michaels Doktorarbeit näherte sich den Schlußkapiteln. Im nächsten Jahr rechnete er fest damit, auf der akademischen Stufenleiter ein Stück vorzurücken. Im Frühsommer 1957 verbrachte er zehn Tage im Negev, wo er Beobachtungen und Experimente durchführte, die für seine Arbeit wichtig waren. Er brachte uns eine mit verschiedenfarbigen Sandarten gefüllte Flasche mit. Von einem Kollegen Michaels erfuhr ich, daß mein Mann sich nach Ablieferung seiner Dissertation um ein Stipendium bewerben wolle, das ihm für längere Zeit fortgeschrittene Studien in theoretischer Geologie an einer amerikanischen Universität ermöglichen würde. Michael selbst hatte es vorgezogen, mir nichts von seiner Absicht zu erzählen, denn er kannte meine Schwächen. Er wollte keine neuen Träume in mir wecken. Träume können sich zerschlagen. Enttäuschung könnte die Folge sein.

Im Laufe der Jahre wurden in Meqor Barukh schrittweise Veränderungen vorgenommen. Im Westen waren neue Wohnblocks entstanden. Straßen wurden gepflastert. Auf Gebäude aus der

türkischen Zeit setzte man moderne Obergeschosse. Die Stadtverwaltung stellte grüne Bänke und Papierkörbe in den Seitenstraßen auf. Ein kleiner Park wurde eröffnet. Werkstätten und Druckereien entstanden auf unbenutzten Grundstücken, die zuvor von Unkraut überwuchert gewesen waren.
Die älteren Bewohner verließen nach und nach das Viertel. Die Beamten und Angestellten der Jewish-Agency zogen nach Rehavya oder Qiryat Shmuel. Kleine Angestellte und Kassierer kauften sich billige Wohnungen in den von der Regierung errichteten Wohnblocks im Süden der Stadt. Die Textil- und Modewarenhändler zogen nach Romema. Wir blieben zur Bewachung sterbender Straßen zurück. Es war ein anhaltender, unspürbarer Zerfall. Fensterläden und Eisengeländer verrosteten allmählich. Ein religiöser Bauunternehmer hob unserem Haus gegenüber Fundamente aus, lud Berge von Sand und Kies ab und gab dann das Projekt von einem Tag auf den anderen wieder auf. Vielleicht hatte er es sich anders überlegt, vielleicht war er gestorben. Die Familie Kamnitzer verließ unser Haus und Jerusalem und zog in einen Vorort von Tel Aviv. Yoram erhielt Sonderurlaub von seiner Armee-Einheit, um beim Packen zu helfen. Er winkte mir von weitem zu. Er sah braungebrannt und tauglich aus in seiner Uniform. Ich konnte nicht mit ihm reden, weil sein Vater ihm nicht von der Seite wich. Und was hätte ich Yoram auch zu sagen gehabt – jetzt?
Religiöse Familien zogen in die zahlreichen leerstehenden Wohnungen in der Nachbarschaft ein. Auch Neueinwanderer, die gerade etwas Boden unter den Füßen hatten, in der Hauptsache aus dem Irak und Rumänien. Es war ein langsamer Prozeß. Immer mehr Wäscheleinen spannten sich von Balkon zu Balkon über die Straße. Nachts konnte ich Rufe in einer kehligen Sprache hören. Unser persischer Gemüsehändler, Herr Elijah Mossiah, verkaufte sein Geschäft an ein stets schlechtgelauntes Brüderpaar. Selbst die Jungen der religiösen Schule Taschkemoni erschienen mir wilder und gewalttätiger als früher.
Ende Mai starb unser Freund Herr Kadischmann an einem Nierenleiden. Er hinterließ der Jerusalemer Ortsgruppe der Natio-

nalen Partei eine kleine Summe. Michael und mir vermachte er all seine Bücher: die Werke Herzls, Nordaus, Jabotinskys und Klausners. In seinem Testament bat er seinen Anwalt, uns aufzusuchen und uns für die Wärme zu danken, mit der wir den Verstorbenen aufgenommen hatten. Herr Kadischmann war ein einsamer Mann gewesen.
Im gleichen Sommer 1957 starb auch die alte Kindergärtnerin Sarah Zeldin, nachdem sie von einem Armeelastwagen in der Malakhi-Straße angefahren worden war. Der Kindergarten wurde geschlossen. Ich fand eine Halbtagsbeschäftigung als Büroangestellte im Ministerium für Handel und Industrie. Abba, der Mann meiner besten Freundin Hadassah, hatte mir die Stellung besorgt. Und im Herbst starben auch drei in Jerusalem ansässige, enge Freunde meiner Eltern aus der Zeit meiner Kindheit. Ich habe sie bislang nicht erwähnt, weil sich in diesem Fall doch die Vergeßlichkeit eingeschlichen hat. Dagegen hilft auch der größte Widerstand nichts. Ich wollte alles aufschreiben. Es ist unmöglich, alles aufzuschreiben. Die meisten Dinge entschlüpfen einem, um stumm zu sterben.

Im September kam unser Sohn Yair in die Grundschule von Bet Hakerem. Michael kaufte ihm eine braune Schultasche. Ich kaufte ihm ein Bleistiftetui, einen Bleistiftspitzer, Bleistifte und ein Lineal. Tante Leah schickte einen Kasten Wasserfarben. Aus Nof Harim kam d'Amicis' *Das Herz*, wunderschön gebunden.
Im Oktober wurde unsere Nachbarin Frau Glick aus der Anstalt entlassen. Sie war still und resigniert, wirkte jetzt ruhiger und friedfertiger. Sie war auch gealtert und hatte beträchtlich zugenommen. Sie hatte jene üppige, reife Schönheit, mit der sie für ihre Kinderlosigkeit entschädigt worden war, verloren. Ihre hysterischen Ausbrüche und verzweifelten Schreie hörten wir nie wieder. Frau Glick kehrte apathisch und ergeben von der langwierigen Behandlung zurück. Sie saß endlose Stunden an der niedrigen Mauer bei unserem Hauseingang und blickte auf die Straße. Sie schaute und lachte tonlos, als hätte sich unsere Straße in einen glücklichen, amüsanten Ort verwandelt.

Michael verglich Frau Glick mit dem Schauspieler Albert Crispin, Tante Jenias zweitem Mann. Auch er hatte einen Nervenzusammenbruch gehabt und verfiel nach seiner Genesung in völlige Apathie. Seit 16 Jahren lebte er in einer Pension in Nahariya, wo er den ganzen Tag über nur schlief, aß und ins Leere starrte. Tante Jenia kommt noch immer für seinen Unterhalt auf.
Tante Jenia gab ihre Stellung auf der Kinderstation des Allgemeinen Krankenhauses nach einer heftigen Auseinandersetzung auf. Nach einigen Versuchen gelang es ihr, eine andere Stellung zu finden, als Ärztin in einer Privatklinik in Ramat Gan, wo alte Leute mit chronischen Leiden behandelt wurden.
Als sie uns zum Laubhüttenfest besuchte, jagte sie mir Angst ein. Ihre Stimme war vom starken Rauchen heiserer und tiefer geworden. Jedesmal, wenn sie sich eine Zigarette ansteckte, verfluchte sie sich auf polnisch. Wenn sie einen bösen Hustenanfall hatte, murmelte sie mit spitzem Mund vor sich hin: »Halt's Maul, Idiotin, *Cholera.*« Ihr Haar war dünn und grau geworden. Ihr Gesicht ähnelte dem eines schlechtgelaunten alten Mannes. Oft fiel ihr ein hebräisches Wort nicht ein. Sie zündete sich hektisch eine neue Zigarette an, spuckte das Streichholz eher aus, als daß sie es ausblies, murmelte etwas auf jiddisch, verfluchte sich in zischendem Polnisch. Sie warf mir vor, meine Art, mich zu kleiden, sei Michaels Position im Leben nicht angemessen. Beschuldigte Michael, mir in allem nachzugeben, sich wie ein Waschlappen zu benehmen und nicht wie ein Mann. Yair war ihrer Ansicht nach unhöflich, unverschämt und dumm. Nach ihrer Abreise träumte ich von ihr, und ihr Bild verschmolz mit den Figuren jener uralten Jerusalemer Phantome, den umherziehenden Handwerkern und Trödlern, modrig vor Alter. Ich fürchtete mich vor ihr. Ich fürchtete mich davor, jung zu sterben, und ich fürchtete mich, alt zu sterben.

Dr. Urbach äußerte Besorgnis über meine Stimmbänder. Wiederholt verlor ich für einige Stunden die Stimme. Der Arzt verordnete mir eine langwierige Behandlung, die ich in manchen Punkten als körperlich demütigend empfand.

Noch immer pflegte ich vor Tagesanbruch aufzuwachen, den bösen Stimmen und dem immer wiederkehrenden Alptraum in fortschreitenden, unerschöpflichen Varianten wehrlos ausgeliefert. Manchmal ein Krieg. Einmal eine Überschwemmung. Ein Zugunglück. Ein verlorener Weg. Immer wurde ich von starken Männern gerettet, die mich nur in Sicherheit brachten, um mich zu verführen und zu mißbrauchen. Ich weckte meinen Mann aus dem Schlaf. Verkroch mich unter seine Decke. Klammerte mich mit aller Kraft an seinen Körper. Preßte die Selbstbeherrschung, nach der ich mich sehnte, aus seinem Körper. Unsere Nächte wurden wilder denn je. Ich versetzte Michael in Staunen über meinen Körper und seinen. Zeigte ihm phantasievolle Seitenwege, über die ich in Romanen gelesen hatte. Gewundene Pfade, halb gelernt aus Filmen. Alles was ich in jugendlichem Alter kichernde Schulmädchen flüstern gehört hatte. Alles was ich wußte und erriet über eines Mannes wildeste und quälendste Träume. Alles was mich meine eigenen Träume gelehrt hatten. Das Aufflammen bebender Ekstase. Endlose, flammende Zukkungen in den Tiefen eines eiskalten Tümpels. Köstlich sanfte Ermattung.
Und doch entzog ich mich ihm. Ich trat nur zu seinem Körper in Beziehung: Muskeln, Glieder, Haare. In meinem Herzen wußte ich, daß ich ihn wieder und wieder betrog. Mit seinem eigenen Körper. Es war ein blindes Eintauchen in die Tiefen eines warmen Abgrunds. Mir blieb kein anderer Ausweg. Bald würde auch dieser versperrt sein.
Michael konnte diese fiebrige, stürmische Fülle, die sich vor Morgengrauen über ihn ergoß, nicht verkraften. Er gab gewöhnlich nach und erschlaffte bereits mit meinen ersten Bewegungen. Konnte Michael jenseits der Flut stürmischer Empfindungen die Erniedrigung spüren, die ich ihm zufügte? Einmal wagte er flüsternd zu fragen, ob ich mich wieder in ihn verliebt habe. Er fragte mit soviel offensichtlicher Angst, daß wir beide wußten, es war alles gesagt zwischen uns.
Morgens ließ sich Michael nichts anmerken. Wie üblich zeigte er zurückhaltende Freundlichkeit. Nicht wie ein Mann, der nachts

erniedrigt worden war, sondern eher wie ein blutjunger Bursche, der zum ersten Mal einem stolzen, erfahrenen Mädchen den Hof macht. Werden wir sterben, Michael, du und ich, ohne uns auch nur einmal berührt zu haben? Berühren. Uns vereinigen. Du verstehst nicht. Uns aneinander verlieren. Zerfließen. Verschmelzen. Miteinander verwachsen. Hilflos Einswerden. Ich kann es nicht erklären. Selbst Worte sind gegen mich. Was für ein Betrug, Michael. Was für eine scheußliche Falle. Ich bin erschöpft. Ach, schlafen, nur schlafen.

Einmal schlug ich ein Spiel vor: Jeder von uns sollte alles über seine erste Liebe erzählen.

Michael weigerte sich zu verstehen: Ich sei seine erste und letzte Liebe.

Ich versuchte zu erklären: Du mußt einmal ein Kind gewesen sein. Ein junger Mann. Du hast Romane gelesen. Es gab Mädchen in deiner Klasse. Sprich. Erzähl mir. Hast du dein Gedächtnis verloren und all deine Gefühle? Rede. Sag etwas. Du sagst nie etwas. Hör auf zu schweigen, hör auf, Tag für Tag wie ein Wecker zu ticken, und hör auf, mich wahnsinnig zu machen.

Schließlich dämmerte ein erzwungenes Verstehen in Michaels Augen.

Er begann in sorgfältig gewählten Worten, ohne Adjektive zu benutzen, ein lang vergessenes Sommerferienlager im Kibbuz En Harod zu schildern. Seine Freundin Liora, die jetzt im Kibbuz Tirat Yaar lebte. Ein Spiel, in dem er in einem Prozeß den Ankläger darstellte und Liora die Angeklagte. Eine versteckte Beleidigung. Ein alter Turnlehrer namens Yehiam Peled, der Michael seiner langsamen Reflexe wegen »Blöder Ganz« nannte. Ein Brief. Eine persönliche Erklärung dem Jugendleiter gegenüber. Wieder Liora. Eine Entschuldigung. Und so weiter.

Es war eine erbärmliche Geschichte. Wenn ich Vorlesungen in Geologie halten müßte, würde ich nicht so durcheinandergeraten. Wie die meisten Optimisten betrachtete Michael die Gegenwart als eine weiche, formlose Substanz, aus der man mittels verantwortungsvoller, harter Arbeit die Zukunft formen muß. Der Vergangenheit stand er mit Argwohn gegenüber. Ein Alp-

druck. Irgendwie überflüssig. Die Vergangenheit erschien Michael wie ein Häufchen Orangenschalen, das beseitigt werden muß, nicht indem man sie auf dem Weg verstreut, denn das wäre unordentlich; man muß sie einsammeln und vernichten. Um frei und unbelastet zu sein. Um nur für die Aufgaben verantwortlich zu sein, die die Zukunft einem stellte.
»Sag mir eines, Michael«, sagte ich und bemühte mich nicht, meinen Widerwillen zu verbergen. »Was glaubst du eigentlich, wofür du lebst?«
Michael antwortete nicht gleich. Er bedachte die Frage. In der Zwischenzeit sammelte er ein paar Krümel auf dem Tisch zusammen und häufte sie vor sich auf. Schließlich erklärte er:
»Deine Frage ist sinnlos. Die Menschen leben nicht für irgend etwas. Sie leben, Punkt.«
»Micha Ganz, du wirst sterben wie du geboren wurdest, ein absolutes Nichts. Punkt.«
»Jeder hat seine starken und schwachen Seiten. Du würdest das vermutlich eine banale Bemerkung nennen. Du hättest recht. Aber banal ist nicht das Gegenteil von wahr. ›Zwei mal zwei ist vier‹ ist eine banale Bemerkung, und dennoch...«
»Dennoch, Michael, banal *ist* das Gegenteil von wahr, und demnächst werde ich wahnsinnig wie Duba Glick, und du bist schuld daran, Doktor Blöder Ganz.«
»Beruhige dich, Hannah«, sagte Michael.
Abends vertrugen wir uns wieder. Jeder gab sich die Schuld an dem Streit. Wir sagten beide, daß es uns leid täte, und gingen zusammen Abba und Hadassah in ihrer neuen Wohnung in Rehavya besuchen.

Ich muß auch folgendes berichten:
Michael und ich gehen in den Hof hinunter, um die Tagesdecke auszuschütteln. Nach einer Weile gelingt es uns, unsere Bewegungen so zu koordinieren, daß wir sie gemeinsam ausschütteln können. Wir wirbeln Staub auf.
Dann falten wir die Decke zusammen: Michael kommt mit ausgestreckten Armen auf mich zu, als habe er plötzlich beschlos-

sen, mich zu umarmen. Er hält mir seine zwei Zipfel entgegen. Er geht zurück, greift nach den neuen Zipfeln. Streckt seine Arme aus. Kommt auf mich zu. Hält mir entgegen. Geht zurück. Greift. Kommt auf mich zu. Hält mir entgegen.
»Das reicht, Michael. Wir sind fertig.«
»Ja, Hannah.«
»Danke, Michael.«
»Du brauchst dich nicht zu bedanken, Hannah. Die Tagesdecke gehört uns beiden.«
Dunkelheit senkt sich auf den Hof. Abend. Die ersten Sterne. Ein vages, fernes Heulen – Schreie einer Frau oder eine Melodie im Radio. Es ist kalt.

XL

Meine neue Arbeit im Ministerium für Handel und Industrie gefällt mir viel besser als mein früherer Job in Sarah Zeldins Kindergarten. Ich sitze von neun bis eins in dem Gebäude, in dem früher das Palace-Hotel war. Zu der Zeit war mein Büro der Umkleideraum der Zimmermädchen. Auf meinem Schreibtisch treffen Berichte über verschiedene über das ganze Land verstreute Projekte ein. Meine Aufgabe besteht darin, bestimmte Informationen aus diesen Berichten herauszuziehen, sie mit anderen Informationen zu vergleichen, die ich in den Akten in einem Regal neben meinem Platz entnehme, die Ergebnisse des Vergleichs festzuhalten, die Randbemerkungen in den Berichten auf ein besonderes Formular zu übertragen und meine Arbeit schließlich an eine andere Abteilung weiterzuleiten.
Die Arbeit macht mir Spaß, besonders wegen der endlosen Faszination, die Begriffe wie »technisches Versuchsprojekt«, »chemisches Konglomerat«, »Schiffswerft«, »Schwermetall-Werkstätten«, »Stahlkonstruktionskonsortium« auf mich ausüben.

Diese Begriffe bezeugen mir die Existenz einer festen Realität. Ich kenne diese fernen Unternehmungen nicht und möchte sie auch nicht kennen. Ich bin zufrieden in der sicheren Gewißheit, daß sie irgendwo in weiter Ferne existieren. Sie existieren. Sie funktionieren. Machen Veränderungen durch. Kalkulationen. Rohstoffe. Gewinnträchtigkeit. Planung. Ein mächtiger Strom von Objekten, Orten, Menschen, Meinungen.
Sehr weit weg, ich weiß. Aber nicht jenseits des Regenbogens. Nicht verloren in einer Traumwelt.

Im Januar 1958 wurde ein Telefon in unserer Wohnung angeschlossen. Als Hochschullehrer hatte Michael Vorrang. Auch unsere Beziehung zu Abba war nützlich. Abba half uns auch sehr bei der Suche nach einer neuen Wohnung. Er sorgte dafür, daß wir für eines der Wohnungsbauprojekte der Regierung ganz oben auf die Warteliste kamen. Wir würden in einem neuen Vorort wohnen, der auf einem Hügel hinter Bayit Vagan gebaut werden sollte, mit Blick auf die Hügel von Bethlehem und auf den Ortsrand von Emek Refaim. Wir hinterlegten eine Anzahlung und vereinbarten, den Rest in Raten abzuzahlen. Vertragsgemäß sollten uns die Schlüssel zu unserer neuen Wohnung 1961 übergeben werden.
An diesem Abend brachte Michael eine Flasche Rotwein mit. Zur Feier des Tages überreichte er mir außerdem einen Riesenstrauß Chrysanthemen. Er füllte zwei Gläser zur Hälfte mit Wein und sagte:
»Auf uns, Hannah. Die neue Umgebung wird sich bestimmt beruhigend auf dich auswirken. Meqor Barukh ist eine trostlose Gegend.«
»Ja, Michael«, sagte ich.
»All diese Jahre haben wir davon geträumt, in eine neue Wohnung zu ziehen. Wir werden drei ganze Räume haben und ein kleines Studio. Ich hatte eigentlich erwartet, daß du glücklich sein würdest heute abend.« »Ich bin glücklich, Michael«, sagte ich. »Wir werden eine neue Wohnung haben mit drei ganzen Räumen. Wir haben immer davon geträumt, umzuziehen. Me-

qor Barukh ist eine trostlose Gegend.« »Aber das ist ja genau das, was ich gerade gesagt habe«, rief Michael erstaunt aus.
»Das ist genau das, was du gerade gesagt hast«, lächelte ich. »Nach acht Jahren Eheleben denkt man zwangsläufig das gleiche.«
»Die Zeit und harte Arbeit werden uns alles ermöglichen, Hannah. Du wirst sehen. Mit der Zeit könnten wir uns erlauben, nach Europa zu fahren oder sogar noch weiter. Mit der Zeit könnten wir uns ein kleines Auto leisten. Mit der Zeit wirst du dich besser fühlen.«
»Mit der Zeit und mit harter Arbeit wird alles besser werden, Michael. Ist dir aufgefallen, daß eben dein Vater gesprochen hat und nicht du?«
»Nein«, sagte Michael, »eigentlich nicht. Aber es ist nicht unmöglich. Eigentlich ist es nur natürlich. Schließlich bin ich meines Vaters Sohn.«
»Aber ja. Nicht unmöglich. Nur natürlich. Du bist sein Sohn. Es ist schrecklich, Michael, schrecklich.«
»Was ist so schrecklich daran, Hannah?«, fragte Michael traurig. »Es ist nicht richtig von dir, dich über meinen Vater lustig zu machen. Er war eine reine Seele. Du hast kein Recht, so zu sprechen. Das hättest du nicht tun sollen.«
»Du hast mich mißverstanden, Michael. Nicht die Tatsache, daß du deines Vaters Sohn bist, ist schrecklich, sondern daß du angefangen hast zu reden wie dein Vater. Und dein Großvater Salman. Und mein Großvater. Und mein Vater. Und meine Mutter. Und nach uns Yair. Wir alle. Als ob ein Mensch nach dem anderen nur Ausschuß wäre. Man macht einen neuen Entwurf nach dem anderen, und alle werden verworfen und zerknüllt und in den Papierkorb geworfen, um von einer neuen, leicht verbesserten Version ersetzt zu werden. Wie sinnlos das alles erscheint. Wie stumpfsinnig. Ein schlechter Scherz.«
Michael ließ sich diesen Gedanken eine Weile schweigend durch den Kopf gehen.
Geistesabwesend nahm er eine Papierserviette aus dem Halter. Faltete sie peinlich genau zu einem kleinen Boot, untersuchte es

aufmerksam und setzte es sehr sanft auf den Tisch. Schließlich meinte er, ich hätte reichlich phantasievolle Ansichten. Sein Vater habe ihm einst gesagt, Hannah wirke auf ihn wie eine Dichterin, wenn sie auch keine Gedichte schreibe.
Dann zeigte mir Michael den Plan der neuen Wohnung, den man ihm an jenem Morgen, als wir den Vertrag unterschrieben, ausgehändigt hatte. Er erklärte ihn mir in seiner üblichen klaren, sachlichen Art. Ich bat ihn, mir ein Detail näher zu erläutern. Michael wiederholte seine Erklärungen. Einen Augenblick lang erfaßte mich wieder dieses mächtige Gefühl, daß dies keineswegs das erste Mal war. Ich hatte diesen Augenblick und diesen Ort schon vor langer Zeit gekannt. All diese Worte waren bereits in ferner Vergangenheit gefallen. Sogar das Papierboot war nicht neu. Oder der Tabakrauch, der zur Glühbirne emporstieg. Das Summen des Kühlschranks. Michael. Ich. Alles. Es war alles weit weg und doch kristallklar.

Im Frühjahr 1958 stellten wir eine Haushaltshilfe ein. Von da an würde eine andere Frau sich um meine Küche kümmern. Wenn ich jetzt müde vom Büro heimkam, würde es nicht mehr nötig sein, mich hektisch an die Arbeit zu stürzen, Büchsen zu öffnen und Gemüse zu schaben und mich dabei auf Michaels und Yairs Gutmütigkeit zu verlassen, die sie davon abhielt, sich über die Monotonie der Mahlzeiten zu beklagen.
Jeden Morgen gab ich Fortuna eine Liste mit Instruktionen. Sie strich jede einzelne durch, wenn sie sie ausgeführt hatte. Ich war mit ihr zufrieden: fleißig, ehrlich, beschränkt.
Doch ein- oder zweimal bemerkte ich einen neuen Ausdruck im Gesicht meines Mannes, den ich all die Jahre unserer Ehe hindurch nie an ihm beobachtet hatte. Wenn Michael die Figur des Mädchens betrachtete, war auf seinem Gesicht eine Art verlegener Spannung zu lesen. Sein Mund öffnete sich leicht, sein Kopf neigte sich in einem Winkel, sein Messer und seine Gabel erstarrten für einen Augenblick in seinen Händen. Es war ein Ausdruck totalen Stumpfsinns, völliger Leere, wie bei einem Kind, das glaubt, man habe es in einer Prüfung beim Mogeln erwischt.

Daraufhin ließ ich Fortuna nicht mehr mit uns zu Mittag essen. Ich beschäftigte sie mit Arbeiten wie bügeln, Staub wischen oder Wäsche zusammenfalten. Sie aß allein zu Mittag, wenn wir fertig waren.
Michael meinte:
»Ich sehe mit Bedauern, Hannah, daß du Fortuna behandelst, wie Damen früher ihre Dienstmädchen zu behandeln pflegten. Fortuna ist kein Dienstmädchen. Sie gehört nicht uns. Sie ist eine berufstätige Frau. Genau wie du.«
Ich machte mich über ihn lustig.
»Jawohl, mein Herr. *Molodiez*, Genosse Ganz.«
Michael sagte:
»Jetzt bist du unvernünftig.«
Ich sagte:
»Fortuna ist kein Dienstmädchen, und sie gehört nicht uns. Sie ist eine berufstätige Frau. Es ist unvernünftig von dir, hier vor mir und dem Kind zu sitzen und deine hervorquellenden Kalbsaugen an ihrem Körper zu weiden. Es ist unvernünftig, und es ist ausgesprochen idiotisch.«
Michael war überrascht. Er erbleichte. Wollte etwas sagen. Überlegte es sich anders. Sagte nichts. Er öffnete eine Flasche Mineralwasser und füllte sorgfältig drei Gläser.

Als ich eines Tages aus der Klinik zurückkam, wo ich meine Kehle und meine Stimmbänder seit langem behandeln ließ, kam mir Michael ein Stück auf der Straße entgegen. Wir trafen uns vor dem Geschäft, das einst Herrn Elijah Mossiah gehört hatte und jetzt von den beiden schlechtgelaunten Brüdern geführt wurde. Sein Gesichtsausdruck ließ auf schlechte Nachrichten schließen. Es sei ein kleines Unglück passiert, sagte er.
»Unglück, Michael?«
»Ein kleines Unglück.«
Offensichtlich hatte er gerade die letzte Nummer der von der Königlich Geologischen Gesellschaft Großbritanniens herausgegebenen Zeitschrift durchgeblättert und darin den Artikel eines bekannten Professors aus Cambridge gelesen, der eine neue

und ziemlich überraschende Theorie über Erosion vorlegte. Bestimmte Voraussetzungen, die grundlegend für Michaels Arbeit waren, wurden auf glänzende Weise widerlegt.
»Das ist ja herrlich«, sagte ich. »Das ist deine Chance, Michael Gonen. Zeig diesem Engländer, was eine Harke ist. Mach ihn fertig. Gib nicht nach.«
»Das kann ich nicht«, sagte Michael einfältig. »Das ist ausgeschlossen. Er hat recht. Er hat mich überzeugt.«

Wie viele Studenten der Geistesgeschichte hatte ich mir immer vorgestellt, daß man alle Fakten auf verschiedene Weise interpretieren und daß ein scharfsinniger und entschlossener Interpret sie jederzeit übernehmen und nach seinem Willen formen könne. Vorausgesetzt, er geht mit genügend Schwung und Aggressivität vor. Ich sagte:
»Du gibst also kampflos auf, Michael. Mir wäre es lieber gewesen, dich kämpfen und gewinnen zu sehen. Ich wäre sehr stolz auf dich gewesen.«
Michael lächelte. Er antwortete nicht. Wäre ich Yair, hätte er sich die Mühe gemacht, mir zu antworten. Ich war verletzt und machte mich über ihn lustig:
»Armer alter Michael. Jetzt kannst du deine ganze Arbeit zerreißen und wieder von vorn anfangen.«
»Offen gesagt, das ist leicht übertrieben. Die Lage ist nicht so hoffnungslos, wie du sie darstellst. Ich habe mich heute morgen mit meinem Professor unterhalten. Ich werde die ersten Kapitel neu schreiben und drei Stellen im Hauptteil der Arbeit abändern müssen. Der Schlußteil ist ohnehin noch nicht fertig, und ich kann die neue Theorie darin berücksichtigen, wenn ich ihn schreibe. Die beschreibenden Kapitel sind nicht betroffen, sie bleiben so, wie sie sind. Ich brauche ein Jahr länger, vielleicht sogar weniger. Mein Professor stimmte sofort zu, mir Verlängerung zu gewähren.«

Ich dachte für mich: Als Strogoff in die Hände der grausamen Tataren fiel, wollten sie ihn mit rotglühenden Eisen blenden.

Strogoff war ein harter Mann, doch er war auch voller Liebe. Dank seiner Liebe füllten sich seine Augen mit Tränen. Diese Tränen der Liebe retteten ihn, denn sie kühlten das rotglühende Eisen. Willenskraft und List versetzten ihn in die Lage, den blinden Mann zu spielen, bis die schwere Mission, die ihm der Zar in St. Petersburg anvertraut hatte, erfüllt war. Die Mission und ihr Bote wurden durch Liebe und Kraft gerettet.
Und vielleicht konnte er in der Ferne das schwache Echo einer langgezogenen Melodie hören. Die unbestimmten Klänge waren nur mit äußerster Konzentration auszumachen. Ein fernes Orchester spielte und spielte, jenseits der Wälder, jenseits der Hügel, jenseits der Wiese. Junge Leute marschierten und sangen. Kräftige Polizisten auf starken, disziplinierten Pferden. Eine Militärkapelle in weißen Uniformen mit Goldtressen. Eine Prinzessin. Eine Zeremonie. Weit weg.

Im Mai ging ich in die Schule von Bet Hakerem, um mit Yairs Lehrerin zu sprechen. Sie war jung, blondhaarig, blauäugig und attraktiv wie eine Prinzessin in einem Bilderbuch. Sie war Studentin. Jerusalem war plötzlich voll von hübschen Mädchen. Natürlich hatte ich während meiner Studentenzeit vor zehn Jahren ein paar hübsche Mädchen gekannt. Ich war eines von ihnen. Aber diese neue Generation war anders, sie hatte etwas Schwebendes, eine leichte, mühelose Schönheit. Ich mochte sie nicht. Und ich mochte die kindischen Kleider nicht, die die Mädchen trugen.
Von Yairs Klassenlehrerin erfuhr ich, daß der junge Gonen einen scharfen, methodischen Verstand und ein gutes Erinnerungs- und Konzentrationsvermögen habe, daß es ihm jedoch an Sensibilität mangele. Zum Beispiel hatten sie in der Klasse den Auszug aus Ägypten und die zehn Plagen besprochen. Die anderen Kinder waren entsetzt über die Grausamkeit der Ägypter und die Leiden der Hebräer. Gonen hingegen hatte den biblischen Bericht über die Teilung des Roten Meeres angezweifelt. Er hatte sie mit dem Wechsel von Ebbe und Flut erklärt. Als interessierten ihn die Ägypter und Hebräer überhaupt nicht.

Die junge Lehrerin verbreitete eine frische, leichte Fröhlichkeit um sich. Als sie Klein Salman beschrieb, lächelte sie. Und als sie lächelte, leuchtete ihr Gesicht auf, alles in ihrem Gesicht nahm teil an diesem Lächeln. Ich verabscheute plötzlich das braune Kleid, das ich trug.
Später, auf der Straße, gingen zwei Mädchen an mir vorbei. Es waren Studentinnen. Sie lachten fröhlich, und beide waren auf eine berauschende, überwältigende Weise schön. Sie trugen Röcke mit tiefen, seitlichen Schlitzen und hielten Strohtaschen in der Hand. Ich fand ihr anschwellendes Gelächter vulgär. Als gehörte ihnen ganz Jerusalem. Als sie vorbeigingen, sagte die eine:
»Sie sind wahnsinnig. Sie machen mich verrückt.«
Ihre Freundin lachte:
»Dies ist ein freies Land. Sie können tun, was sie wollen. Von mir aus können sie ins Wasser springen.«

Jerusalem wächst und dehnt sich aus. Straßen. Moderne Kanalisation. Öffentliche Gebäude. Es gibt sogar ein paar Stellen, die für kurze Zeit den Eindruck einer gewöhnlichen Stadt vermitteln, öffentliche Bänke an geraden Asphaltstraßen. Doch der Eindruck täuscht. Wendet man den Kopf, erblickt man unter all den hektischen Baustellen ein steiniges Feld. Olivenbäume. Eine öde Wildnis. Dicht bewachsene Täler. Sich kreuzende Pfade, vom Tritt unzähliger Füße ausgetreten. Herden grasen um das neuerbaute Büro des Premierministers herum. Schafe weiden friedlich. Ein alter Hirte steht starr auf dem Felsen gegenüber. Und ringsum die Hügel. Die Ruinen. Der Wind in den Kiefern. Die Bewohner.
In der Herzl-Straße sah ich einen dunkelhäutigen Straßenarbeiter mit nacktem Oberkörper, der mit einem schweren Preßluftbohrer eine Furche quer über die Straße grub. Er war schweißgebadet. Seine Haut leuchtete wie Kupfer. Und seine Schultern bebten mit den Erschütterungen des schweren Bohrers, als könne er die in ihm hochdrängende Energie nicht länger zurückhalten und müsse plötzlich schreiend in die Luft springen.

Eine Todesanzeige, die an die Mauer des Altersheims am Ende der Yafo-Straße geheftet war, unterrichtete mich vom Tod der frommen Frau Tarnopoler, die vor meiner Heirat meine Vermieterin gewesen war. Frau Tarnopoler hatte mich gelehrt, als Balsam für eine gequälte Seele Pfefferminztee zu brauen. Ich bedauerte, daß sie gestorben war. Bedauerte mich selbst. Und alle wirklich gequälten Seelen.
Vor dem Schlafengehen erzählte ich Yair eine Geschichte, die ich in den fernen Tagen meiner Kindheit auswendig gelernt hatte. Es war die reizende Geschichte vom kleinen David, der »stets sauber, stets adrett« war. Ich liebte diese Geschichte. Ich wollte, daß auch mein Sohn sie liebte.

Im Sommer fuhren wir alle nach Tel Aviv, um Urlaub am Meer zu machen. Wir wohnten wieder bei Tante Leah, in ihrer Wohnung in einem alten Haus an der Rothschild-Allee. Fünf Tage. Jeden Morgen gingen wir zum Strand bei Bat Yam südlich von Tel Aviv. Nachmittags drängten wir uns in den Zoo, auf den Rummelplatz, ins Kino. An einem Abend schleppte uns Tante Leah in die Oper. Sie war voll von ältlichen, über und über mit Gold behängten polnischen Damen. Sie segelten majestätisch durch die Räume wie mächtige Kriegsschiffe.
Michael und ich stahlen uns in einer Pause davon. Wir gingen zum Meer hinunter. Wir wanderten den Strand entlang nach Norden, bis wir die Hafenmauer erreichten. Plötzlich durchströmte es mich. Wie ein Schmerz. Wie ein Schauder. Michael weigerte sich und wollte erklären. Ich hörte nicht auf ihn. Mit einer Kraft, die mich selbst überraschte, riß ich ihm das Hemd vom Leib. Warf ihn in den Sand. Da war ein Biß. Ein Schluchzer. Ich drückte ihn mit jedem Teil meines Körpers zu Boden, als sei ich viel schwerer als er. So rang ein Mädchen in einem blauen Mantel vor vielen Jahren in den Schulpausen mit Jungen, die viel stärker waren als sie. Kalt und glühend. Weinend und spottend.
Das Meer nahm teil. Und der Sand. Leichte Peitschenhiebe ungestümer Lust, durchdringend und verbrennend. Michael war

entsetzt. Er kenne mich nicht wieder, murmelte er, wieder einmal sei ich ihm fremd, und ich gefiele ihm nicht. Ich war froh, daß ich ihm fremd war. Ich wollte ihm nicht gefallen. Als wir um Mitternacht in Tante Leahs Wohnung zurückkehrten, mußte Michael seiner besorgten Tante mit rotem Kopf erklären, warum sein Hemd zerrissen und sein Gesicht zerkratzt war. »Wir gingen spazieren, und ... ein paar Rowdies fielen über uns her ... es war ziemlich unangenehm.«

Tante Leah sagte:

»Du mußt immer an deine Stellung im Leben denken, Micha. Ein Mann wie du darf nie in einen Skandal verwickelt werden.«

Ich brach in Lachen aus. Ich lachte lautlos weiter bis in die Morgenstunden hinein.

Am nächsten Tag gingen wir mit Yair in den Zirkus von Ramat Gan. Am Ende der Woche fuhren wir nach Hause. Michael erfuhr, daß seine Freundin Liora vom Kibbuz Tirat Yaar ihren Mann verlassen hatte. Sie hatte die Kinder mitgenommen und lebte als geschiedene Frau in einen neuen Kibbuz im Negev, dem Kibbuz, das ihre und Michaels Schulfreunde nach dem Unabhängigkeitskrieg gegründet hatten. Diese Neuigkeit beeindruckte Michael zutiefst. Schlecht unterdrückte Angst zeigte sich in seinem Gesicht. Er war bedrückt und schweigsam. Schweigsamer als gewöhnlich. Am Samstagnachmittag, als er frisches Wasser in eine Vase tat, zögerte er plötzlich. Einer langsamen Bewegung folgte eine zu schnelle. Ich sprang auf und fing die Vase auf. Am Tag darauf ging ich in die Stadt, um ihm den teuersten Füllfederhalter zu kaufen, den ich finden konnte.

XLI

Im Frühjahr 1959, drei Wochen vor dem Passahfest, war Michaels Doktorarbeit fertig.
Es war eine gründliche Untersuchung über die Auswirkungen der Erosion in den Schluchten der Paran-Wüste. Die Arbeit stimmte mit den neuesten Erosionstheorien von Wissenschaftlern aus aller Welt überein. Die morphotektonische Struktur dieser Gegend war in allen Einzelheiten überprüft. Die Schichtstufen, die exogenen und endogenen Elemente, die Klimaeinwirkungen und die tektonischen Faktoren waren analysiert. Die abschließenden Kapitel gaben sogar Hinweise, wie die Ergebnisse praktisch anzuwenden seien. Die Arbeit hatte Hand und Fuß. Michael hatte ein sehr komplexes Thema in den Griff bekommen. Er hatte seinen Forschungsarbeiten vier Jahre gewidmet. Die Dissertation war mit Verantwortungsgefühl geschrieben. Verzögerungen und Widerstände sowohl fachlicher wie persönlicher Art waren ihm nicht erspart geblieben.
Nach dem Passahfest wollte Michael sein Manuskript einer Schreibkraft geben, die es ins reine tippen würde. Dann wollte er seine Arbeit führenden Geologen zur Überprüfung vorlegen. Er würde seine Schlußfolgerungen vor dem üblichen wissenschaftlichen Forum verteidigen müssen. Er hatte vor, die Dissertation dem geliebten Andenken des verstorbenen Yehezkel Gonen zu widmen, eines ernsthaften und aufrechten Mannes, in Erinnerung an seine Hoffnungen, seine Liebe und Hingabe.
Um diese Zeit herum verabschiedeten wir uns auch von meiner besten Freundin Hadassah und ihrem Mann Abba. Abba wurde als Wirtschaftsattaché für zwei Jahre in die Schweiz versetzt. Er gestand uns, daß er sich tief in seinem Herzen auf den Tag freue, an dem man ihm eine geeignete offizielle Position, die ihm erlauben würde, ständig in Jerusalem zu leben, anböte, statt wie ein Botenjunge in ausländische Hauptstädte zu rennen. Er habe jedoch seinen Plan nicht aufgegeben, den Staatsdienst zu verlassen und seinen Weg in der großen Finanzwelt zu machen.

Hadassah sagte:
»Auch ihr werdet eines Tages glücklich werden, Hannah. Davon bin ich überzeugt. Eines Tages werdet ihr euer Ziel erreichen. Michael ist ein fleißiger Junge, und du warst schon immer ein kluges Mädchen.«
Hadassahs Abreise und ihre Abschiedsworte rührten mich. Ich weinte, als ich sie sagen hörte, daß auch wir eines Tages unser Ziel erreichen würden. War es denn möglich, daß alle außer mir sich mit der Zeit, mit Engagement, Ausdauer, Anstrengung, Ehrgeiz und Erfolg arrangiert hatten? Ich gebrauche nicht die Begriffe Einsamkeit, Verzweiflung. Ich fühle mich depremiert. Erniedrigt. Man hatte mich betrogen. Als ich 13 war, warnte mich mein verstorbener Vater vor schlechten Männern, die Frauen mit süßen Worten verführen und sie dann ihrem Schicksal überlassen. Er drückte sich so aus, als sei schon die bloße Existenz zweier verschiedener Geschlechter eine Unordnung, die das Leid auf der Welt vermehre, eine Unordnung, deren Folgen Männer und Frauen mit allen ihnen zur Verfügung stehenden Kräften mildern mußten. Mich hat kein schamloser Flegel von einem Mann verführt. Ich habe auch nichts gegen die Existenz zweier verschiedener Geschlechter. Aber ich bin betrogen worden, und es ist erniedrigend. Lebewohl, Hadassah. Schreib oft nach Jerusalem an Hannah im fernen Palästina. Klebe hübsche Marken auf die Umschläge für meinen Mann und meinen Sohn. Schreibe und erzähle mir alles über die Berge und den Schnee. Über Gasthöfe, weit übers Tal verstreute Hütten, uralte Hütten, deren Türen der Wind peitscht, bis die Scharniere kreischen. Ich habe nichts dagegen, Hadassah. Es gibt kein Meer in der Schweiz. *Dragon* und *Tigress* liegen im Trockendock in einem Hafen der St.-Pierre- und Miquelon-Inseln. Ihre Besatzungen durchstreifen die Täler auf der Suche nach Mädchen. Ich bin nicht eifersüchtig. Ich bin nicht betroffen. Ich habe Ruhe gefunden. Mitte März. In Jerusalem nieselt es noch immer.

Unser Nachbar Herr Glick starb zehn Tage vor dem Passahfest. Er starb an einer inneren Blutung. Michael und ich nahmen am

Begräbnis teil. Religiöse Händler aus der David-Yelin-Straße diskutierten in wütendem Jiddisch die Eröffnung einer nicht koscheren Metzgerei in Jerusalem. Ein magerer, gemieteter Kantor in einem schwarzen Gehrock hielt den Gottesdienst am offenen Grab, und der Himmel antwortete mit einem heftigen Schauer. Frau Duba Glick fand die Verbindung von Gebet und Regen irdendwie erheiternd. Sie brach in heiseres Lachen aus. Herr Glick und seine Frau Duba hatten keine Familie. Michael schuldete ihnen nichts. Aber er schuldete den Prinzipien und dem Charakter seines toten Vaters Yehezkel Loyalität. Also übernahm er die Verantwortung für die Beerdigung. Und dank Tante Jenias Einfluß gelang es ihm, Frau Glick in einem Heim für chronisch kranke, ältere Mitbürger unterzubringen. Es war dasselbe Heim, in dem Tante Jenia jetzt arbeitete.
Wir fuhren über die Festtage nach Galiläa.
Wir waren eingeladen, das Passahfest im Kibbuz Nof Harim mit meiner Mutter und der Familie meines Bruders zu feiern. Weg von Jerusalem. Weit weg von den Seitenstraßen. Weit weg von den älteren religiösen Frauen, die auf niedrigen Stühlen in der Sonne schrumpelten wie böse Vögel und mit ihren Augen den Horizont absuchten, als breite sich vor ihnen eine endlos weite Fläche aus statt eines beengten Stadtteils.
Es war Frühling auf dem Land. Wilde Blumen blühten am Straßenrand. Schwärme von Zugvögeln glitten durch die blaue Weite. Es gab steife Zypressen und dickbelaubte Eukalyptusbäume, die friedlich die Straße beschatteten. Es gab weißgekalkte Dörfer. Es gab rote Dächer. Keine düsteren Steinmauernn mehr und zerbröckelnde, von rostigen Eisengeländern umrahmte Balkone. Es war eine weiße Welt. Grün. Rot. Die Straßen waren überfüllt. Tausende von Menschen fuhren über Land. Die Fahrgäste in unserem Bus sangen ein Lied nach dem anderen. Es war eine Gruppe junger Leute, die einer Jugendorganisation angehörten. Sie lachten und sangen aus dem Russischen übersetzte Lieder über Liebe und weite Felder. Der Fahrer hielt das Steuerrad mit einer Hand. Mit der anderen umklammerte er die Lochzange und trommelte damit den Takt auf dem Armaturenbrett. Es war

ein fröhlicher Rhythmus. Hin und wieder zwirbelte er seinen Schnurrbart und schaltete den Lautsprecher ein. Er erzählte uns witzige Geschichten. Er hatte eine lebhafte Stimme.
Während der ganzen Fahrt überflutete uns warmes Sonnenlicht. Die Sonnenstrahlen ließen jeden Metallsplitter aufleuchten, jede Glasscherbe aufblitzen. Grüne und himmelblaue Schattierungen verschmolzen am Rande der weiten Ebene. An jeder Haltestelle stiegen Leute ein und aus, die Koffer, Rucksäcke, Schrotflinten, Sträuße von Alpenveilchen und Anemonen, Butterblumen, Ringelblumen, Orchideen in den Händen hielten. Als wir in Ramla ankamen, kaufte Michael für jeden von uns ein Zitroneneis am Stiel. An der Kreuzung von Bet Lod kauften wir Limonade und Erdnüsse. Auf beiden Straßenseiten erstreckten sich kreuz und quer von Bewässerungsrohren durchzogene Felder. Das warme Sonnenlicht leuchtete auf den Rohren und verwandelte sie alle in grellflimmernde Streifen.
Die Hügel waren sehr weit weg, blau getönt, in schimmernden Dunst gehüllt. Die Luft war warm und feucht. Michael und sein Sohn unterhielten sich während der ganzen Fahrt über im Unabhängigkeitskrieg geschlagene Schlachten und von der Regierung geplante Bewässerungsanlagen. Ich setzte mein freundlichstes Lächeln auf. Ich war voller Zuversicht, daß die Regierung all die großen Bewässerungsprojekte, die sie plante, verwirklichen würde. Ich schälte eine Orange nach der anderen für meinen Mann und meinen Sohn, teilte die Stücke, entfernte die weiße Haut, wischte Yairs Mund mit einem Taschentuch ab.
In den Döfern des Wadi Ara standen die Einwohner an der Straße und winkten uns zu. Ich nahm mein grünseidenes Kopftuch ab und winkte zurück, bis die Leute verschwunden waren, und selbst dann hörte ich nicht auf zu winken.
In Afula wurde ein bedeutender Jahrestag gefeiert. Die Stadt war mit blauen und weißen Fahnen geschmückt. Bunte Glühbirnen reihten sich quer über die Straßen. An der westlichen Stadteinfahrt hatte man einen geschmückten, eisernen Torbogen aufgestellt, und ein begeisterter Willkommensgruß wehte in der Brise. Auch meine Haare wehten.

Michael kaufte die Passahausgabe der Zeitung. Es gab ein paar erfreuliche politische Nachrichten. Michael erklärte. Ich legte meinen Arm um seine Schultern und blies in seine kurzgeschorenen Haare. Zwischen Afula und Tiberias schlief Yair auf unseren Schößen ein. Ich betrachtete den eckigen Kopf meines Sohnes, sein festes Kinn und seine hohe, blasse Stirn. Einen Augenblick lang wußte ich durch die Wellen blauen Lichts hindurch, daß mein Sohn einmal ein gutaussehender, kräftiger Mann werden würde. Seine Offiziersuniform würde wie angegossen sitzen. Gelber Flaum würde auf seinen Unterarmen sprießen. Auf der Straße würde ich mich auf seinen Arm stützen, und in ganz Jerusalem gäbe es keine stolzere Mutter als mich. Warum Jerusalem? Wir würden in Ashkelon leben. In Natanya. An der Küste mit Blick auf die schaumgekrönten Wellen. Wir würden in einem kleinen, weißen Bungalow mit einem roten Ziegeldach und vier gleichen Fenstern wohnen. Michael würde Mechaniker sein. Vor unserem Haus gäbe es ein Blumenbeet. Jeden Morgen würden wir zum Muscheln sammeln an den Strand gehen. Die Salzbrise würde den ganzen Tag über ins Fenster wehen. Wir würden immer salzig und sonnengebräunt sein. Die heiße Sonne würde täglich auf uns herabbrennen. Und Radiomusik würde pausenlos durch alle Räume tönen.

In Tiberias sagte der Fahrer eine halbstündige Pause an. Yair wachte auf. Wir aßen ein *falafel* und gingen zum Seeufer hinunter. Wir zogen alle drei unsere Schuhe aus und planschten im Wasser. Das Wasser war warm. Der See schimmerte und funkelte. Wir sahen Fischschwärme ruhig im tiefen Wasser schwimmen. Fischer lehnten müßig am Pier. Es waren rauhe Männer mit starken, behaarten Armen. Ich winkte ihnen mit meinem grünseidenen Kopftuch zu, und nicht vergebens. Einer von ihnen bemerkte mich und rief mir »Liebling« zu.
Unser nächster Reiseabschnitt führte uns durch grüne, von steilen Hügeln eingerahmte Täler. Auf der rechten Straßenseite glänzten die Fischteiche wie blaugrau leuchtende Quadrate. Die großen Hügel spiegelten sich zitternd im Wasser. Es war ein

sanftes, unterdrücktes Zittern wie das sich liebender Körper. Schwarze Basaltblöcke lagen verstreut herum. Alte Siedlungen strahlten graue Ruhe aus: Migdal, Rosh Pinah, Yisud Hamaalah, Mahanayim. Das ganze Land taumelte und schwankte wie im Rausch, als fließe es über von einem strotzenden, inneren Wahnsinn.
Kurz hinter Qiryat Shmoneh stieg ein älterer Fahrkartenkontrolleur ein, der wie ein Pionier aus den dreißiger Jahren aussah. Der Fahrer war offensichtlich ein alter Freund von ihm. Sie unterhielten sich fröhlich über eine Rotwildjagd in den Bergen von Naphtali, die für die Mitte des bevorstehenden Festes geplant war. Alle Fahrer aus der alten Clique seien dazu eingeladen. Alle aus der alten Clique, mit denen noch etwas los sei: Chita, Abu Masri, Moskowitsch, Zambezi. Frauen seien nicht zugelassen. Drei Tage und drei Nächte. Und ein berühmter Pfadfinder von den Fallschirmjägern würde dabei sein. Eine Jagd, wie sie die Welt noch nicht gesehen habe. Von Manarah über Baram bis Hanita und Rosh Hanikrah. Drei großartige Tage. Keine Frauen und keine Schreihälse. Nur die alte Clique. Die Gewehre und amerikanische Biwakzelte lägen bereit. Wer würde da nicht mitmachen. All die alten Wölfe und Löwen, die noch Kraft in den Lenden hatten. Wie in den guten, alten Tagen. »Alle werden da sein, aber auch alle. Bis auf den letzten Mann. Wir werden laufen und über die guten, alten Hügel springen, daß die Funken sprühen.«

Ab Qiryat Shmoneh begann der Bus in die Berge von Naphtali hochzuklettern. Die Straße war schmal und uneben. In die Felswände hatte man scharfe Kurven gehauen. Es war ein wilder, schwindelerregender Strudel. Der Bus war erfüllt von Angst- und Freudenschreien. Der Fahrer verstärkte die Aufregung, indem er das Steuerrad scharf herumriß und den Bus am äußersten Rand des Abgrunds entlangführte. Dann tat er so, als sausten wir gegen eine Bergwand. Auch ich schrie vor Angst und Freude. Wir trafen im letzten Tageslicht in Nof Harim ein. Sauber gekleidete Menschen kamen aus den Duschräumen, mit nassen,

gekämmten Haaren. Ein Handtuch über dem Arm. Blonde Kinder tollten auf dem Rases. Es roch nach frischgemähtem Gras. Rasensprenger versprühten Tropfenschauer. Die Glut der Abenddämmerung funkelte in den Tropfen wie eine Fontäne regenbogenfarbener Perlen. Der Kibbuz Nof Harim war im Scherz oft »Adlerhorst« genannt. Die Gebäude klammern sich an den schroffen Hügelkamm, als schwebten sie in der Luft. Am Fuß des Hügels breitet sich das weite, in quadratische Parzellen aufgeteilte Tal aus. Die Aussicht jagte mir einen Schauer über den Rücken. Ich konnte ferne, zwischen Wäldern und Fischteichen halb verborgene Dörfer sehen. Feste Blöcke üppiger Obstplantagen. Schmale, von Zypressen flankierte Wege. Weiße Wassertürme. Und die fernen, tiefblauen Hügel.
Die Kibbuzmitglieder, Altersgenossen meines Bruders, waren in der Mehrzahl Mitte 30. Sie waren voller Übermut und verbargen Anzeichen ernsthafter Verantwortlichkeit hinter einer fröhlichen Fassade. Ich stellte fest, daß sie zuverlässig und diszipliniert waren. Als müßten sie sich, einem verbissenen Entschluß gehorchend, ständig amüsieren und unterhalten. Ich mochte sie. Ich mochte den hochgelegenen Ort. Dann Emanuels kleines Haus, das die Kibbuzmauer, die zugleich die libanesische Grenze war, überragte. Eine kalte Dusche. Orangensaft und Kuchen, den meine Mutter gebacken hatte. Ein Sommerkleid. Eine kurze Ruhepause. Die lächelnden Gefälligkeiten meiner Schwägerin Rina. Emanuel, der meinem Sohn Yair zuliebe Bären imitierte. Es war die gleiche tolpatschige Imitation, die Emanuel bereits während unserer Kindheit so gut beherrschte, daß wir beide Tränen lachten. Selbst jetzt hörten wir nicht auf zu lachen.
Mein Neffe Yosi bot sich an, Yair zu unterhalten. Sie sahen sich Hand in Hand die Kühe und Schafe an. Es war die Zeit der langen Schatten und des matten Lichts. Wir legten uns auf die Wiese. Als es dunkel wurde, holte Emanuel eine elektrische Lampe an einer langen Schnur und hängte sie an den Zweig eines Baumes. Es gab eine kleine, harmlose Meinungsverschiedenheit zwischen meinem Bruder und meinem Mann, die bald in fast völliger Übereinstimmung beigelegt wurde.

Später das tränenreiche Glück meiner Mutter Malka. Ihre Küsse. Ihre Fragen. Das gebrochene Hebräisch, in dem sie Michael zum Abschluß seiner Doktorarbeit gratulierte.
Meine Mutter hatte seit kurzem unter schweren Kreislaufstörungen zu leiden gehabt. Sie schien mit einem Bein im Grab zu stehen. Wie wenig Raum meine Mutter in meinen Gedanken einnahm. Sie war Vaters Frau. Das war alles. Die wenigen Male, die sie ihre Stimme gegen Vater erhoben hatte, hatte ich sie gehaßt. Davon abgesehen, hatte ich ihr keinen Platz in meinem Herzen eingeräumt. Tief in meinem Inneren wußte ich, daß ich einmal mit ihr über mich reden mußte. Über sie. Über Vaters Jugend. Und ich wußte, daß ich das Thema diesmal nicht anschneiden würde. Und ich wußte auch, daß es vielleicht keine andere Gelegenheit mehr geben würde, weil meine Mutter bereits mit einem Bein im Grab zu stehen schien. Doch diese Gedanken beeinträchtigten mein Glücksgefühl nicht. Mein Glücksgefühl durchströmte mich, als existiere es unabhängig von mir.

Ich habe nichts vergessen. Die Feier am Vorabend des Passahfestes. Die Bogenlampen. Der Wein. Der Kibbuzchor. Das zeremonielle Schwenken der Weizengarben. Das Grillen am Lagerfeuer in den frühen Morgenstunden. Die Tänze. Ich machte jeden einzelnen Tanz mit. Ich sang. Ich wirbelte gewichtige Tänzer im Kreis herum. Ich zerrte sogar den erschrockenen Michael in die Mitte des Rings. Jerusalem war weit weg und konnte mich hier nicht verfolgen. Vielleicht war die Stadt unterdessen vom Feind, der sie auf drei Seiten umschloß, erobert worden. Vielleicht war sie endlich zu Staub zerfallen. Wie sie es verdiente. Ich liebte Jerusalem nicht aus der Ferne. Die Stadt wollte mir übel. Ich wollte ihr übel. Ich verbrachte eine wilde, aufregende Nacht im Kibbuz Nof Harim. Der Speisesaal war erfüllt vom Geruch nach Rauch, Schweiß und Tabak. Die Mundharmonika hörte nicht auf zu spielen. Ich genoß es. Ich ließ mich mitreißen. Ich gehörte dazu.
Doch gegen Morgen ging ich allein auf den Balkon von Emanuels

kleinem Haus hinaus. Ich sah Stacheldrahtrollen. Ich sah dunkle Büsche. Der Himmel hellte sich auf. Ich schaute nach Norden. Ich konnte die Silhouette einer gebirgigen Landschaft erkennen: die libanesische Grenze. Müde Lichter leuchteten gelb in den uralten, steinernen Dörfern. Unzugängliche Täler. Ferne, schneebedeckte Gipfel. Einsame Gebäude auf den Hügelkuppen, Klöster oder Festungen. Eine mit Felsblöcken übersäte, von tiefen Wadis durchfurchte Weite. Eine kühle Brise wehte. Ich fröstelte. Ich sehnte mich danach, wegzufahren. Wie stark dieses Verlangen war!

Kurz vor fünf Uhr ging die Sonne auf. Sie stieg in dichtem Nebel gehüllt auf. Niedriges Gestrüpp lag dunstig über der Erdoberfläche. Auf dem gegenüberliegenden Hang stand ein von wütend kauenden, grauen Ziegen umgebener junger arabischer Schafhirte. Ich konnte ferne Glockenschläge hören, die die Luft bewegten. Als sei das andere Jerusalem heraufgekommen und einem melancholischen Traum entstiegen. Es war eine dunkle, erschreckende Spiegelung. Jerusalem verfolgte mich. Die Scheinwerfer eines Autos leuchteten auf einer Straße auf, die ich nicht sehen konnte. Große, einsame, alte Bäume wuchsen kraftvoll. Verirrte Nebelfetzen zogen durch die verlassenen Täler. Ein kalter, trüber Anblick. Ein fremdes Land war in kaltes Licht getaucht.

XLII

Irgendwo auf diesen Seiten habe ich geschrieben: »Es gibt eine Alchimie der Dinge, die auch die innere Melodie meines Lebens ist.« Ich neige jetzt dazu, diese Behauptung zu verwerfen, weil sie zu hochtrabend ist. »Alchimie«. »Innere Melodie«. Im Mai 1959 geschah schließlich doch etwas, aber es geschah auf billige Art. Es war eine gemeine, groteske Travestie.

Anfang Mai wurde ich schwanger. Wegen der leichten Komplikationen, unter denen ich während meiner ersten Schwangerschaft zu leiden hatte, war eine ärztliche Untersuchung erforderlich. Die Untersuchung wurde von Dr. Lombrozo durchgeführt, denn unser Hausarzt Dr. Urbach war Anfang letzten Winters an einem Herzschlag gestorben. Der neue Arzt konnte keinen Grund zur Besorgnis finden. Nichtsdestoweniger, sagte er, eine Frau von 30 ist nicht ganz dasselbe wie ein Mädchen von 20. Ich solle außergewöhnliche Belastungen, stark gewürzte Speisen und körperliche Beziehungen zu meinem Mann von nun an bis zum Ende meiner Schwangerschaft meiden. Die Adern in meinen Beinen begannen erneut anzuschwellen. Dunkle Ringe bildeten sich wieder unter meinen Augen. Und die Übelkeit. Die ständige Müdigkeit. Im Laufe des Monats Mai vergaß ich wiederholt, wo ich einen Gegenstand oder ein Kleidungsstück hingelegt hatte. Ich sah darin ein Zeichen. Nie zuvor hatte ich jemals irgend etwas vergessen.
Unterdessen hatte sich Yardena bereit erklärt, Michaels Doktorarbeit abzutippen. Michael wollte ihr dafür bei der Vorbereitung auf ihr Schlußexamen helfen, das sie bereits bis zum letztmöglichen Termin hinausgeschoben hatte. Also machte sich Michael jeden Abend sauber und adrett auf den Weg zu Yardenas Zimmer am Rande des Universitätsgeländes.
Ich gebe es zu: Das Ganze grenzte an Lächerlichkeit. Und insgeheim hatte ich schon lange damit gerechnet. Ich war nicht beunruhigt. Beim Abendessen schien mir Michael unruhig und zerstreut. Er spielte nervös an seiner Krawatte herum, seiner nüchternen, mit einer Silbernadel befestigten Krawatte. Sein Lächeln war ausweichend und schuldbewußt. Seine Pfeife wollte nicht brennen. Er sprang ständig aufgeregt um mich herum und bot seine Hilfe an: wollte etwas tragen, ausschütten, saubermachen, servieren. Ich hatte kein Bedürfnis mehr, mich mit dem Aufspüren von Anzeichen zu quälen.
Ich will ganz offen sein: Ich glaube nicht, daß sich bei Michael mehr abspielte als scheue Gedanken und Spekulationen. Ich sehe keinen Grund, warum Yardena sich ihm hingegeben haben soll-

te. Andererseits sehe ich keinen Grund, warum sie ihn abgewiesen haben sollte. Aber das Wort »Grund« ist bedeutungslos für mich. Ich weiß nichts und ich will nichts wissen. Das Lachen ist mir näher als die Eifersucht. Michael benimmt sich allenfalls wie unser Kätzchen Schneeball, das einmal mit pathetischen Sprüngen versuchte, eine unter der Decke flatternde Motte einzufangen. Vor zehn Jahren sahen Michael und ich im Edison-Kino einen Greta-Garbo-Film. Die Heldin des Films opferte einem unwürdigen Mann Körper und Seele. Ich erinnere mich, daß ihre Leiden und seine Unwürdigkeit mir wie zwei Glieder einer einfachen mathematischen Gleichung schienen, und ich erinnere mich auch, daß ich mir nicht die Mühe machte, diese Gleichung zu lösen. Ich beobachtete die Leinwand von der Seite, bis sich die Bilder in eine hüpfende Folge verschiedener, zwischen schwarz und weiß abgestufter Farbtöne, in der Hauptsache jedoch unterschiedlicher Grautöne verwandelte. Auch jetzt gebe ich mir keine Mühe, des Rätsels Lösung zu finden. Ich beobachte von der Seite. Nur bin ich viel müder jetzt. Und es hat sich etwas geändert nach all diesen trostlosen Jahren.
Jahrelang hat Michael jetzt mit den Armen auf dem Steuerrad gelegen, hat nachgedacht oder vor sich hingedöst. Ich sage ihm Lebewohl. Ich habe nichts damit zu tun. Ich habe aufgegeben. Mit acht Jahren glaubte ich, daß einmal ein Mann aus mir würde statt einer Frau, wenn ich mich genau wie ein Junge benähme. Welch sinnlose Mühe. Ich muß mich nicht wie eine Verrückte abhetzen. Meine Augen sind offen. Lebewohl, Michael. Ich werde am Fenster stehen und mit meinen Finger Figuren auf die beschlagene Scheibe malen. Du darfst gerne glauben, daß ich dir zuwinke. Ich werde dir die Illusion nicht nehmen. Ich bin nicht bei dir. Wir sind zwei Personen, nicht eine. Du kannst nicht für immer mein rücksichtsvoller, älterer Sohn sein. Lebewohl. Vielleicht ist es noch nicht zu spät, dir zu sagen, daß nichts von dir abhing. Oder von mir. Hast du vergessen, Michael, wie du mir vor vielen Jahren einmal sagtest, es wäre schön, wenn unsere Eltern sich kennenlernen könnten. Versuche es dir jetzt vorzustellen. Unsere toten Eltern. Yosef. Yehezkel. Bitte, Michael, hör einmal

auf zu lächeln. Gib dir Mühe. Konzentriere dich. Versuche dir das Bild vorzustellen: du und ich als Bruder und Schwester. Es gibt so viele mögliche Beziehungen. Eine Mutter und ihr Sohn. Ein Hügel und Wälder. Ein Stein und Wasser. Ein See und ein Boot. Bewegung und Schatten. Kiefer und Wind.

Aber es bleibt mir mehr als bloße Worte. Ich bin noch imstande, ein schweres Vorhängeschloß zu öffnen. Die Eisentore aufzumachen. Zwei Zwillingsbrüder freizusetzen, die in die weite Nacht hinausschlüpfen und tun, was ich verlange. Ich werde sie antreiben. In der Dämmerung werden sie sich auf den Boden kauern und ihre Ausrüstung vorbereiten. Verblichene Armeerucksäcke. Eine Kiste Sprengstoff. Sprengkapseln. Zündschnüre. Munition. Handgranaten. Blinkende Messer. In der verfallenen Hütte herrscht dichte Dunkelheit. Halil und Aziz, das schöne Paar, das ich Halziz nannte. Sie werden keine Worte haben. Kehlige Laute werden ertönen. Ihre Bewegungen sind beherrscht. Ihre Finger biegsam und stark. Ihre Körper sind wie einer: Er richtet sich fest und sanft wie eine Palme auf. Eine Maschinenpistole hängt über der Schulter. Die Schulter ist eckig und braun. Sie bewegen sich auf Gummisohlen. Dunkles Khaki, das eng den Körper umschließt. Ihre Köpfe unbedeckt dem Wind ausgesetzt. Im letzten Schein der Dämmerung erheben sie sich wie ein Mann. Von der Hütte aus gleiten sie den steilen Abhang hinunter. Ihre Sohlen treten eine Spur aus, die das Auge nicht sehen kann. Sie benutzen eine einfache Zeichensprache: leichte Berührungen, leises Flüstern, wie ein Mann und eine Frau bei der Liebe. Ein Finger an der Schulter. Eine Hand im Nacken. Ein Vogelruf. Ein heimlicher Pfiff. Hohe Disteln in der Schlucht. Der Schatten uralter Olivenbäume. Stumm ergibt sich die Erde. Mager und erschreckend hohlwangig schleichen sie das gewundene Wadi hinunter. Die Spannung lauert bohrend in ihrem Innern. Sie krümmen und biegen sich wie junge Schößlinge im Wind. Die Nacht wird sie packen und einhüllen und in ihren Falten verschlucken. Das Zirpen der Zikaden. Das Bellen eines Fuchses in der Ferne.

Eine Straße wird in einem geduckten Sprung überquert. Ihre Bewegungen ähneln einem schwerelosen Gleiten. Das Rauschen schattiger Haine. Eine Metallschere durchtrennt brutal den Stacheldraht. Die Sterne sind ihre Komplizen. Sie blinken Instruktionen. In der Ferne die Berge wie dunkelnde Wolkenmassen. Dörfer schimmern unten in der Ebene. Das Rauschen des Wassers in Serpentinenrohren. Wassersprenger plätschern. Sie spüren Geräusche unter ihrer Haut, in ihren Sohlen und Handflächen, in ihren Haarwurzeln. Geräuschlos umgehen sie einen in den Windungen der Schlucht verborgenen Hinterhalt. Seitwärts bahnen sie sich einen Weg durch stockfinstere Obstplantagen. Ein kleiner Stein fällt. Ein Zeichen. Aziz schnellt vor. Halil duckt sich hinter eine niedrige Steinmauer. Ein Schakal heult gellend auf, verstummt wieder. Die Maschinenpistolen sind geladen, entsichert und im Anschlag. Ein teuflischer Dolch blitzt auf. Ein ersticktes Stöhnen. Aufatmen. Die Kühle salzigen Schweißes. Geräuschloses Vorwärtsgleiten.
Aus einem erleuchteten Fenster beugt sich eine müde Frau, schließt es und verschwindet. Ein schläfriger Wachtposten hustet heiser. Sie kriechen und winden sich unter stachligen Sträuchern hindurch. Die weißen Zähne sind entblößt, um die Handgranate scharf zu machen. Der heisere Wachtposten spuckt aus. Dreht sich um. Geht weg.
Der riesige Wasserturm ruht schwer auf seinen Betonstützen. Die Kanten wirken weicher in der Dunkelheit, runden sich im Schatten. Vier geschmeidige Arme strecken sich aus. Harmonieren wie im Tanz. Wie bei der Liebe. Als entstammten alle vier einem einzigen Körper. Kabel. Steuergerät. Zündschnur. Sprengkapsel. Zünder. Körper winden sich mit weichen Schritten den Hügel hinunter und verschwinden. Und am Hang unter dem Horizont ein verstohlenes Laufen, eine sehnsüchtige Liebkosung. Das Unterholz legt sich und erhebt sich wieder, während sie es streifen. Wie ein leichtes Boot durch stille, ruhige Wasser gleitet. Der felsige Grund. Die Mündung des Wadi. Sie umgehen den lauernden Hinterhalt. Zitternde, schwarze Zypressen. Die Obstplantagen. Der gewundene Pfad. Sie klammern sich ge-

schickt an den Klippen fest. Mit geblähten, witternden Nasenflügeln. Fingern, die nach einem Halt tasten. In weiter Ferne wehmütige Zikaden. Die Feuchtigkeit des Taus und des Windes. Dann plötzlich, und doch nicht plötzlich, das düstere Donnern der Explosion. Ein Blitzstrahl zuckt am westlichen Horizont empor. Fetzen dunkler Echos hallen in den Berghöhlen wider.

Danach ein kurzes Auflachen. Wild und kehlig und erstickt. Ein rascher Händedruck. Der Schatten eines einsamen Johannisbrotbaums auf dem Hügel. Die Hütte. Eine rußige Lampe. Die ersten Worte. Ein Freudenschrei. Dann Schlaf. Die Nacht draußen ist blutrot. In allen Tälern fällt dichter Tau. Ein Stern. Die mächtige Bergkette.

Ich sandte sie aus. Zu mir werden sie in den frühen Morgenstunden zurückkehren. Zerschlagen und erhitzt zurückkommen. Sie riechen nach Schweiß und Schaum.

Eine friedliche Brise streift die Kiefern, bewegt sie. Der ferne Himmel wird langsam hell. Und ruhige, kalte Stille senkt sich über die endlose Weite.